Biblioteca

Emma Wildes

Emma Wildes

LECCIONES DE SEDUCCIÓN

Traducción de
Montse Roca

CISNE

Título original: *Lessons from a Scarlet Lady*

Primera edición en Debolsillo: septiembre, 2011

© 2010, Katherine Smith
   Publicado por acuerdo con la autora, representada por
   Baror International, Inc., Armonk, Nueva York,
   Estados Unidos
© 2010, de la presente edición para España y América Latina:
   Random House Mondadori, S. A.
   Travessera de Gràcia, 47-49. 08021 Barcelona
© 2010, Montserrat Roca Comet, por la traducción

Printed in Spain – Impreso en España

ISBN: 978-84-9908-859-4 (vol. 88/2)
Depósito legal: B-23287-2011

Compuesto en Revertext, S. L.

Impreso en Novoprint, S. A.
Energia, 53. Sant Andreu de la Barca (Barcelona)

M 888594

Para tía Jan y tío Mick,
con cariño y un guiño travieso.

Prólogo

Si no habéis captado su atención desde el primer momento, ¿cómo vais a conservarla?

Prólogo íntegro de Los consejos de lady Rothburg,
publicados en 1802

Como ella había imaginado y esperado, el vestíbulo estaba a rebosar de personas ataviadas con sus mejores galas, que revoloteaban como aves luciendo su más brillante plumaje. Brianna Northfield dejó que su marido le retirara con delicadeza la capa de terciopelo de los hombros, y siguió dándole la espalda a propósito mientras sonreía y saludaba a diversos conocidos entre el gentío. Él entregó la prenda al encargado del guardarropa y se puso a charlar con lord Bassford, un viejo amigo, mientras ella esperaba estratégicamente sin darse la vuelta.

Ese era el primer paso de un plan que, desde luego, esperaba que funcionase, porque se sentía muy expuesta.

Muy, muy expuesta.

Colton terminó de hablar, la cogió del brazo y, por suerte, dirigió la mirada a la multitud, buscando un resquicio para abrirse camino hasta su palco privado.

—Por aquí, querida. Me parece que podremos colarnos por donde está el conde de Farrington.

—No conozco a la joven que le acompaña —murmuró ella,

fijándose en el llamativo cabello y la figura exuberante de la damita—. Dios santo, si tiene edad para ser su padre.

—Me parece que es su amante actual —dijo su marido con frialdad mientras avanzaban entre la muchedumbre—. Estoy convencido de que la ha traído a la ópera solo para molestar a su esposa. La discreción nunca ha sido el punto fuerte de Farrington.

A Brianna no le pasó inadvertido el tono de censura en la voz de su marido, pero al menos no iba dirigido contra ella. Es decir, todavía no. En los tres meses que llevaban casados había aprendido que Colton Northfield, quinto duque de Rolthven, estaba en contra de exhibir en público la vida privada de cada uno.

Si tuviera una amante, seguro que no saldría con ella, ni alardearía de su aventura ante toda la buena sociedad londinense. Tampoco perjudicaría a su esposa, ni la humillaría a sabiendas. Brianna solo rogaba que él no tuviese una amante, y deseaba también que nunca sintiera la necesidad de tenerla.

Él la cogió del brazo con ligereza y la condujo por la escalera alfombrada que subía hasta un elegante palco con vistas al centro del escenario. La gente se volvía al verles pasar, otros amigos les saludaron, y Brianna se dio cuenta de que más de un caballero se entretenía en observarla y que diversas damas arqueaban las cejas.

Bien. Al fin y al cabo deseaba impresionar, y esas prolongadas miradas masculinas indicaban que, sin duda, lo había conseguido.

Notó el momento en el que Colton se percató del vestido. Estaban en mitad de la escalera y él titubeó y tensó los dedos. Se quedó inmóvil con un pie en el siguiente escalón y los ojos fijos en su escote.

—Dios bendito, ¿qué llevas puesto?

—¿Te parece apropiado pararte en la escalera y mirarme el busto con tanta atención? —le preguntó con una tranquilidad que de hecho no sentía, mientras subía el siguiente peldaño con decisión—. Es la última creación de madame Ellen y sí, puede que el escote sea excesivo, pero estoy convencida de que tengo la figura adecuada para llevarlo.

Su marido se quedó quieto un momento, sin apartar los ojos centelleantes de las curvas marfileñas que emergían por encima de la tela del corpiño, mostrando la parte superior en su totalidad.

—Es cierto que puedes lucirlo, pero tal vez deberías haberte preguntado si debes. O mejor aún, habérmelo preguntado a mí —masculló en voz baja.

¿Consultarle a él sobre moda? Como si eso le importara. Aunque vestía de modo impecable, nunca hacía el menor comentario sobre la ropa que llevaba ella.

—Colton —susurró Brianna—, la gente nos mira preguntándose si estaremos discutiendo en público.

—Podría ser —musitó él—. ¿Has perdido la cabeza?

¿El duque de Rolthven riñendo con su esposa, y encima en la escalera de la ópera? Jamás. Ella había escogido ese lugar porque confiaba de pleno en el arraigado sentido de la corrección de su marido. A él le horrorizaba la idea de dar un espectáculo. Brianna se esforzó por sonreír con una serenidad de lo más falsa, pues notaba un rubor en las mejillas y el latido del pulso en la garganta.

—En absoluto. ¿Ocupamos nuestros asientos?

Él masculló una maldición, le sujetó la muñeca con sus largos dedos y la obligó a subir casi a rastras el resto del camino. Recorrió a toda prisa la galería y entró en su palco privado. Era difícil interpretar su expresión, pero mientras la acomodaba en su butaca y tomaba asiento a su lado, su boca se había transformado en una línea tensa.

El teatro estaba tan repleto como siempre; las arañas gigantescas centelleaban y de los palcos dorados llegaba el zumbido de cientos de conversaciones. La gente acudía no tanto para disfrutar de la obra musical, como para ser vistos y observar a los demás, cosa que su marido sabía muy bien.

—Supongo que como ya estamos aquí, envolverte en la capa y llevarte fuera provocaría comentarios —dijo sardónico, extendiendo sus largas piernas—. Sé que suelen fijarse en nosotros cuando entramos, pero no entendía por qué llamábamos tanto la atención cuando atravesábamos el vestíbulo. Ahora lo comprendo muy bien. Imagino que esta noche habrá más prismáticos dirigidos hacia tus senos tan generosamente expuestos que hacia el escenario. ¿En qué pensabas, madame, cuando escogiste un traje tan escandaloso?

«En seducirte», pensó ella al mirarle. Esa noche, el apuesto rostro de Colton tenía un atractivo tan devastador como siempre, aunque frunciera el ceño y hubiese una mueca de reproche en sus sensuales labios. Era alto, tenía el cabello castaño y abundante, una figura esbelta y atlética, y en las raras ocasiones en que sonreía, todas las mujeres presentes experimentaban un ligero rubor. Sus pómulos pronunciados le daban cierto aire de arrogancia, tenía la nariz recta y el perfil de la mandíbula muy bien dibujado. Cuando Brianna le vio por primera vez se quedó deslumbrada ante aquella belleza innegable, y la verdad es que, en cuanto él empezó a mostrar interés por ella, se enamoró hasta perder la cabeza, como la doncella de una fábula romántica.

Pero había ciertos aspectos de su matrimonio que no había previsto. Como príncipe de cuento, Colton tenía algunos defectos. Era uno de los hombres más ricos de Inglaterra, tenía un poder político enorme, y lo cierto es que su origen ilustre encandilaba a cualquier debutante ingenua, pero lo que ella no había imaginado era que le concediera una parte tan pequeña de su tiempo desde que la había convertido en su esposa.

Claro que Colton no se había casado con la jovencita ingenua y sumisa que, como ella sospechaba, él creía haber elegido.

Con tanta compostura como pudo, Brianna contestó:

—Muchas mujeres han acudido a la velada con vestidos a la moda tan escotados como el mío. Creí que te gustaría.

—¿Que todos los hombres de Londres se coman con los ojos el busto desnudo de mi esposa? —Levantó las cejas, pero volvió a desviar la mirada hacia abajo—. Piénsalo mejor, querida.

—En realidad —repuso ella con un destello de esperanza

pues, aunque se le notaba molesto, era incapaz de apartar la vista—, pensé que tal vez te gustaría cómo me queda el vestido.

Por un momento, Colton pareció sorprendido y entornó un segundo los ojos.

—Estás preciosa y arrebatadora, Brianna, y tu aspecto siempre me parece fascinador. ¿Por qué crees que me casé contigo?

Eso no era lo que ella quería oír. Era exactamente lo que no quería oír. Brianna agitó el abanico con furia.

—Espero, excelencia, que no te casaras conmigo solo para acudir a actos como este con un objeto bonito del brazo. Soy una persona, soy una mujer y soy tu esposa.

Su reproche provocó que en la cara del duque asomara una expresión de desconcierto poco habitual en él.

—Puede que no me haya expresado bien. Me refiero a que tú siempre me resultas atractiva. Sin necesidad de que vayas medio desnuda.

—Pues demuéstralo.

—¿Cómo dices? —Él arqueó de pronto una ceja y se quedó mirándola, perplejo.

Bien. Ahora disponía de toda su atención. Por lo general, Colton solo parecía vagamente consciente de la presencia de Brianna. Era un hombre ocupado, y ella comprendía y aceptaba que las responsabilidades de título y fortuna acapararan buena parte de su tiempo. Pero cuando estaban los dos juntos quería saber que su esposo, como mínimo, gozaba con su compañía. Ambos se estaban adaptando aún al matrimonio, o cuando menos ella, porque no había notado que él cambiara demasiado su rutina ahora que tenía esposa. Seguía trabajando casi todo el día, seguía yendo al club, y seguía pasando más tiempo en salas de juego y bailes y veladas que con ella. Muchas parejas de la alta sociedad llevaban vidas separadas. Pero eso no era lo que Brianna quería para sí, y, para cambiar su actitud sobre ese particular, estaba decidida a que él se fijara en ella de verdad.

La orquesta empezó a animarse. Levantando la voz para que Colton oyera sus palabras y sin preocuparse de los ocupantes de los palcos vecinos, Brianna dijo con claridad:

—Esta noche quiero que me demuestres que te parezco atractiva.

—¿De qué demonios estás hablando?

Brianna miró de frente a su esposo y lanzó un leve suspiro.

—Me preocupaba que dijeras algo idéntico a esto.

Las mujeres eran unas criaturas muy imprevisibles, irracionales y emotivas, meditó Colton Northfield sombrío, sin hacer demasiado caso de la obra de Herr Mozart. Observó con aire indolente el escenario, donde bailarinas con ropas vistosas danzaban al ritmo de las mismas alegres melodías que ya había oído miles de veces. A su lado, su encantadora esposa, embelesada, agitaba con languidez el abanico para mitigar el bochorno de aquella sala inmensa. Unos mechones de cabello sedoso y de un dorado tenue acariciaban su cuello grácil, y su rostro delicado parecía algo ruborizado por el calor.

Colton no había mentido: era una de las mujeres más hermosas que había visto jamás, y él la había deseado con pasión desde el momento mismo en que les habían presentado hacía casi un año. El noviazgo, el compromiso y la vida de casado no habían cambiado eso en lo más mínimo. Incluso ahora, esa carne opulenta que temblaba y desbordaba la parte superior del corpiño de ese modelo marfil que, dijera lo que dijese ella, rozaba lo escandaloso, incrementaba de una manera incómoda su erección, confinada en unos pantalones ajustados.

¿Qué estaba gestándose exactamente en esa preciosa cabeza? Si se lo hubieran preguntado antes de aquella velada, Colton habría dicho que, de las jóvenes que conocía, Brianna sería la última en ponerse algo tan descarado. Solía ser muy recatada. A veces incluso demasiado, aunque lo cierto es que aún era ingenua y poco experimentada. Él había controlado su deseo carnal tanto como pudo, para que la actividad amorosa entre ambos fuera una experiencia contenida, intentando que ella se familiarizara con la intimidad del acto y perdiese sus comprensibles inhibiciones.

Aunque lo cierto es que aquella noche no se mostraba inhibida en absoluto, y a él eso le afectaba de un modo sorprendente. Debería estar molesto con ella por el atuendo que había elegido para una aparición pública como aquella. De hecho lo estaba, molesto... y algo más.

Intrigado.

Brianna se inclinó hacia delante y levantó los prismáticos dorados para ver mejor el escenario. El montículo de carne contenido apenas por el corpiño ponía a prueba la tela del vestido, y él habría jurado que vislumbraba el contorno de un pezón rosado, perfecto.

Incapaz de dejar de pensar en el desafío inesperado de Brianna, de pronto se preguntó si había llevado las cosas por el camino equivocado. No es que aprobara en ningún sentido que apareciese en público medio desnuda, pero admiraba la vista. La verdad es que tenía unos pechos encantadores, rotundos y flexibles, y el color virginal del vestido, en contraste con aquel escote pecaminoso, provocaba efectos interesantes en la zona que él tenía por debajo de la cintura.

Efectos muy interesantes.

—La soprano es espectacular, ¿no te parece? —Su esposa había bajado los prismáticos y sonreía. Sus ojos azul oscuro, enmarcados por unas largas pestañas, seguían fijos en la representación.

A él le resultó difícil contestar, puesto que apenas había prestado atención a la obra.

«Tú sí que eres espectacular.»

Colton balbuceó una respuesta muy poco brillante, en un tono poco comprometedor:

—Sí, tiene un gran talento.

—La última aria ha sido magnífica.

Lo que era magnífico era la delicada curva de los hombros desnudos de Brianna y la perfección de su piel sin mácula. Por no hablar de su boca, de un rosa pálido y seductor, y del contraste entre el tono más oscuro de las cejas y el lustre dorado de su cabello...

Dios bendito, se reprendió Colton con cierta ironía, ¿qué estaba haciendo? Las comparaciones poéticas y los pensamientos lascivos mientras estaba sentado en su palco privado de la ópera no formaban parte de su carácter en absoluto.

Se esforzó en prestar atención a la representación. O al menos lo intentó.

Creyó que pasaba una eternidad hasta que cesó la música y empezó el éxodo caótico del teatro. Aprovechó que era alto para localizar la salida adecuada, y escoltó a su esposa al exterior tan aprisa como pudo para evitar los comentarios sobre el atuendo de Brianna y, tenía que ser honesto consigo mismo, impedir que otros varones tuvieran la oportunidad de experimentar un placer similar ante sus innegables encantos. Cumplimentó del modo más expeditivo posible el habitual intercambio de cortesías con los amigos con quienes se cruzaron, mientras esperaba con impaciencia que le devolvieran la capa. En cuanto el encargado del guardarropa se la entregó, la colocó alrededor de los hombros de Brianna con una intensa sensación de alivio.

—Mi carruaje, por favor —dijo en tono cortante a un lacayo joven, que se inclinó y que por lo visto captó la premura de su voz pues casi salió corriendo a cumplir sus órdenes.

—¿Tienes prisa? —preguntó Brianna.

La pregunta parecía bastante inocente, pensó Colton con recelo, mientras aguardaba que les trajeran el vehículo, pero no estaba seguro de que lo fuera. Era evidente que Brianna le había sorprendido aquella noche.

—No me apetece tener que hacer una cola interminable —mintió.

—Resulta aburrido —corroboró ella y dejó que el rebozo se deslizase apenas sobre sus hombros, lo bastante para que quedara a la vista lo que él quería cubrir—. Vaya, qué calor hace esta noche, ¿verdad?

Él, en efecto, sudaba y no estaba del todo convencido de que fuera la temperatura exterior lo que le provocaba dicha incomodidad.

En cuanto llegó el carruaje ayudó a su esposa a entrar, luego se acomodó en el asiento opuesto, y golpeó el techo con contundencia para avisar al cochero.

En la penumbra del interior del vehículo, Brianna, con la capa abierta mostrando la carne suntuosa que casi rebosaba la parte frontal del vestido que brillaba con luz trémula, tenía un aspecto más tentador que nunca. Él carraspeó.

—¿Disfrutaste del espectáculo, querida? —dijo.

—Sí —respondió ella en voz queda, y le miró por debajo de sus largas pestañas con un aire provocativo que Colton no le había visto nunca. Cada vez que respiraba, sus pechos amenazaban con reventar los inadecuados confines del traje y liberarse—. ¿A ti te gustó?

Estaba absorto. O seguía absorto. Demonios, ¿acababa de hacerle ella una pregunta?

La mínima educación exigía contestar.

—El espectáculo era espléndido —dijo con sequedad, abandonando cualquier intento de disimular su lujuria—. Y sí, la ópera también me pareció entretenida.

Ella sonrió con un aire que no era en absoluto el de la joven ingenua con quien se había casado. Era, por el contrario, propio de una mujer sensual y seductora hasta la médula.

—Si yo puedo entretenerte en algún sentido, por favor no tengas ningún pudor en sacar provecho de ello. Ahora estaría muy bien.

—¿Ahora? —repitió él preguntándose si se refería a lo que creía que se refería.

—Ahora. —Y ella acentuó la sonrisa.

Oh sí, se refería a eso.

En algún lugar recóndito de su mente le molestaba que Brianna supiera hasta qué punto le había perturbado. Pero no era esa parte la que llevaba el control en aquel momento. La que mandaba ahora era otra zona de su cuerpo.

Intentó no moverse. Al fin y al cabo, cometer una indiscreción en el interior de un carruaje era indigno. Pero de pronto, eso a Colton le resultó del todo indiferente. Se inclinó hacia delante, cogió a Brianna en brazos y se instaló de nuevo en el asiento con ella en el regazo. Bajó la cabeza, la besó con ansia, exploró su boca con la lengua y saboreó todos los dulces rincones. Ella respondió con igual abandono, le echó los brazos al cuello y apretó su cuerpo esbelto y voluptuoso contra él. Sin apartarse de la boca de Brianna, él retiró la ropa que cubría un hombro contorneado y un seno desnudo, y su mano se colmó con aquel peso leve y flexible.

«Perfecto.»

Todo se desvaneció. El traqueteo de las ruedas del vehículo que circulaba por la calle adoquinada, la noche cálida… todo, excepto la pulsante rigidez de su miembro. Cuando al fin dejó de besarla y deslizó la boca a lo largo de su grácil cuello, la oyó respirar de forma errática. Sus labios se demoraron un momento en ese punto donde le latía el pulso, leve y desbocado. Brianna hizo un ruidito y dejó caer la cabeza sobre el hombro cuando él rodeó con el pulgar la cumbre erótica del pezón rosado.

—Colton… Oh, sí.

Tenía la piel suave, tersa e infinitamente femenina. Le desabrochó los cierres de la espalda del vestido, que en cuestión de segundos cayó a la altura de la cintura de Brianna. Lamió el tentador valle entre sus pechos, besó los sensuales montículos, succionó sus pezones hasta que estuvieron erectos y duros, y sintió que su encantadora esposa estaba excitada cuando se pegó a él y susurró su nombre.

El carruaje ducal tenía unos asientos amplios y cómodos, cosa que Colton jamás antes había valorado en especial.

—No puedo creer que esté haciendo esto pero, que Dios me ayude, Brianna, he de tenerte —dijo con voz entrecortada y tumbándola sobre el asiento.

—Yo también te deseo.

El cabello se le había soltado y enmarcaba su rostro como una catarata de seda. Sus hombros parecían de marfil bajo las sombras, y sus pechos, desnudos y tensos, se agitaban a merced de los movimientos del vehículo. Él creyó que se quedaría sin respiración cuando ella se inclinó para subirse las faldas por encima de la cintura, y descubrió unas piernas largas y deliciosas con ligas y medias de seda. El vello púbico era un pequeño triángulo dorado entre sus muslos blancos y, mientras él se quitaba la chaqueta, ella separó las piernas a modo de erótica invitación.

Tan ardiente era su premura que Colton, sintiendo que estallaría en cualquier momento, aceptó encantado mientras seguía tirando del cierre de los pantalones. Liberó su vibrante erección, se inclinó sobre el cuerpo semidesnudo y expuesto de su esposa, y se acomodó entre sus muslos separados. Apuntalándose con una mano sobre la tapicería del asiento, guió su miembro rígido hacia la hendidura y descubrió a Brianna húmeda y dispuesta a que la penetrara. Mientras él embestía en el interior de su cuerpo, ella se le agarró a los hombros y un gemido sordo brotó de su garganta.

Era tan, tan placentero, pensó enfebrecido de pasión, sin preocuparse siquiera de decirle que fuera discreta. En circunstancias normales, le habría horrorizado la idea de que su cochero les oyera hacer el amor, pero en ese momento no le importó lo más mínimo. Ensimismado, penetró de nuevo con prolongados envites en el pasaje tenso que ella le ofrecía, y adaptó el bombeo de la parte inferior de su cuerpo al balanceo del vehículo.

Ella se arqueaba y subía las caderas para cada penetración, con los ojos cerrados y las pestañas oscuras y largas pegadas a sus mejillas ruborizadas. Mientras el ritmo se aceleraba, Colton notó a través de la tela delicada de la camisa que ella le pellizcaba con más fuerza, y descubrió atónito que iba a llegar al clímax sin mayor estimulación. Brianna emitió un chillido quedo, se arqueó con frenesí y sus músculos internos empezaron a tensarse y a contraerse.

Aquello llevó a Colton casi al límite. Penetró más adentro y estalló con tal intensidad que su cuerpo se estremeció. Se quedó inmóvil, prisionero del placer que le retenía, mientras la inundaba con su semilla y jadeaba su nombre.

Cuando al fin recuperó el aliento se dio cuenta de dos cosas. La primera, que su bellísima esposa le miraba con una sonrisa que solo podía describirse como triunfante.

La segunda, que el vehículo que ocupaban en ese estado de semidesnudez escandalosa estaba deteniéndose.

—Maldición —masculló sin dar crédito. ¿Acababa de tomar a su esposa en un carruaje en marcha, como un adolescente libidinoso?

1

Los hombres desean entendernos, pero solo en un sentido muy abstracto. Según ellos, la volatilidad de nuestras emociones nos convierte en unas criaturas demasiado complicadas para poder comprendernos del todo. Debo admitir que, hasta cierto punto, tienen razón. Los hombres se enfrentan a la vida de un modo muy directo. Algo que nos conviene recordar en nuestro provecho. Las mujeres, por su parte, se entienden muy bien entre sí.

Del capítulo titulado
«Su realidad frente a nuestras ilusiones»

*E*l sol de media tarde se colaba a través de los ventanales y caía en haces sesgados sobre la lujosa alfombra. Las cristaleras estaban abiertas a los jardines, y el aroma de las rosas en flor inundaba el aire. Rebecca Marston, sentada frente a Brianna, levantó una ceja.

—Pareces rara, Bri —dijo con aire suspicaz—. ¿Estás escuchando la conversación, siquiera?

—Yo pienso lo mismo —intervino Arabella Smythe, condesa de Bonham. Menuda y bonita, estaba sentada en el borde de una butaca de tapicería exquisita, con su cabellera de ébano recogida con recato en la nuca, y la misma pregunta escrita en sus encantadores ojos oscuros—. Pareces muy distraída.

—¿De veras? —A Brianna le resultó imposible fingir inocencia y se echó a reír. Sus amigas, reunidas en la salita informal de Arabella para tomar el té y charlar, tenían bastante razón. Hacía un buen rato que había perdido el hilo de su cháchara sobre las últimas tendencias de la moda.

La velada anterior había sido un... éxito. Ella incluso lo calificaría de revelación. ¿Cómo diablos podía pensar en eso sin sonreír?

Bien, era imposible.

—Sí. Extraña como un gato que se ha comido el canario. —Rebecca se sentaba ahora algo más erguida, en un sofá de brocado. Era una morenita alta y esbelta con facciones femeninas y una figura envidiable. Era muy común que los caballeros se confesaran enamorados de ella, pero a pesar de la insistencia paterna para que se casara pronto, ella aún no había encontrado a nadie que le conviniese. Esta era su segunda temporada, y ello la convertía en una especie de desafío para los jóvenes de la buena sociedad—. ¿Qué ha pasado? —preguntó.

Las tres habían sido muy buenas amigas desde niñas, y aunque Brianna intentó adoptar una expresión anodina, no lo consiguió.

—¿Qué os hace pensar que ha pasado algo?

Las otras dos intercambiaron una mirada y después dirigieron la vista de nuevo hacia ella.

—Llámalo una conjetura —dijo Arabella con sequedad—. Las dos te conocemos y yo ya he visto antes esa expresión. Me recuerda la vez que fuimos a explorar la abadía en ruinas a medianoche esperando encontrar fantasmas y nos pillaron al volver. Tú te inventaste un cuento y conseguiste que mi institutriz se lo creyera no sé cómo. —Y añadió—: Pero nosotras sabíamos muy bien que en realidad éramos culpables de habernos saltado las normas.

Brianna lo recordaba y murmuró con humor mientras cogía la taza de té:

—Sí, pero conseguí que no nos castigaran, ¿verdad?

—Tenías mucha labia —comentó Rebecca—. Pero no intentes aplicar esa triquiñuela con nosotras. Dinos, ¿por qué mirabas por la ventana con esa peculiar sonrisa de complacencia?

Brianna no estaba en absoluto segura de si debía contarles la verdad. Era un secreto tremendamente escandaloso. No obstante, confiaba en sus dos amigas más que en nadie en el mundo.

—¿Bri? —dijo Rebecca.

—Volví y lo compré —confesó ella.

Sus dos amigas se quedaron con las tazas de té suspendidas entre las manos, perplejas.

Les dio más detalles.

—Volví a esa pequeña librería y compré *Los consejos de lady Rothburg*.

Arabella abrió la boca, atónita, y Rebecca se atragantó.

Brianna levantó la palma de la mano con un gesto de súplica.

—Antes de que digáis nada, dejad que os explique que funcionó. Los consejos que da el libro no tienen precio. Leí el primer capítulo y fue de lo más instructivo. Deberíais haber visto a Colton. Creo que a mitad de la ópera dejó de mirar el escenario y pasó a fijarse solo en mí. Bien, en cierta parte de mí en cualquier caso.

—¿Qué parte? Dios santo, Bri, ¿qué demonios estás haciendo? —Arabella le prestaba tan poca atención a su taza de té que estuvo a punto de derramar el resto del contenido—. ¿Tienes idea de lo indignado que estaría mi marido si yo estuviera en posesión de ese libro? Y perdona por el comentario, pero creo que Andrew es más indulgente que Rolthven.

Era probable que el complaciente marido de su amiga fuera más tolerante, pero Brianna no pudo evitar recordar la impetuosa pasión de Colton en el carruaje. Parecía incapaz de reprimirse, y ese era el efecto preciso que ella deseaba.

—Al principio se sobresaltó mucho, pero luego diría que… se adaptó.

—¿Se adaptó a qué? —preguntó Rebecca con un destello en sus ojos verdes—. Deja ya ese maldito misterio y empieza a contarnos.

Brianna se arregló las faldas con decoro.

—Bien, el primer capítulo sugiere que un atavío discreto resulta muy apropiado si deseas asistir a un servicio religioso o a la reunión social de una tía abuela, pero si lo que una pretende es atraer la mirada de su esposo, debe ser un poco descarada.

—¿Descarada cómo? —preguntó Arabella.

—Bastante descarada. —Brianna notó que se ruborizaba—. Mi escote era muy atrevido, lo reconozco, pero aunque Colton se enfadó porque llevaba un vestido muy descocado, noté que también estaba intrigado, y lo que pasó más tarde lo confirmó. Al principio estaba indignado, pero ya era tarde para llevarme a rastras a casa, y con eso habría provocado que todo el mundo murmurara, y ya sabéis que él odia ese tipo de cosas. Debo decir, en cambio, que… le estimuló bastante la idea de una prenda que le facilitaba tanto el acceso.

—Debes de estar de broma. El duque es siempre muy correcto y comedido. Cuando la gente habla de Rolthven, lo cual sucede a menudo, porque todos sabemos que tu marido es un hombre importante, siempre lo hace con el máximo respeto por su contención.

—Bien, pues anoche la dejó de lado, por una vez. —Brianna bajó un punto la voz—. Cuando volvimos a casa en el carruaje, me tomó con desenfreno y yo disfruté de cada segundo. Aunque debo decir que fue un poco embarazoso apearse con un desaliño tan evidente —añadió, recordando que su marido apenas tuvo tiempo de abrocharse los pantalones y de ayudarla a volver a vestirse con prisas, antes de que un lacayo abriera la puerta y le provocase un ardor aún mayor en las mejillas. Tenía el pelo suelto y la capa seguía tirada en el suelo, de modo que no había dudas sobre qué habían estado haciendo.

Arabella depositó la taza en el plato con tanta brusquedad que trastabilló. Tenía los ojos muy abiertos.

—¿En el carruaje? ¿El duque? Oh, cielos.

—Fue maravilloso —dijo Brianna con franqueza—. Colton aparenta ser muy digno y convencional, pero esa no es su verdadera personalidad. Creo que siempre ha pensado que yo me escandalizaría si él expresase sin tapujos su naturaleza apasionada.

Es más, sé que le educaron en el convencimiento de que sería duque y que su elevada posición social exigía cierto decoro. Cuando me cortejó apenas me arrancó un par de besos castos, aunque yo sabía que él deseaba más, mucho más. —Bajó un poco las pestañas y agregó—: Hay algunas cosas que un hombre no puede ocultar con esos pantalones ceñidos tan en boga hoy en día.

Arabella suspiró, se recostó de nuevo en la butaca y ajustó la manga de su liviano vestido azul.

—A Andrew jamás se le ocurriría algo como hacerme el amor en nuestro carruaje.

—A Colton tampoco, a menos que le incitara a ello, créeme. —Brianna se inclinó hacia delante—. Pero es agradable que se le pueda incitar. Estoy descubriendo que el libro de lady Rothburg es bastante acertado. Lo que las mujeres consideran romántico y la definición que tiene ese mismo término para los hombres son dos cosas muy distintas. Colton es muy cumplidor y me regala joyas y flores y cosas así, pero estoy convencida de que le asombraría mucho saber que me complacería más con una sonrisa cariñosa o un beso tierno que con un broche de diamantes. Ni siquiera cae en ello, sencillamente.

—Como soy la única soltera, esta conversación me parece fascinante. ¿Tú vas a educarle, según entiendo? —Rebecca arqueó una ceja—. Aún no tengo marido, pero empiezo a comprender cómo funciona todo esto. Somos como enemigos que viven en el mismo campamento, y que además están obligados a ser aliados.

—Más o menos —confirmó Brianna con una carcajada leve—. Digamos que existe un territorio común, y que yo voy a trabajar para que Colton y yo lo descubramos. Si los hombres, como dice el libro, definen el romance como un intercambio sexual, pienso asegurarme de que él sepa que soy muy romántica. Me niego a que mi marido mire hacia otra parte porque me considere aburrida en la cama.

—Eres una idealista sin remedio. Los hombres como Rolthven no caen de rodillas y se declaran locamente enamorados. —Arabella meneó la cabeza—. No lo necesitan, Bri.

Brianna había descubierto que el mundo privilegiado en que se había educado y se movía su marido le presentaba ciertos problemas. De ahí esa adquisición secreta.

—Mi hermana y su marido son un matrimonio muy feliz —dijo confiando no expresar melancolía—. Deberíais verles juntos. A veces se limitan a intercambiar una sonrisa, pero el afecto es muy obvio. Henry la adora y Lea se casó con él a pesar de que no era más que un abogado. Mis padres no lo aprobaban, pero mi hermana estaba enamorada y la verdad es que su modesto hogar es uno mis lugares favoritos para ir de visita. Me gustaría que en mi casa hubiera la misma calidez.

Era un tanto inadecuado decir que la mansión londinense de Colton era una casa. Una residencia palaciega, quizá, pero una casa y un hogar… bueno, no. Y Rolthven, la propiedad campestre, era aún mayor.

Tal vez Brianna sí era una idealista.

—¿Qué otras cosas dice lady Rothburg? —Parecía que Rebecca tenía más que un somero interés.

—Seguro que nada que debamos leer nosotras, ni mucho menos repetir. Ese libro —afirmó Arabella, apuntando a Brianna con la cuchara de forma elocuente— es algo que dudo que tu guapísimo, pero respetable, marido querría que tuvieras. Sigue pareciéndome increíble que lo encontraras en esa lúgubre tenducha, y mucho más que lo compres.

Era verdad. La obra de lady Rothburg había sido prohibida unos diez años atrás, cuando se publicó por primera vez. A Brianna le había intrigado aquel ejemplar maltrecho, y en cuanto lo abrió supo que esa compra secreta había sido una decisión acertada.

—Es de lo más instructivo y va en beneficio exclusivo de nuestro matrimonio. ¿Por qué debería importarle que lo leyera? —preguntó con mucha calma.

—Porque es escandaloso, solo trata de la seducción y el comportamiento licencioso, y está escrito nada menos que por una notoria cortesana —dijo su amiga con remilgo.

Aquello era cierto. Colton se indignaría si se enterase de que ella poseía aquel librito, y se limitaría a ordenar que se deshiciera de él al instante.

Impasible, Brianna se inclinó para coger un pastelito de limón de una bandejita del carrito del té.

—Puede que sea así, pero por lo visto le gustó el consejo que da el capítulo primero. —Dio un mordisquito al dulce, masticó con mucho refinamiento, se lo tragó y añadió—: Y deberíais ver lo que sugiere el segundo capítulo.

El club White's estaba abarrotado, pero la verdad es que siempre lo estaba. Colton entregó el capote al camarero y se dirigió a su mesa favorita. Su hermano menor, Robert, ya estaba allí con un coñac en la mano y repantigado en una butaca. Había un periódico muy bien doblado junto a la licorera, al que cuando Colton se aproximaba dio un golpecito con el dedo.

—Veo que tu hermosa duquesa se ha ganado un par de párrafos en las páginas de sociedad —dijo Robert con una sonrisa.

Colton hizo una mueca, apartó una butaca, se sentó y cogió la licorera y una copa.

—Eso tengo entendido.

—En un lugar muy destacado —continuó Robert.

Colton odiaba las columnas de chismes, pero sabía que el escote de Brianna no pasaría desapercibido.

—Casi me da miedo preguntar, pero ¿qué dice?

Robert era tres años más joven y un amigo tanto como un hermano. Tenía el cabello algo más claro, de un rubio oscuro más que castaño, y los mismos ojos azul cielo de la familia Northfield. En ese momento estaban muy abiertos, vivaces y risueños.

—No es para tanto, Colt. Se limitan a mencionar... esto... que sus atributos femeninos aparecían expuestos de un modo que atraía las miradas. Eso es todo. Ah sí, y especulan sobre si ello marcará o no tendencia entre las jovencitas de la alta sociedad.

—Brianna no hará nada parecido a eso —masculló Colton, sirviéndose una generosa cantidad de coñac—. La única razón por la que lució esa prenda en público es porque yo no me di cuenta a tiempo. No vi ese atrevido vestido hasta que estuvimos en la ópera y el daño ya estaba hecho.

—¿Cómo es posible que no lo vieras? —Robert hizo una mueca y apoyó la espalda en el respaldo—. Perdona que lo pregunte, pero para serte franco llevaba un atuendo que jamás pasaría desapercibido.

Era una buena pregunta. Colton se la había formulado a posteriori, cuando aún no había salido de su asombro por haber actuado de un modo tan imprudente en el carruaje, de camino a casa. Estuvo a punto de que un lacayo le pescara literalmente con el culo al aire, y estaba seguro de que toda la servidumbre sabía lo que había pasado entre él y su preciosa, joven y desconcertante esposa. Debería dar las gracias de que ese episodio de la debacle no se hubiera propagado por todo Londres.

—Brianna se retrasó y cuando se reunió conmigo al pie de la escalera antes de salir ya llevaba puesta la capa —le contó a su hermano—. De no ser así me habría dado cuenta, créeme.

En resumen, estaba bastante seguro de que ella lo había hecho a propósito, para que él no le ordenara que se cambiase. Ese comportamiento era muy extraño, pues hubiera jurado que no era el tipo de mujer que intentaría engañarle en ningún sentido. La evidencia, sin embargo, era irrefutable.

—Brianna aún es joven —comentó Robert, mientras sus estilizados dedos jugaban con el pie de la copa—. Estoy seguro de que no se dio cuenta...

—Se dio perfecta cuenta —interrumpió Colton cortante al recordar la mirada arrobada de su esposa cuando él vio por primera vez el vestido—. Pero quédate tranquilo porque no volverá a pasar. Al fin y al cabo, las facturas de su modista las pago yo.

Su hermano enarcó una ceja.

—No soy experto en matrimonios, ni mucho menos, pero conozco a las mujeres y adoptar el papel del marido despótico no me parece prudente.

La mesa del otro extremo de la sala estalló en carcajadas,

pero por suerte estaba muy lejos y Colton quedó convencido de que no era una reacción al comentario de Robert.

—¿Qué se supone que debo hacer, dejar que se vista de esa forma con regularidad? —preguntó en voz baja y a la defensiva—. Opino que no. Es la duquesa de Rolthven. En primer lugar, no sé qué la empujó a actuar así, aunque ella insiste en que se puso esa maldita cosa pensando que me gustaría.

—¿Y fue así?

Colton le lanzó una mirada sardónica desde el otro lado de la mesa.

—Quizá para ponérselo en privado, solo para mí.

—¿Quizá?

—Bien, sí, me pareció favorecedor, pero solo desde un punto de vista masculino muy primario. Como mi esposa, no debería habérselo puesto.

—Ah.

—¿Qué diantre significa eso?

Su hermano se esforzó en disimular la sonrisa y fracasó.

—Veo que Brianna ha conseguido poner nervioso al duque remilgado y correcto que hay en ti. Bien por ella.

Que le llamaran remilgado le molestó de un modo infernal. Le hacía pensar en ancianas de pelo blanco y aire de censura, o en severos pastores presbiterianos, y él no era nada de eso. Sí, Colton creía en un grado mínimo de decoro, al fin y al cabo, era un par del reino y su posición social así se lo exigía.

—No todos amamos la notoriedad, Robbie —apuntó, sin molestarse en ocultar su enfado—, ni tampoco todos podemos saltar del lecho de una dama encantadora al siguiente, sin volver la vista atrás. Yo me tomo en serio mis responsabilidades, y eso incluye mi matrimonio.

Robert, que tenía una reputación de calavera de primer orden, y era famoso por su rotunda oposición al compromiso, no parecía escarmentado y reaccionó en cambio con una risita.

—Estoy convencido de ello. Todo lo que tú asumes, desde la administración de las propiedades hasta tu escaño en la Cámara de los Lores, lo abordas con la misma eficacia y destreza. Pero afrontémoslo, Colt, hasta ahora nunca has tratado con un ser humano. No a una persona cualquiera, sino a una mujer como esa. Ella no actuará como tú deseas, solo porque lo desees. Puede que ni siquiera haga lo que tú quieras aunque se lo ordenes. Brianna no solo es preciosa, es inteligente, y estoy convencido de que se siente capacitada para tomar sus propias decisiones.

—Eso ya lo sé —replicó dolido Colton—. ¿Quién mejor que yo? No tenía el menor interés en casarme con una muñeca con la cabeza hueca. Admiro su espíritu y su intelecto.

—Entonces te aconsejo que trates este asunto de un modo más sutil que diciéndole a la modista que a partir de ahora te gustaría autorizar sus modelos. Eso resultaría insultante para Brianna y de lo más desacertado, ya que tú detestas los chismes. Si manifiestas que desaprobaste su atuendo, conseguirás que todo el mundo vuelva a hablar de ello. No puedes fiarte de que la costurera siga tus instrucciones y sea discreta.

Pensar que su hermano menor pudiera estar dándole consejos sabios le mortificaba. Y sobre el matrimonio, nada menos, por el cual no había mostrado el mínimo interés. Pero la verdad es que tenía razón. Robert conocía a las mujeres, o debía conocerlas, pues lo cierto era que había degustado los encantos de muchas.

Colton apuró la copa y se sirvió más coñac. Se frotó el mentón y miró a su hermano con el ceño fruncido.

—Supongamos que, en principio, estoy de acuerdo contigo. Ni que decir tiene que yo prefiero la diplomacia a mostrarme autoritario, pero tampoco me gustaría que su nombre estuviera siempre en boca de otros.

El atractivo rostro de Robert adoptó un aire pensativo.

—Yo diría que persuadirla para que acepte tu punto de vista es mejor que dictar órdenes. Si ella opta por lucir otro modelo escandaloso, decide en el último minuto que no te apetece salir. Dile que te encantaría disfrutarlo en privado. Demuéstraselo. Y así, cada vez que su atuendo sea demasiado osado para que te apetezca compartirlo con todo Londres, os quedaréis en casa. Captará el mensaje enseguida, y si quiere salir se vestirá con más recato. Si tienes la suerte de que desee quedarse, sospecho que te resultará aún más placentero. Tal como yo lo veo, tienes todas las de ganar.

Para sorpresa de Colton, el consejo de Robert tenía sentido. Al menos no se vería preso del desinhibido arrebato de hacerle el amor a su esposa en un carruaje en marcha, sino que podría subir la escalera con ella con toda corrección, y cerrar la puerta de su alcoba. No es que aquel episodio no hubiera sido de lo más placentero, pero no le había gustado nada que estuvieran a punto de pillarle en plena acción. Habría preferido poder tomarse su tiempo, sobre todo con alguien tan cautivador como Brianna.

Miró a su hermano por encima del borde de la copa y aspiró el aroma tentador que emanaba aquel excelente coñac.

—La verdad es que eso me parece una solución viable.

Robert extendió las manos con un gesto de modestia y una sonrisa pícara.

—Me gusta mucho más tratar este asunto que esos temas áridos a los que sueles dedicarte, o cosas peores como tu última reunión con los abogados para cerrar un acuerdo financiero. ¿Qué puede ser más fascinante que charlar sobre mujeres?

Hablaba como un auténtico libertino. Colton no podía permitirse el lujo de pasarse todo el día sentado, imaginando cómo aplacar a su última enamorada como hacía su hermano menor, pero, ya que Robert había expuesto un punto de vista tan civilizado, tal vez le hiciera alguna consulta más en el futuro.

—Creo que no me había parado a pensarlo de ese modo, aunque yo no gozo de tu libertad —murmuró, y se terminó la copa.

—Eso es verdad —reconoció Robert muy complacido, mientras cogía la licorera—. Ser duque debe de ser una carga espantosa. Es muchísimo mejor ser el tercero en la línea de sucesión, y cuando tengas un heredero no seré ni siquiera eso.

Claro que de vez en cuando el título y la responsabilidad que implicaba ser tan influyente le pesaban, pero así era todo en la vida. Esa era una realidad que su despreocupado hermano aún no había descubierto.

—Algún día —vaticinó Colton, mientras se le curvaban los labios al imaginarlo—, cuando llegue el momento en que caigas de rodillas ante una dama joven, yo disfrutaré al máximo.

—Puede —Robert se mostró imperturbable y algo engreído—, pero hasta que eso suceda, cosa que dudo, estaré disponible por si quieres hablar de nuevo sobre cómo tratar a tu bella esposa.

2

La intriga es tan esencial en las relaciones entre hombres y mujeres como necesario es el aire que respiramos. Esa danza sutil que bailamos unos con otros es lo que hace que todo sea tan interesante.

Del capítulo titulado
«Son todos iguales, y aun así distintos»

*L*a imagen del espejo no le desagradaba. Rebecca Marston colocó el último rizo castaño en su lugar y estudió su aspecto con mirada crítica. Sí, el vestido rosa pálido era una buena elección; combinaba bien con su piel nívea y destacaba los destellos oscuros de su cabello. Había una ventaja en no ser una rubia al uso y era que ese tono, más oscuro, sobresalía entre el resto de las debutantes y llamaba la atención de los varones solteros. Aunque habría preferido no ser tan alta, no lo era tanto como para disuadir a demasiados pretendientes.

No, el verdadero problema era su edad, su alta alcurnia, el hecho de ser tan buen partido y de tener un padre temible.

De hecho, la lista de problemas era considerable, pero la mayoría solo atañía a un hombre.

Se levantó del tocador, cogió el abanico con un suspiro y salió de la habitación. En el piso de abajo se encontró a sus padres esperándola en el vestíbulo. Su madre estaba espléndida. Iba envuelta en seda verde esmeralda, lucía una fortuna en diamantes y una rutilante diadema coronaba el elaborado recogido de su cabellera oscura. Su padre, con un elegante traje de noche, una corbata blanca con una aguja de rubí y el cabello canoso peinado hacia atrás, tenía un aire muy distinguido. Manoseaba los guantes de un modo que indicaba impaciencia, y cuando la vio bajar la escalera se la quedó mirando con gesto de aprobación.

—Por fin. Estaba a punto de enviar a buscarte, querida, pero la espera ha valido la pena. Estás deslumbrante.

Rebecca sonrió, pero fue un tanto forzado. No le apetecía nada lo que le esperaba en las próximas horas. Otro baile, otra velada bailando con caballeros deseosos de complacerla, mientras aquel en quien anhelaba apreciar una chispa de interés se reía, cautivaba y deslumbraba a otras mujeres, sin mirarla de reojo siquiera.

Qué idea tan deprimente…

—Perdonad el retraso —murmuró, y se puso de espaldas para que un criado le colocara la capa sobre los hombros—. No podía decidir qué vestido ponerme.

Qué frívolo había sonado. Aunque ella no se considerara superficial en absoluto; de hecho, era todo lo contrario. La auténtica pasión de su vida era la música, y aunque sus padres le aconsejaban que no lo mencionara cuando estuviese acompañada, no solo era una gran pianista, sino que también tocaba el arpa, la flauta y el clarinete mucho mejor que la mayoría. Aunque lo que le interesaba de verdad era componer. Tenía veinte años y ya había escrito dos sinfonías e innumerables piezas breves. Era como si tuviera una melodía sonando sin interrupción en el cerebro, y pasarla a papel le parecía de lo más natural.

Eso, por supuesto, era tan poco habitual como el color de su cabello.

El coche les estaba esperando, y su padre le dio la mano primero a su madre, luego a ella, y las escoltó hasta la calle. Rebecca se acomodó en el asiento y se preparó para el sermón habitual.

Su madre no perdió el tiempo.

—Querida, lord Watts estará en casa de los Hampton esta noche. Por favor, concédele un baile.

El aburrido lord Watts, con su risa afectada y su bigote ralo. A Rebecca no le importaba ni la fortuna ni las tierras que un día heredaría; aunque fuera el último hombre de la tierra, jamás disfrutaría en su compañía.

—Es un mentecato pomposo —dijo con franqueza—. Un ignorante a quien no le interesa el arte y...

—Guapo, rico e hijo de un amigo mío —interrumpió su padre con firmeza, y con un destello de severidad en la mirada—. Baila con él. Está muy enamorado de ti y ha pedido tu mano dos veces.

Era razonable preguntar por qué debía alentar a un hombre con quien no tenía intención de casarse jamás, pero decidió no discutir. En lugar de eso murmuró:

—Muy bien. Puedo reservarle un baile.

—Tal vez podrías reconsiderar su propuesta. Yo estoy a favor del enlace.

Para Rebecca dicha posibilidad no existía, no podía existir, ni existiría jamás. No dijo una palabra.

Su madre la miró con aire de reproche mientras avanzaban traqueteando por la calle adoquinada.

—En algún momento tendrás que escoger.

A su edad ya había muchas damiselas prometidas o casadas, como por ejemplo sus dos mejores amigas, Arabella y Brianna, y por lo tanto debía tomar una decisión. Rebecca comprendía muy bien la postura de sus padres en ese asunto. De hecho, ya había elegido, pero era una elección absurda, inviable, imposible y de lo más escandalosa.

Nadie conocía su enamoramiento secreto.

La mansión estaba espléndidamente iluminada, y la larga hilera de carruajes que ocupaba el sendero circular era una señal de la importancia del evento. Ellos se apearon por fin y fueron conducidos de inmediato al interior, mezclados con los demás invitados que llegaban. Enseguida Rebecca, incapaz de reprimirse, examinó la multitud que llenaba el salón de baile iluminado. ¿Aparecería él esta noche? Por lo general solía asistir a los acontecimientos sociales prestigiosos ya que su hermano era un duque y…

Allí estaba.

Tan alto, tan varonil, con sus facciones bien cinceladas y ese pelo castaño claro que siempre conseguía que pareciera muy bien peinado, pero con una naturalidad favorecedora al mismo tiempo. Saludó a un amigo y una sonrisa espontánea le iluminó la cara. Lord Robert Northfield era un granuja encantador, desenvuelto, sofisticado, y con el menor interés por una dama joven y casadera. Lo cual, pensó Rebecca con un suspiro, la dejaba fuera de juego. Una parte de sí misma deseaba no ser amiga de Brianna y así no habría tenido nunca la posibilidad de conocer al hermano menor del duque de Rolthven, pero otra parte, más traicionera, estaba encantada de serlo.

Rebecca había descubierto que una podía enamorarse en un segundo. Una mirada, ese momento fascinante en el que él se inclinó para besarle la mano y la acarició con una de sus legendarias miradas provocativas… y estuvo perdida.

Su padre, a su lado en ese momento, se quedaría horrorizado si pudiera leerle los pensamientos. Robert tenía, debía afrontarlo, una reputación infame. Una reputación infame de disfrutar de las cartas y las mujeres, y no en ese orden. Por muy respetable que fuera Colton, con toda su influencia política y su colosal fortuna, su hermano pequeño era justo lo contrario.

El padre de Rebecca tenía muy mala opinión de él; más de una vez había hablado con desdén del menor de los Rolthven, y ella nunca se había atrevido a preguntar por qué. Tal vez fuera solo por su mala fama, pero tenía la sensación de que había algo más.

En cuanto echó una ojeada al otro extremo de la sala abarrotada, confiando en que nadie se fijaría en la dirección de su mirada, Rebecca vio que la anfitriona se acercaba con sigilo y tocaba la manga de Robert, con un gesto juguetón e íntimo a la vez. Se rumoreaba que lady Hampton tenía una clara preferencia por los hombres apuestos y alocados, y sin duda el hermano del duque de Rolthven lo era. Ya había participado en dos duelos y ello no contribuía a su respetabilidad.

En lo referido a lord Robert, los únicos signos de respetabilidad eran su apellido y la prominente posición social de su hermano.

Sin embargo, Rebecca estaba completa y desesperadamente fascinada, y perdida también, pues sabía que si por algún milagro él llegaba a fijarse en ella y, superando su famosa aversión al matrimonio, intentaba un acercamiento, su padre jamás lo permitiría.

Lástima que no escribiera novelas románticas en lugar de componer música. De ese modo podría narrar la triste historia de una joven heroína desamparada, prendada de un amante apuesto y pecaminoso.

—Señorita Marston, qué delicia verla. Tenía la esperanza de que viniera.

La interrupción la obligó a dejar de observar a Robert Northfield, que se dirigía a la pista para bailar el vals con lady Hampton e inclinaba la cabeza para escuchar lo que fuera que esa mujer descarada tuviese que decirle con una leve sonrisa en la cara, motivada sin duda por una broma ingeniosa y coqueta.

¿Eran amantes? Rebecca deseó que no le importara, deseó no especular sobre algo que en esencia no era asunto suyo. Pues Robert no sabía siquiera que vivía y respiraba, y si lady Hampton quería mirarle con ese particular aire de posesivo anhelo, ella no podía hacer nada en absoluto…

—¿Señorita Marston?

Rebecca dejó de fijarse en la llamativa pareja que danzaba en la pista con una sensación de desazón deprimente. Lord Watts estaba ante ella, con su bigote insignificante y todo lo demás, y le sonreía radiante.

—Ah, buenas noches —murmuró ella sin entusiasmo, y se ganó una mueca de disgusto de su padre.

—¿Puedo atreverme a esperar que me conceda un baile? —El joven tenía un molesto aire de ansiedad, y en sus ojos azul pálido había un destello de súplica.

Si al menos los tuviera de un color azul intenso y enmarcados por unas pestañas largas, y el cabello no de un tono paja desvaído, sino de un castaño dorado y vibrante. Si en lugar de un mentón bastante endeble, tuviera unos rasgos masculinos muy definidos, y una boca seductora, capaz de convertirse en una sonrisa fascinante...

Aun así, aunque todo eso fuera cierto, seguiría sin ser Robert Northfield.

—Claro que sí —dijo su padre complaciente—. Precisamente Rebecca comentó hace un rato que le apetecía mucho, ¿verdad, querida?

Ella, que nunca había sido dada a mentir, se limitó a esbozar una sonrisa. O lo intentó. Quizá lo que consiguió fue más bien una mueca. Iba a ser una velada muy larga y sombría.

—Pareces distraído.

La intimidad implícita en el comentario de Maria Hampton molestó un poco a Robert, que centró de nuevo la atención en la mujer que tenía en sus brazos, mientras ambos daban vueltas por la pista, al son de una melodía de moda.

—La verdad es que estoy cansado.

—Ah, ya entiendo. —Maria Hampton sonrió con una chispa de interés en sus deliciosos ojos verdes—. ¿La conozco?

—No es lo que crees. En fin, supongo que es por una mujer, pero no por lo que estás pensando. —La hizo girar y una sonrisa sardónica se dibujó en sus labios—. Hoy ha sido el cumpleaños de mi abuela.

Maria, con su vibrante cabellera pelirroja y sus curvas exquisitas, parecía desconcertada.

—¿Y?

—Y —aclaró él en voz baja— me levanté al amanecer y cabalgué un buen rato para llegar a tiempo a un almuerzo en su honor en la finca familiar.

—¿Tú?

—¿Te sorprende que haya hecho ese esfuerzo?

Al menos lady Hampton no le respondió con una negativa afectada y condescendiente.

—Sí, querido, me sorprende.

Robert reconocía que no podía culparla por verlo de ese modo. Dada su reputación, en los mentideros de Londres sería una sorpresa averiguar que adoraba a su abuela. Pero a pesar de los efectos secundarios de haber bebido en exceso la noche anterior, había hecho el viaje encantado. Colton, por supuesto, ya había llegado a Rolthven acompañado de su encantadora esposa Brianna, que estaba especialmente maravillosa con un modelo matutino de espigas de muselina, adornado con diminutas escarapelas rosas, y la cabellera rubia recogida con un sencillo lazo a juego, de color pastel. El vestido le daba un aire de colegiala pura e inocente, lo cual contrastaba abiertamente con las insinuaciones de la prensa y los rumores sobre el escandaloso atuendo de la otra noche. Pero Robert captó dos cosas interesantes.

La primera era que Colton parecía tratarla de un modo algo distinto. Robert no se atrevería a decir que su hermano estuvo solícito, pero sí más atento con su esposa.

Segundo, ella no se mostró tan tímida, como si estuviera adquiriendo una sensación de poder no solo a causa de su belleza, sino de su intelecto. Tal como el mismo Colton había señalado, él no había elegido a una muchachita insípida solo para que le diera un heredero.

Aunque fuera difícil concretar el motivo, esa aura de mayor confianza y desenvoltura de Brianna era muy interesante.

Robert despertó de su ensimismamiento al chocar con una pareja de bailarines que era evidente que habían consumido más vino del debido. En aquel momento su principal preocupación no era el matrimonio de su hermano. Lo que deseaba de verdad era huir de las rapaces garras de Maria Hampton. Necesitaba cambiar de táctica, visto que con la mera cortesía no conseguía nada. No es que la dama no le pareciera atractiva. Tenía una melena de fuego, una piel perfecta y un cuerpo de curvas opulentas, y era deslumbrante en un sentido desmesurado y voluptuoso, pero por desgracia estaba casada con un buen amigo suyo.

Robert era muy consciente de su reputación, pero si algo no hacía era acostarse con las esposas de sus amigos. Aunque la pareja en cuestión tuviera un acuerdo mutuo en cuestiones de infidelidad, le resultaba incómodo. Las relaciones esporádicas estaban muy bien y eran sus preferidas, pero no cuando podían acabar perjudicando una amistad que apreciaba.

Y ya que no pensaba ceder por muchos pucheros que Maria Hampton hiciese, necesitaba una vía de escape diplomática.

Durante la velada ya había bailado dos valses con la anfitriona, y no tenía intención de llegar al tercero. Por suerte, cuando cesó la música estaban cerca de las cristaleras abiertas a la terraza. Robert se inclinó y murmuró:

—Disculpa, creo que me conviene un poco de aire fresco. Seguro que volveremos a vernos más tarde.

Maria le agarró de la manga.

—Iré contigo, aquí hace calor.

—Tienes invitados —le recordó él, apartándole los dedos con delicadeza. Ya había oído antes ese matiz ronco en la voz de una mujer—. Y aunque, según tengo entendido, Edmond te permite mucha libertad, no le avergoncemos.

Antes de que ella pudiera protestar, se dio la vuelta y se alejó, confiando en mantener una expresión anodina y que nadie hubiera notado ese momentáneo desacuerdo entre ambos. En su afán por huir y llegar a las puertas abiertas, tropezó con alguien. Era una joven que por lo visto intentaba abandonar el salón de baile con las mismas prisas.

Bien, si uno tenía que toparse con otra persona, en su opinión siempre era mejor que fuera una fémina mullida y con curvas estratégicas en todos los lugares correctos. Una ráfaga leve y titilante de perfume floral tampoco hacía daño, pensó mientras sujetaba los brazos de la joven para que ambos mantuvieran el equilibrio.

—Le ruego que me perdone —murmuró, bajando la vista hacia un par de inmensos ojos de un azul verdoso que le miraban alarmados—. Ha sido culpa mía, se lo aseguro.

—N… no —tartamudeó ella—. Creo que es mía. Iba corriendo y sin mirar.

En el exterior el aire olía a limpio, corrían unas nubes leves y etéreas, y una luna casi llena vertía rayos de luz sobre el enlosado. Comparado con el ambiente sofocante del salón de baile, resultaba tan acogedor como el paraíso.

—Creo que ambos teníamos prisa. Usted primero —indicó con un gesto.

—Gracias. —Ella pasó con la espalda muy recta.

Él la siguió, admiró el grácil balanceo de sus caderas y el destello oscuro de su cabello refulgente, y se dio cuenta de que la conocía. Era pariente de su cuñada. No, puede que fuera… una prima lejana, no, una amiga. ¿Cómo se llamaba?

Como habría sido una grosería alejarse sin más, Robert se dispuso a caminar a su lado cuando ella se dirigió hacia el sendero que conducía a unos vastos jardines ornamentales. A lo lejos manaba una fuente y el agua, al salpicar, producía un sonido musical y relajante.

Sobre los muros susurraban los rosales de seda y la luz tamizada que llegaba desde lo alto dibujaba el perfil de la joven. Un perfil bastante bonito, constató absorto Robert, que seguía preguntándose sin éxito cuál era su nombre. Una nariz respingona, unas pestañas como lánguidos abanicos, una frente tersa y un cuello esbelto sobre unos hombros contorneados. Y un busto precioso. Un busto muy opulento, de hecho. Él, que apreciaba bastante esa forma femenina, no pudo evitar fijarse en esa pletórica redondez bajo el corpiño del vestido. Carraspeó:

—Aquí se está más fresco, ¿no le parece?

—Sí —corroboró ella de forma casi inaudible y sin dejar de desviar la mirada.

—La cercanía física de este tipo de eventos siempre me produce cierto agobio —comentó él con cortesía.

Ya que el año anterior Brianna había formado parte del grupo de debutantes y esta joven dama era una de sus amigas, no era nada raro que apenas la conociera, pero Robert solía acordarse de las caras y los nombres.

La mujer seguía apartando el rostro, por lo que no podía verle las facciones con claridad. Se comportaba de un modo un tanto extraño. Caminaba deprisa y se cogía la falda con delicadeza para no tropezar con la tela, mientras se aproximaban al camino que bajaba a los jardines.

—Agobio es la palabra exacta —afirmó ella.

No se refería a la temperatura. El matiz de desagrado que había en su voz permitió que él captara la implicación al instante. De ahí sus prisas, de ahí la intención mutua de escapar de los festejos del interior. Robert no pudo evitarlo y se echó a reír.

—Hay distintos tipos de agobio, ¿no cree?

—Sí, los hay.

—Me atrevería a suponer que, en su caso, esa sensación agobiante se debe a la insistencia de un varón.

Ella asintió y por primera vez le echó un vistazo fugaz. Ese gesto revelador permitió a Robert darse cuenta de que ponía nerviosa a la joven. En el diálogo que mantenían no había el menor rastro de coqueteo, más bien lo contrario, y no había duda de que ella le conocía, pese a que él seguía sin acordarse de su nombre.

¿Tan mala imagen tenía que una damisela no podía ni dar diez pasos en su compañía sin preocuparse de que eso pudiera perjudicar su reputación? Esa idea le dio que pensar, sobre todo porque estaba convencido de que se trataba de una amiga de su cuñada. ¿Qué debía pensar Brianna de él? En cuanto llegaron a lo alto de los pequeños peldaños, le ofreció el brazo de forma automática, pues le pareció que tenía intención de dirigirse al jardín. Ella vaciló un momento y luego apoyó apenas los dedos en la manga.

Unos dedos gráciles que temblaban, y en cuanto llegaron al pie de la escalera, ella dejó caer la mano con una brusquedad poco halagüeña.

Bueno, él no era un santo, pero nunca abusaba de jovencitas inocentes, así que estaba perfectamente a salvo en su compañía. Reprimió el impulso de manifestarlo, con una irritación inexplicable. Aquello era ir de un extremo al otro, pensó con sorna:

primero la descarada persecución de Maria y ahora aquella muchachita temblorosa e ingenua que esquivaba a un pretendiente ardiente y topaba con él en su lugar.

Unos senderos en penumbra serpenteaban en distintas direcciones, sorteados por muros de setos y rododendros altísimos. La noche de principios de otoño insinuaba apenas el frío. A la vista de los sentimientos que parecía provocar su presencia en su acompañante, Robert dijo con sequedad:

—Tal vez prefiera pasear a solas.

Eso hizo que ella levantara por fin la cabeza y le mirara de frente, con los ojos muy abiertos.

—N… no —balbuceó—. Ni mucho menos.

Él se relajó y reprimió una carcajada provocada por aquella reacción, mientras ambos se adentraban en un caminito que había a la derecha. No podía comprender en absoluto por qué demonios le preocupaba lo que una muchachita, por muy bella que fuese, pensara sobre su moral, o su carencia de la misma. A él nunca le preocupaban las habladurías. Solo le importaba la opinión de su familia y de unos pocos amigos íntimos. No es que se considerara por encima ni por debajo del escándalo, es que no lo consideraba en absoluto. La mitad de lo que se decía de él no era cierto, y la parte que lo era no le incumbía a nadie. Pero poco podía hacer si la élite londinense se entretenía con ello. Robert parecía predestinado a la notoriedad desde que, a la tierna edad de diecisiete años, había llamado la atención de una de las actrices más famosas de la escena, y ella había hecho en público un comentario sobre sus proezas sexuales. En aquellos días él aún era demasiado joven para que le molestara que su vida privada avivase el fuego de las habladurías, por no mencionar el disgusto de su madre cuando se enteró de su tórrida aventura, pero todo aquello se había calmado con el tiempo. Al menos Elise había hecho un comentario elogioso, y desde entonces tampoco había habido quejas. En efecto, su popularidad entre las bellezas reinantes de la alta sociedad resultaba muy conveniente para un hombre que disfrutaba mucho con las mujeres.

Conveniente excepto en lo referido a pequeños incidentes como los de esta noche. Le molestaba que Maria Hampton diera por sentado que traicionaría a un amigo a cambio de un revolcón efímero.

—Es que me pareció que tal vez no le gusta mi compañía —apuntó con discreción.

—Lo siento.

Robert se dio cuenta de que fruncía el ceño ante su tímida disculpa. Observó la cara vuelta hacia arriba de la dama y se fijó en que tenía unas nítidas manchas de color en ambas mejillas, visibles incluso bajo la estela de la luz de la luna. Robert se deshizo de la persistente imagen de lady Hampton y sonrió.

—¿Qué siente?

—De hecho no lo sé —respondió ella ruborizándose todavía más.

Fuera quién fuese, era muy atractiva, decidió. No preciosa como Brianna, con su centelleante cabello dorado y su rostro de rasgos perfectos, pero bastante llamativa.

Rebecca Marston. De repente recordó el nombre con claridad. Era una de las bellezas que había declinado casarse el año anterior, y el desafío de la presente temporada para aquellos dispuestos a cortejarla con la intención de casarse, que no era su caso. Su acaudalado padre era uno de los hombres más influyentes de la política británica, y se rumoreaba la posibilidad de que le nombraran primer ministro en el futuro.

Robert sabía muy bien que ese hombre le despreciaba. En realidad no tenía la menor importancia que fuera inocente del delito en cuestión, ya que sir Benedict había dejado meridianamente claro que imaginaba lo peor.

Tal vez la señorita Marston y él no deberían pasar un rato juntos y a solas en unos jardines en penumbra. Robert abrió la boca para excusarse, cuando se oyó una voz desde la terraza que confirmó su deducción.

—¿Señorita Marston?

Rebecca le cogió del brazo con inequívoca urgencia.

—Ayúdeme a esconderme.

Él arqueó las cejas.

—¿A esconderse?

—Por favor. —Ella miró en derredor con una clara expresión de pánico en su encantador rostro—. Si paso un solo minuto más con lord Watts esta noche, me temo que me desharé en pedacitos.

Robert, que conocía al hombre, recordó sus prisas por abandonar el salón de baile y la entendió. Él nunca se negaría a rescatar a una dama en el momento oportuno; echó un vistazo y divisó un camino que discurría entre los setos.

—Por ahí —le indicó.

Ella reaccionó con celeridad. Salió disparada delante de Robert, y aunque quizá habría sido más prudente dejar que eludiera sola al terriblemente aburrido vizconde, él la siguió divertido. El sendero, que llegaba hasta un pequeño estanque lleno de peces y nenúfares, no tenía salida y terminaba en una pequeña hornacina vegetal. Allí había una estatua de bronce de Pan, con flauta y todo, flanqueada por dos banquitos. Debía de ser agradable sentarse allí en un cálido día de verano.

En ese momento, era umbrío e íntimo.

La señorita Marston se detuvo, se dio la vuelta y miró más allá de Robert.

—¿Cree que me vio? —preguntó en un susurro.

Nos vio, corrigió una voz objetiva en la mente de Robert. Juntos, en un lugar oscuro y solitario.

¿Pero qué demonios estaba haciendo?

—¿Señorita Marston? —La voz sonaba cada vez más decidida y más cercana, por desgracia—. ¿Rebecca?

Maldición, en realidad estaba demasiado oscuro para que Watts les hubiera identificado con claridad, pero debía de haber percibido movimiento y debía saber qué camino habían tomado.

Robert se llevó un dedo a los labios, la cogió del brazo y la llevó de nuevo bajo las sombras. La soltó de modo que ella quedó de espaldas al seto, apoyó una mano en los firmes arbustos que había a ambos lados de los gráciles hombros de Rebecca, y se inclinó para susurrarle al oído:

—Usted sígame la corriente y yo me libraré de él. Haga lo que haga, no hable y mantenga la cara escondida.

Ella asintió, con los ojos como platos, brillantes.

Robert era un poco más alto y bastante más corpulento, y estaba seguro de que con aquella luz tan escasa nadie sería capaz de distinguir las facciones de Rebecca. Oyó con toda claridad unos pasos que se acercaban y supo que tan importante era para él deshacerse del importuno pretendiente, como para ella esquivar a su señoría. ¿Por qué demonios la había seguido? Si les pillaban juntos en esa hornacina recóndita, ese incalificable impulso tendría algunas consecuencias alarmantes.

Bajó la cabeza y le acarició apenas las mejillas con los labios. La boca no, aunque rozó su suave y tentadora comisura y sintió la dulzura que emanaba de su aliento. Fue un beso fingido, no real.

¿Había experimentado ella uno real?

No, aquel no era el momento apropiado para pensar en eso.

—Póngame una mano en el hombro —le indicó con prisas.

Ella lo hizo; apoyó el peso liviano de sus dedos sobre su chaqueta.

Como era de suponer, el desventurado pretendiente de Rebecca irrumpió en la escena del jardín, y Robert notó que Watts tardaba un momento en localizar a los «amantes» inmersos en su abrazo falso.

Bien, pensó, aquí era donde su reputación podía favorecerle en algo. Nadie pensaría que tenía a una inocente jovencita apoyada contra unos arbustos para un coqueteo casual. Sus amantes eran siempre experimentadas damas de mundo, sin ningún interés por el compromiso. Rebecca Marston no correspondía en absoluto a esa descripción, así que era improbable que Watts dedujera que era ella la mujer que estaba en sus brazos.

Levantó la cabeza, y la giró justo lo suficiente para que Watts le reconociera.

—Le quedaría muy agradecido si se esfumara, milord —dijo en un tono claro y escueto.

—Oh… claro. Disculpe, Northfield. Busco a una persona…

¿sabe? Yo… esto, pues me voy. —El hombre parecía contrito y avergonzado—. Perdone. No esperaba encontrarle aquí. Buscaba a otra persona.

Robert volvió a darse la vuelta sin contestar, y se dedicó de nuevo y de manera ostensible a besar a la joven, cuyo cálido cuerpo quedó aprisionado y tan cerca de su torso que notaba la confortable elasticidad de sus senos a través del vestido. Olía una seductora fragancia de algo que, con una destreza hija de una gran experiencia, identificó como jazmín.

Su preferido.

Ella tenía una piel tersa y exquisita, pensó mientras le pasaba los labios sobre la barbilla y oía cómo aquel payaso de Watts volvía por donde había venido.

Para su disgusto, su cuerpo reaccionó a la cercanía y al aroma cautivador de Rebecca con una inminente erección.

La voz de la razón reapareció, gracias a Dios: «Claro que ella tiene una piel encantadora, un cuerpo fino y flexible, un cabello brillante que centellea bajo la luz de la luna. Al fin y al cabo, tiene ¿qué… diecinueve años? ¿Veinte como máximo? ¿Soltera? Ah, sí. Y si su padre la vio salir del salón de baile y decidió seguirla…».

Considerando lo que sir Benedict pensaba de él, era muy posible que se enfrentaran en un duelo con pistolas al amanecer.

De pronto Robert se irguió y dio un paso atrás.

—Mejor que espere aquí unos minutos. Yo pensaba abandonar la fiesta de todos modos y lo que haré seguramente será salir por la puerta de atrás.

Rebecca Marston asintió y levantó la vista hacia él, con los labios entreabiertos.

—Gracias… Ha sido ingenioso.

Su boca brillaba, invitadora. Y aunque llevaba un traje recatado, eso no impedía que realzase una figura creada por la naturaleza para llamar la atención de los hombres. Al contrario que algunos de sus conocidos, Robert no prefería a las mujeres menudas. Aunque era más alta que la mayoría, no lo era tanto como para mirarle a los ojos, y sus senos… en fin, él tenía ojo de experto y suponía que, desnudos, serían bastante espectaculares. No era de extrañar que Watts deambulara por los jardines buscándola. Rebecca era una damisela deliciosa.

Y tal vez él era tan insensato como Watts, quedándose con ella allí, en la oscuridad. Los dos solos nada menos, y fantaseando que acariciaba su tentadora persona con una erección creciente, prueba de la lasciva deriva de sus pensamientos.

Ella era inocente y sin duda inexperta.

Era el momento de emprender una huida rápida.

Robert intentó una sonrisa radiante y despreocupada.

—Ha sido un gran placer. —Y pese al estruendo de las campanas de alarma que sonaban en su mente, no pudo evitar decir—: Si alguna vez necesita que la ayude a escapar de otros pretendientes indeseados, no dude en avisarme.

Luego giró sobre sus talones y, con gran sensatez, se alejó.

3

El elemento sorpresa siempre resulta útil. Tened presente que a los hombres les gusta la variedad. Si podéis ofrecérsela, no necesitarán buscar distracciones en otra parte.

Del capítulo titulado
«Entender a tu presa»

—¿*Te* importaría —preguntó Lea, arqueando una ceja con recelo— decirme en qué estabas pensando?

Era un delicioso día de otoño. El cielo parecía impoluto, soplaba una brisa cálida, y ellas estaban sentadas en el jardincito de su hermana. Una de las niñas que corría en círculo sobre la hierba se dejó caer encantada con un estridente chillido de alegría, y empezó a rodar sin preocuparse de la posibilidad de mancharse el traje de encaje. Brianna contempló las payasadas de su sobrina e intentó disimular una sonrisa.

—¿Podrías concretar más?

Su hermana le lanzó una mirada gélida. Era cinco años mayor, y también rubia y esbelta. Puede que se parecieran, pero Lea siempre había sido un tanto mojigata.

—Sabes muy bien de qué estoy hablando. Todas las crónicas de sociedad mencionan el diseño de esa modista francesa que luciste en la ópera y que suscitó los comentarios de todo el mundo. Según dicen, o bien era la última moda, o el modelo más provocativo visto en público en los últimos tiempos.

Por muy duquesa que fuera, Brianna se sintió de inmediato como la niña que había sido, reprendida por su hermana mayor.

—Era atrevido —admitió—, pero decidí llevarlo por una buena razón. Y entre los asistentes había otras mujeres con escotes parecidos.

—Espero que te des cuenta de que eres una de las jóvenes más envidiadas de la sociedad. —Lea se levantó, se acercó a levantar a su hija con delicadeza, le sacudió las briznas de hierba del dobladillo, y la conminó a volver a jugar con los otros dos niños. Volvió al banco bañado por los cálidos rayos del sol y se sentó, recogiendo con prestancia el vuelo de la falda—. No puedes hacer algo escandaloso y creer que no generará comentarios. Eres la duquesa de Rolthven.

—Solo pretendía que Colton se fijara en mí, nadie más.

—¿De qué hablas si puede saberse? A mí me parece que él ya se fija en ti. Es tu marido.

—Lo cierto es que esa noche lo hizo. —Al recordar el trayecto en carruaje, Brianna sonrió para sí.

—¿Qué quieres decir?

Brianna se encogió de hombros confiando aparentar un rechazo superficial, cuando en realidad sus sentimientos sobre el asunto eran todo menos superficiales.

—¿Está mal que desee más de mi matrimonio?

—Yo creía que te sentiste en el séptimo cielo cuando te casaste con Colton y que, al contrario que la mayoría, estás enamorada de tu marido. —Lea frunció su frente tersa de forma casi imperceptible.

Todo eso era verdad.

En realidad, ese era el problema. Si su único deseo hubiera sido casarse con un duque poderoso, tal vez se habría dado por satisfecha con la posición social, el dinero y la influencia que ello le reportaba. Pero igual que Lea con su Henry, Brianna se habría casado con Colton aunque hubiera sido corriente en todos los sentidos.

—Amo a Colton, ese no es el tema. Bueno, supongo que sí

lo es. —Brianna se ajustó las faldas de seda con una mano indolente, y concentró la mirada en los niños que jugaban—. Creo que él está contento de haberse casado conmigo. Sé que le atraigo y que incluso disfruta de mi compañía, aunque en mi opinión no nos vemos lo bastante. Pero ¿me ama? De eso no estoy segura. Para nuestra sociedad sería perfectamente aceptable que no me amara, y estoy segura de que yo me daría por satisfecha si mis propios sentimientos no estuvieran en juego. Pero ansío algo más que estar satisfecha. Deseo ser feliz, y deseo aún más que él lo sea.

—Dudo que le haga feliz verte aparecer en público a medio vestir —señaló Lea, en su eterno papel de hermana mayor.

—Le molestó muchísimo —reconoció Brianna—. Pero también le… quizá por primera vez desde que nos conocimos… tuve la sensación de ser yo misma y de que, le guste a él o no, tal vez mi forma de actuar no será siempre la prevista. —No pudo evitar una sonrisa maliciosa—. Por otro lado, en cuanto estuvimos solos, tuve la clara impresión de que después de todo él admiraba bastante el vestido. Lo cual, tal como he dicho, fue mi única razón para lucirlo. Hasta ahora nuestro matrimonio ha transcurrido solo de acuerdo con sus términos. Eso va a cambiar. Yo quiero que compartamos nuestras vidas, no solo la misma dirección.

Su hermana se quedó callada un momento, luego hizo una mueca y se echó a reír.

—Ya veo. Pareces muy decidida. De niña eras muy tozuda cuando se te metía una idea en la cabeza. Colton no tiene la menor posibilidad. Ese pobre hombre, ¿sabe a lo que se enfrenta?

Brianna pensó en el libro.

—No tiene la menor idea —dijo con serenidad.

Algo raro pasaba, de eso no había duda.

Cuando se abrió la puerta que comunicaba su dormitorio con la suite contigua, Colton sintió cierta cautela. Durante la cena, Brianna se había mostrado de lo más animada, y si no hubieran tenido invitados, tal vez le habría preguntado de forma directa y concreta por qué actuaba de un modo tan distinto. Habría jurado que parecía nerviosa, pero ni muerto conseguía imaginar la razón. Lord y lady Black eran bastante insípidos y estuvieron más pendientes de la comida que de la conversación, de modo que no creía que fuera su compañía lo que había suscitado tal reacción.

—Es tarde, y le he dado permiso a la doncella para que se retirara. ¿Me ayudarás a quitarme el vestido?

Se había desprendido los alfileres del cabello, que le caía suelto hasta la cintura, los rizos rubios centelleando bajo la escasa luz. Avanzó despacio hacia él, descalza y con las cejas arqueadas con una expresión algo burlona.

«¿Me ayudarás a quitarme el vestido?»

A Colton no se le ocurría nada que le apeteciera más.

Accedió y le desató con dedos algo torpes los cierres del traje de noche, que se deslizó sobre sus hombros delicados y cayó al suelo. La camisola no era una de las prendas interiores recatadas que ella solía usar, sino un encaje tan transparente que parecía que no llevara nada. No pudo evitarlo; pegó un respingo y dijo con la voz un tanto ronca:

—Veo que madame Ellen ha vuelto a sus escandalosas creaciones.

Brianna se dio la vuelta y le sonrió con malicia.

—Ha sido un verano muy caluroso, y yo quería algo fresco para llevar bajo los vestidos.

—Hace calor, eso es verdad —musitó Colton ofuscado, mientras se aflojaba la corbata. La desató y la dejó caer.

—¿Debo volver a mi dormitorio?

Casi no captó la pregunta que ella había expuesto con tanta delicadeza. Unos pezones rosados y perfectos empujaban la parte superior de la tela liviana de la camisola, y el frágil material moldeaba el peso sutil de sus senos rotundos. Le cubría hasta la mitad del muslo, y Colton distinguió con claridad esa oscuridad intrigante en medio de sus piernas.

—¿Has dicho algo?

En su boca sensual se dibujó el preludio de una risa tenue y provocativa.

—Te he preguntado si debía volver a mi dormitorio, pero voy a asumir que esta —señaló el bulto repentino en los pantalones ajustados— es mi respuesta. Ven, tú me has ayudado, ahora me toca a mí.

Ante su total estupefacción, su joven, bella y refinada esposa se puso de rodillas frente a él y empezó a desabrocharle los pantalones. Mientras Brianna procedía, el roce de sus dedos gráciles a través de la tela le excitó de un modo espantoso. Su miembro se hinchó aún más y casi contuvo la respiración cuando por fin ella consiguió desabrochar el último botón y liberó su erección.

—Brianna —dijo con voz tomada cuando ella empezó a acariciarle el miembro con unas manos mimosas que le estremecieron todo el cuerpo—, ¿qué estás haciendo?

Ella limpió una gota de la punta henchida y observó la sustancia que tenía en el dedo con evidente curiosidad, y él vio, atónito, que la chupaba.

—Es salada —dijo con naturalidad, levantando la vista hacia él. Con esas curvas veladas y exuberantes y la melena suelta, parecía una joven ninfa. Bajó un milímetro las pestañas y cuando se inclinó hacia delante con intención inequívoca, Colton sintió una corriente de calor líquido a través de las venas. Sus maleables labios se deslizaron sobre la punta de su erección y la sensación fue exquisita.

Nunca en su vida se había sentido tan indignado.

Nunca en su vida había disfrutado tanto.

Ah, sí, antes de casarse había tenido amantes que le habían complacido oralmente, pero eran mujeres experimentadas, no damas jóvenes inocentes y distinguidas, que no deberían tener ni la menor noción de cómo hacer algo así. Le puso las manos sobre el cabello con la firme intención de obtener una explicación de cómo se le había ocurrido la idea de hacer algo tan licencioso. Pero en cuanto hundió los dedos en la masa sedosa para levantarle la cabeza, ella empezó a chupar con cuidado.

Un sonido sordo surgió de su pecho y su cuerpo se estremeció. Sin pensarlo, penetró más a fondo en aquella boca cálida. Fue un movimiento reflejo e inconsciente, y casi al instante intentó retirarse, pero ella le rodeó los testículos con las manos y, en lugar de apartarse, él gimió. Brianna deslizó la lengua hacia arriba, lamió la punta y luego repitió el movimiento con cautivadora lentitud, una y otra vez. Colton tembló, incapaz de obligarse a hacerla parar, hasta que sintió la tirantez en los testículos previa a la eyaculación. Se negaba en redondo a correrse en su boca. No era un acto propio de un caballero, pero tenía una necesidad salvaje de dejarse ir.

—Basta —jadeó, y consiguió de algún modo apartarse antes de levantarla del suelo. Cruzó la habitación y casi la arrojó sobre la cama, en medio de un frenesí de rizos dorados y extremidades largas y sedosas. Empezó a subirle la camisola, oyó cómo se rasgaba la delicada tela, y una parte impulsiva de sí mismo que ignoraba que existiese, decidió que como ya estaba rota, se la quitaría antes si la arrancaba sin más. Al ver que le destrozaba el corpiño, Brianna dejó escapar un gemido.

Levantó los ojos hacia él con el cuerpo, exuberante y tentador, expuesto en todo su esplendor. Colton sabía que si la penetraba ahora, explotaría al instante y le negaría a ella cualquier tipo de catarsis física. Se desabrochó dos botones de la camisa de lino, decidió que tardaría demasiado en completar la tarea, se la quitó por la cabeza y se libró de los pantalones desabrochados.

—Ya que deseas hacer travesuras, madame —le dijo, admirando con ojos brillantes cada milímetro de su silueta desnuda—, ahora me toca a mí.

Ella se lamió los labios.

—Estoy dispuesta a jugar a todo lo que te apetezca.

—Esto te gustará. —Se reunió con ella en la cama, le acarició los pechos con la boca unos segundos, le besó el estómago, y luego enterró la cara en la dulzura que ella guardaba entre las piernas.

Brianna jadeó como él esperaba, y por un momento juntó los muslos en protesta ante un beso tan pecaminoso, pero Colton no lo permitió. Le separó las piernas con una mano insistente, y apretó la boca contra las dobleces húmedas y sensibles de su sexo. Lamiendo y acariciando con la lengua, la provocó como ella le había provocado a él, y sintió que se excitaba cuando la pequeña yema entre los pliegues empezó a hincharse bajo la presión de sus labios. Tenía un sabor dulce y femenino y mientras la conducía al clímax, sus gemidos de placer le inflamaron aún más. Momentos después Brianna se convulsionó y se le agarró a los brazos, mientras se estremecía y jadeaba. Sin darle tiempo a recuperarse, Colton se alzó entre sus piernas abiertas y penetró en aquel pasaje todavía contraído.

Tal como había supuesto, aquello terminó pronto. El calor húmedo que emanaba de ella le empapó y se dejó ir después de los tres primeros envites, con una sensación de placer carnal tan intenso y placentero que cerró los ojos y se quedó rígido. Brianna pasó las manos sobre su cuerpo, sobre la piel empapada de la espalda y le agarró las nalgas cuando él la inundó de esperma cálido. Todos los músculos de Colton temblaron ante la fuerza de su eyaculación.

Cuando por fin recuperó el habla, bajó la mirada hacia la mujer rodeada de jirones de encaje y tan tentadora que tenía en los brazos.

—¿Te importaría decirme, querida —preguntó con la voz entrecortada y el pecho preso todavía de un ritmo agitado que le dificultaba la respiración—, qué se te ha metido en la cabeza?

Ella le acarició la parte baja de la espalda.

—A mí me parece que lo que se me ha metido eres tú, Colton.

Él reaccionó a aquella broma erótica con una carcajada sorda.

—Y es delicioso estar ahí, pero no me refiero a eso, y me parece que lo sabes muy bien. —El cabello de Brianna emanaba una fragancia floral y él no pudo evitar besar el costado de aquel cuello esbelto e inhalar esa dulce esencia—. De dónde sacaste la idea de... en fin...

Cómo diablos le preguntaba un hombre a una mujer con educación por qué deseaba lamerle el miembro, pensó Colton ofuscado e incómodo, al notar que Brianna se divertía viéndole buscar las palabras apropiadas. No estaba nada acostumbrado a ese aparente traslado de poder en su relación. El experimentado era él. Ella había llegado virgen al matrimonio y solo sabía lo que él le había enseñado, y por supuesto jamás le había pedido algo que estaba convencido de que la escandalizaría en lo más profundo. Que una profesional del amor usara la boca para dar placer a un hombre era satisfactorio, pero eso no era algo que le sugerías a una joven recatada, con quien llevas tres meses casado.

—Pensé que te gustaría —dijo ella con un matiz ronco, muy acorde con la ligereza de los dedos que le acariciaban la espalda.

«¿Que me gustaría?» Eso era quedarse corto.

Colton tenía el corazón desbocado, pero intentó aparentar racionalidad y calma.

—Madame, sabes muy bien que me ha gustado, pero eso es una evasiva.

—¿Es necesario que seas tan analítico en este momento en particular? —Brianna, que seguía debajo, se arqueó un poco y añadió sin aliento—: Yo aún te siento enorme.

Esas palabras le provocaron una sacudida de excitación renovada, directa a las ingles. Era verdad, su erección no había disminuido, ni siquiera tras la intensidad del reciente clímax. Colton decidió que ella tenía razón, al menos por ahora, y que la causa de que se hubiera transformado de pronto en una aventurera sexual no era importante. No en ese momento, cuando podía volver a hacerle el amor. La besó y susurró pegado a sus acogedores labios:

—Esta conversación no se ha terminado, ya la continuaremos en algún otro momento.

El libro había sido una auténtica inspiración.

Saciada y medio dormida, Brianna se acurrucó en los brazos de su marido, en cuyo dormitorio había irrumpido horas antes sin invitación previa. Tras aquel inicio tórrido e inmediata comunión, Colton había procedido a hacerle el amor con comedida ternura. Se movió muy despacio para que ella saboreara cada acoplamiento de sus cuerpos deslizantes y resbaladizos, estimuló sus senos y se entretuvo en el hueco bajo la oreja, antes de poseer su boca con unos besos largos y abrasadores.

Ahora estaba tan silencioso que ella se preguntó si estaría dormido, hasta que le oyó murmurar:

—Siento que se haya echado a perder la camisola.

Brianna levantó un poco la cabeza para poder verle la cara, e intentó descifrar su expresión. Sin toda esa ropa formal y con el cabello castaño alborotado y derramado sobre la funda de la almohada, parecía muy distinto al duque refinado con quien se había casado. No solo era apuesto, sino irresistible, con ese cuerpo delgado, firme y varonil, y esa parte que la había complacido tanto, laxa ahora entre sus musculosos muslos. Aunque llevaban más de tres meses de matrimonio le asombró darse cuenta de que nunca le había visto desnudo del todo. Cuando Colton iba a su dormitorio, siempre llevaba batín y acudía a su lecho a oscuras.

Esto era mejor, mucho mejor.

—¿De verdad lo sientes? —preguntó juguetona—. Yo no.

Él bajó las pestañas apenas un milímetro.

—Rasgar la ropa de tu esposa me parece una descortesía propia de los bárbaros.

—Estás perdonado, Colton, créeme. —No podía ser más sincera.

—Me cogiste bastante desprevenido, querida.

Y él también, con ese beso íntimo y travieso entre las piernas. Lo cierto era que cuando Brianna había leído la sugerencia de rodearle el miembro con la boca se había escandalizado, pero era obvio que él había disfrutado muchísimo, tal como lady Rothburg afirmaba. Tanto, que le había destrozado la camisola con una ansiedad febril.

Un verdadero progreso.

Había un equilibrio agradable, pensó con satisfacción, entre esa necesidad impetuosa y salvaje, y la delicada ternura con la que él le había hecho el amor después. Antes de esa noche en la ópera, ella solo había experimentado eso último, pero ambas cosas tenían sus ventajas. Era un poco escandaloso descubrir que disfrutaba con el acto sexual rudo y rápido, y que la pérdida de control de su marido incrementaba su propio nivel de deseo.

Era estimulante. A partir de ahora, madame Ellen le confeccionaría toda la ropa interior de encaje transparente.

—Espero no haber sido demasiado impetuoso —dijo él acariciándole el brazo con un leve roce.

—¿Notaste alguna objeción por mi parte?

—No. —Una de sus infrecuentes sonrisas iluminó sus facciones elegantes, y desapareció tan rápido como había aparecido—. Pero aun así, fui bastante insistente.

Brianna ya había supuesto que le molestaría no haber controlado la situación en todo momento. Estaba muy habituado a tomar decisiones que no solo le afectaban a él, sino también a los demás. Pero ahora su vida personal les concernía a los dos y no era su criterio el único que contaba. Con un poco de suerte, no tardaría en verlo de ese modo.

—Estoy mejor que bien, Colton. —Brianna bostezó—. Siento un cansancio delicioso, lo admito, pero no desagradable.

—No, querida, supongo que no.

Ella frotó la mejilla contra el torso firme y empapado de su marido, confiando en que no le sugiriese que volviera a su habitación. Según un patrón establecido en su noche de bodas, él solía acudir a su dormitorio. Dicha rutina casi nunca variaba, cosa que a ella no le sorprendió porque su marido era partidario de una vida ordenada. Él esperaba a que ella estuviera en la cama y que la doncella se hubiese retirado. Le preguntaba con educación si estaba demasiado cansada para aceptar su compañía y luego procedía a apagar las luces. Hasta esta noche nunca la había desnudado del todo, sino que optaba por acariciarla a través del camisón, le levantaba el bajo cuando se disponía a tomarla, y siempre entraba en su cuerpo con cuidado y mesura. Cuando había terminado regresaba a su cama, aunque a veces esperaba a que se quedara dormida, pero lo normal era que se excusara con la misma corrección con la que había aparecido y se fuera.

Cuando Brianna pensaba en ello, suponía que era lo lógico,

ya que toda la alta sociedad consideraba que lo apropiado era que los matrimonios tuvieran habitaciones separadas, y Colton era práctico en extremo. Si disponía de su propio dormitorio, ¿por qué no iba a dormir allí?

Puede que fuera lógico, pero era de lo más irritante.

No es que ella no hubiera disfrutado de esos seminarios sexuales desde el primer momento, ya que incluso durante aquella primera noche de desasosiego, se había excitado con su marido. Pero lo que había sentido era que ella le daba algo a él y que él lo tomaba. Le parecía que la expresión «derechos conyugales» describía muy bien esos contenidos encuentros a oscuras, y aunque ella jamás le rechazaría, le disgustaba en lo más profundo que el concepto del deber se aplicara a algo tan maravilloso como lo que acababan de compartir.

En realidad, hasta esta noche nunca se había visto a sí misma como su amante. Esposa, sí. Amante, no. Pero ahora ahí estaba, en su cama por fin, desnuda y agotada de placer, con su pegajosa secreción sobre los muslos y rodeada por su cálido abrazo.

—Brianna —le acarició la mejilla con sus dedos esbeltos—, debo levantarme muy temprano y tengo el día repleto de citas.

Ella sintió una aguda decepción, que sustituyó aquel bienestar lánguido.

—Me parece que esa es su rutina habitual, excelencia.

—No creo necesario que me trates con tanta formalidad en un momento como este.

Ella no dijo nada.

—Roger vendrá al amanecer, tal como le indiqué. —Colton siguió con el mismo tono razonable, como si no acabara de hacerle el amor con suma pasión.

—Y Dios no quiera que tu ayuda de cámara me encuentre en tu cama. —Brianna se sentó, echó atrás la melena y miró a su marido con expresión desafiante—. Entiendo que debo retirarme, ahora que ya he cumplido con mi deber.

Relajado, tumbado sobre las sábanas blancas y almidonadas, y todavía con una pátina de sudor en la piel producto de los esfuerzos mutuos, Colton frunció el ceño.

—Yo no lo diría de ese modo. No lo he dicho de ese modo. Es solo que no quiero despertarte cuando me levante.

—Qué considerado eres.

—De hecho sí, intentaba serlo —alzó las cejas—, pero por tu tono sarcástico deduzco que no estás de acuerdo.

—A veces pienso que debes de ser el hombre más obtuso de todo Londres. —Brianna se deslizó fuera de la cama e intentó recordar que nadie era capaz de cambiar tan aprisa, y que su guapo aunque irritante marido iba a ser un caso difícil. Estaba convencida de que a Colton le sobresaltaría pensar que era necesario hacer algún ajuste en su vida para acomodarla a la sensibilidad romántica de su esposa.

«Amor» tampoco era una palabra en la que él pensara a menudo.

—¿Podrías explicarme por qué me convierte en obtuso permitir que mi esposa duerma toda la noche sin interrupciones? —La observó con los ojos entornados mientras ella recogía las prendas desperdigadas. Seguía reclinado en la cama, pero tenía la boca tensa.

—No. —Brianna caminó hacia la puerta que separaba sus alcobas con el propósito de que él le viera la espalda desnuda—. Buenas noches, *su excelencia*.

Antes de salir de la estancia, creyó oírle maldecir en voz baja.

¿Qué demonios acababa de pasar?

Colton, tumbado en la cama, miró al techo, preguntándose si debía ir a los aposentos de su esposa y exigirle una explicación. Bueno, dos explicaciones.

No, tres.

Le debía tres, sin ninguna duda.

La primera por el vestido. Para empezar, él seguía sin entender los motivos por los que había decidido lucirlo, aunque a Robert se le había ocurrido un método razonable para evitar que eso volviera a suceder. Luego le había sorprendido llevando a cabo con descaro un acto del cual habría jurado que ella no sabía nada en absoluto; y ahora, bien… no estaba seguro de qué diablos acababa de pasar.

Tenía la incómoda convicción de que, después de la experiencia sexual más placentera de toda su vida, acababa de cometer una especie de error marital que a ella le había dolido. Era desconcertante, porque habría jurado que en la gozosa secuela poscoital ambos habían estado más unidos que nunca. La verdad es que era perfecto tener a Brianna entre los brazos, cálida, sonrojada y sexualmente gratificada. Ese cuerpo esbelto acoplado al suyo, y esa gloriosa cabellera clara y sedosa derramada sobre el torso. Ella había mostrado una receptividad sorprendente desde la primera vez que la había tocado, pero esta noche había sido extraordinaria.

Hasta que había metido la pata, por lo visto.

Mantuvo la mirada fija e irritada en aquella puerta, cerrada ahora a cal y canto.

¿Así que rasgarle la ropa estaba bien, pero ser lo bastante amable como para no querer molestarla por la mañana no?

«… Y Dios no quiera que tu ayuda de cámara me encuentre en tu cama…»

Si Brianna creía que a él le complacía que cualquier hombre, aunque se tratara de un criado, la viera seductora y medio desnuda, con el cabello dorado y la piel de marfil, y cubierta solo por una colcha ligera, estaba muy equivocada. La vida privada de ambos era eso, privada, y la belleza exquisita de Brianna era solo suya.

Decidió que hablaría con ella cuando no estuviera tan cansado y confuso por su comportamiento errático.

Pero aunque había tenido un día muy ajetreado y había dedicado mucho tiempo y vigor a hacer el amor, le costó dormir.

Estaba pasando algo raro, decidió mientras seguía tumbado en la oscuridad y contemplaba el vacilante reflejo de la luna deslizándose sobre los cortinajes. Algo que le trastornaba la vida, y él siempre había llevado una existencia ordenada y predecible.

4

Evitad a los hombres que fingen ser lo que no son. La personalidad de un amante siempre es importante, aunque lo único que busquéis en sus brazos sea un goce transitorio. Yo siento un particular afecto por los jóvenes licenciosos, porque son francos y claros sobre la naturaleza fugaz de su interés. También poseen un encanto irresistible. La mujer que logre conquistar el cariño sincero de uno de ellos, será en verdad afortunada.

Del capítulo titulado
«Esos adorables caballeros traviesos»

$\mathcal{L}$os caballos eran dos animales magníficos que avanzaban a la par, pero los hombres que los montaban eran muy distintos. Robert, por supuesto, había escogido un semental árabe, su raza favorita; una bestia que podía ser difícil de dominar, pero el esfuerzo valía la pena si lo que buscabas era resistencia y velocidad. Su hermano mayor, como era de esperar, montaba un purasangre con las patas esbeltas, unas ancas enormes y unos cuartos creados para las distancias cortas. Era un velocista extraordinario y famoso entre los purasangres británicos. Thebes había ganado una fortuna en premios, y ahora estaba retirado y dedicado a la cría, pero Colton lo montaba porque además de ser una inversión, era su caballo favorito.

Robert pensó con ironía que eran muy apropiados el uno para el otro: un aristocrático duque y un distinguido campeón. Aunque en ese momento la serenidad y prestancia contenida, habituales en su hermano, se ocultaban bajo una expresión severa.

—Mi mujer me tiene desconcertadísimo.

—¿Confundido por una mujer? —Era imposible no reírse—. Qué concepto tan novedoso.

Colton le lanzó una mirada de reproche.

—Tus burlas no me ayudan.

—¿Es ayuda lo que quieres?

Al cabo de un momento, Colton se mostró evasivo.

—Tal vez. Ella se comporta de forma errática.

Era una tarde de otoño preciosa y el parque estaba bastante lleno. Ambos saludaron a varios conocidos y siguieron avanzando en silencio, hasta que volvieron a quedarse solos. Sobre ellos se extendía un cielo de un azul exquisito, salpicado de nubes diáfanas.

—La semana pasada, en el almuerzo de cumpleaños de la abuela, Brianna me pareció de lo más normal —comentó Robert con discreción—. Yo no la habría calificado de errática, pero también es verdad que no la veo a diario.

Era cierto. Él tenía casa propia en la ciudad, y prefería no vivir en la grandiosa residencia familiar de Mayfair. Robert no era el duque, ni siquiera el segundo en la línea sucesoria (su segundo hermano, Damien, era quien ostentaba tal distinción en ese momento), y a él le encantaba actuar a su antojo, sin cortapisas.

De nuevo Colton vaciló de un modo evidente, y tensó tanto las riendas que Thebes sacudió la cabeza. Él le palmeó el cuello a modo de disculpa.

—No es algo que se aprecie desde fuera, pero tengo la endemoniada convicción de que hay una diferencia.

No era frecuente ver en su hermano una incomodidad tan palpable. Robert tuvo que admitir que sentía una curiosidad terrible. Le echó un vistazo con el ceño fruncido.

—Vas a tener que explicarte, Colt.

—Sí, por todos los diablos, ya me doy cuenta.

La airada respuesta de Colton era aún más intrigante que esa inusual propuesta de salir a cabalgar de buena mañana. Robert esperó con paciencia, disfrutando de la pacífica calidez de aquel buen tiempo mientras sus monturas avanzaban indolentes a lo largo del sendero que transcurría sinuoso entre la hierba y los árboles.

—La otra noche ella… bien, digamos que fue inesperado.

No era que eso le aclarase nada, pero Robert tuvo por fin cierta noción de a qué se refería, o de a qué no se refería de hecho, porque en la cara habitualmente muy serena de su hermano apreció un leve rubor.

—¿Te refieres en la cama? —le preguntó con franqueza.

Colton le miró un segundo y asintió apenas.

—Sí.

—Inesperado, ¿en un sentido bueno o malo?

Al fin y al cabo era Colton quien le había enviado una nota proponiéndole salir a cabalgar de buena mañana y era Colton quien le pedía consejo. Si él tenía que renunciar a levantarse tarde por aquella conversación, era necesario que hablaran en serio sobre el asunto y se dejaran de circunloquios.

—Bueno —dijo Colton sin más. Y luego rectificó—: Muy bueno, si necesitas más detalles.

—Yo no necesito ningún detalle sobre las intimidades de tu matrimonio, Colt, pero tú has sacado el tema.

—Ya me doy cuenta. —El duque de Rolthven parecía fuera de sí—. Perdona. —Y añadió en un tono más conciliador—: Una cosa es hablar sobre mujeres en general, pero cuando se trata de mi esposa es muy distinto.

Robert no tenía nada que comentar al respecto. En su vida no había precedentes que le permitieran hablar sobre una esposa, así que ¿cómo iba a saberlo?

—Es privado —concluyó Colton.

—Me lo imagino. —Su hermano era una persona muy reservada en general, de modo que la conversación era cada vez más intrigante.

Colton fijó la mirada en un grupo de árboles, como si fuera la cosa más fascinante sobre la tierra.

—Oh, demonios, bien, de acuerdo. Ella... bueno, hizo algo que no había hecho nunca.

«Ah, eso es de gran ayuda.»

—¿Pidió un té luego? —murmuró Robert—. ¿Cantó una canción mientras se desnudaba? ¿Bailó sobre la repisa de la ventana completamente desnuda? ¿Propuso que la doncella se uniera a vosotros? Vas a tener que ser más directo. La sutileza es para féminas que se sientan a beber sorbitos de jerez y a intercambiar chismes. Yo no puedo leerte la mente.

—De acuerdo, de acuerdo —gruñó Colton—. Brianna se la metió en la boca. Y lo que es más, lo hizo francamente bien.

Pese a que lo primero que pensó fue que el incidente convertía a su hermano en un hombre en verdad afortunado, Robert se abstuvo de comentarlo.

—¿Y tú estás en contra de eso? —preguntó con cautela.

—Dios santo, claro que no. —Pero la carcajada de Colton fue breve, y en sus ojos azules había una mirada de preocupación—. Solo me pregunto de dónde sacó la idea.

—¿De ti, no?

—No, de mí, no. Es una dama. Nunca se me ocurriría pedirle algo así.

Clareaba. Sentado en su silla con naturalidad, Robert reprimió una carcajada.

—¿Te das cuenta de que te agobias por algo que la mayoría de los hombres estaría celebrando y brindando? El sexo es un proceso normal e instintivo. Brianna tiene amigas casadas, puede que haya algún marido que no sea tan correcto. Las mujeres hablan entre ellas. Es uno de sus pasatiempos favoritos.

—Sobre lo que ocurre cuando se cierra la puerta del dormitorio, no, seguro.

—¿Por qué no?

—Es un tema muy poco delicado.

Robert se preguntó con ironía si crecer a la sombra de las restrictivas responsabilidades del ducado minaba hasta tal punto la capacidad de atención de un hombre que dejaba de fijarse en el mundo real.

—Piénsalo, Colt. A las mujeres les fascinan los asuntos del amor por naturaleza. Están mucho más pendientes del tema que nosotros. No, yo no creo que hablen a todas horas sobre la mecánica del acto, ¿para qué? Se trata de un hecho bastante universal. Hay una parte que entra en otra parte. Si se hace bien resulta de lo más placentero para ambas, y aunque existen algunas variaciones, los principios básicos son siempre los mismos. Los hombres se fijan en cosas como el tamaño de los pechos, o en la disposición y la destreza de la pareja, pero lo que les gusta a las mujeres son otras cosas. Unas palabras cariñosas, la caricia lánguida de tus dedos enredados en su cabello, una frase poética sobre el sol que despunta al alba, cuando ambos yacéis abrazados en la cama. Y en todo eso no hay nada poco delicado.

—Lo cual confirma lo yo que digo —dijo Colton, mordaz—. ¿Quién le aconsejaría que quizá me complaciera ese comportamiento tan lascivo?

—Creía que acababas de admitir que te gustó.

—Eso es otra cuestión, Robbie.

Esa era la cuestión, pero Robert se abstuvo de decirlo. En lugar de eso explicó con paciencia:

—Aunque ellas vean la relación sexual de un modo distinto al nuestro, a mí me parece natural que una de sus conocidas comentara lo fascinado que queda un hombre cuando una mujer hermosa le chupa el miembro. No en la forma como nosotros hablaríamos de ello, claro, sino de ese modo más delicado con el que las mujeres tratan esas cosas. Imagino que ellas hablan de lo que nos gusta. Ellas no son tan exigentes ni tan egoístas como nosotros, que tan solo solemos pensar en nuestras preferencias.

Su hermano mayor le miró con desconcierto.

—Pero ¿tú de qué lado estás?

Robert era un hombre hasta la médula, pero en temas de poder reconocía la falta de equidad entre sexos, tanto en la cama como fuera de ella.

—Del nuestro, sin duda —afirmó—. Pero seamos sinceros.

Nosotros tenemos el control. Eso las mujeres inteligentes lo saben y si nos hacen felices su vida es más fácil, sobre todo si están a nuestra merced, como nuestras esposas.

—Brianna no está a mi merced. —Colton se giró en la silla de montar, y con las cejas arqueadas y una expresión arrogante dibujada en el rostro, ofreció su mejor muestra de desdén ducal—. Es mi esposa, no mi prisionera ni mi esclava.

Robert se divertía y no podía disimularlo.

—Estoy convencido de que le das una asignación generosa, pero también estoy seguro de que controlas el modo en que la gasta. Del mismo modo que permites que acepte invitaciones a diversos eventos en nombre de los dos… pero apostaría a que te reservas el derecho a autorizar o contradecir sus decisiones. Brianna puede salir sola, pero siempre que vaya acompañada de su doncella o de alguna sustituta apropiada, de manera que sola es un término relativo, ¿es así?

—Yo no soy una especie de déspota…

—No —le interrumpió Robert—, no lo eres. Solo eres un marido típico. Nosotros convertimos a las mujeres en seres dependientes, ¿no te parece? Eso que consideramos protección, podría interpretarse fácilmente como una dominación encubierta.

Al cabo de un momento, Colton exhaló un suspiro prolongado con cierta exasperación.

—Digamos que todo eso lo admito, aunque Brianna no se ha quejado nunca de esas pequeñas normas…

Al oír la palabra «pequeñas», Robert resopló de un modo muy poco elegante. A él le irritaría sobremanera que alguien intentara siquiera opinar sobre cómo debía gastar el dinero, o revocar su decisión sobre cualquier asunto, aunque fuera algo tan trivial como acudir al teatro o a alguna velada. También era cierto que él era varón y que en cuanto llegó a la mayoría de edad, obtuvo carta blanca para vivir su vida. Pero la norma entre los matrimonios era que los maridos tuvieran la última palabra. Las mujeres casadas tenían tan poco poder como las solteras, que debían obedecer a sus padres en todo.

Su hermano mayor hizo caso omiso del improperio burlón y prosiguió con empeño:

—Sigo diciendo que Brianna actúa de forma extraña.

—Y yo digo que se limita a estar llena de vida y que tal vez es más aventurera de lo que pensaste en un principio. ¿Por qué preocuparse por algo tan delicioso como tener una mujer entusiasta en la cama, máxime cuando es tu esposa?

Colton se frotó el mentón con el guante y entornó los ojos para protegerlos del sol.

—Supongo que visto de ese modo, es ridículo que pierda el tiempo pensando en ello, pero reconozco que me cogió del todo desprevenido. Cuando le pregunté de dónde había sacado la ocurrencia de comportarse de ese modo, se mostró evasiva.

Robert luchó contra el impulso de echarse a reír.

—Colt, solo a ti se te ocurriría llevar a cabo un interrogatorio después de un episodio sexual de lo más satisfactorio. Tienes tendencia a analizar demasiado las cosas. Siempre has sido así.

—Estoy acostumbrado a mujeres más experimentadas —murmuró su hermano—. Todo esto es nuevo para mí y tal vez tengas razón, quizá es de lo más natural que ella se vaya adaptando a la intimidad conyugal. Sin embargo, sus dos mejores amigas son Rebecca Marston y la condesa de Bonham, que se casó un mes después que nosotros, aparte de que no me imagino a Bonham instruyéndola en ese tipo de asuntos. La señorita Marston es soltera y muy refinada, y tiene un padre muy protector que la controla mucho. No creo factible que ninguna de ellas sea la responsable de susurrar consejos osados al oído de mi esposa, y no se me ocurre nadie más con quien Brianna comentaría cosas tan personales. Supongo que mi cuñada puede haberle dicho algo, pero la verdad, es una matrona respetable con tres hijos.

La mención de la encantadora Rebecca con sus ojos verde mar y su resplandeciente cabello negro hicieron que Robert rememorara la sensación de retenerla contra aquel muro vegetal, con la boca suspendida sobre sus labios y aquel cuerpo curvilíneo y tembloroso pegado al suyo. Fue un incidente trivial: apenas unos instantes de educada conversación, y las subsiguientes prisas por esquivar al persistente lord Watts. Pero en los últimos días Robert había descubierto que volvía a pensar en ello más de una vez, y le confundía no poder olvidarlo del todo.

«Ese maldito perfume de jazmín», se dijo con sarcasmo. Evocaba fantasías de jardines exóticos, una piel suave, tersa y un singular suspiro jadeante...

Debía de estar realmente hastiado para dedicarse a pensar siquiera en alguien totalmente prohibido como la señorita Marston. «Es soltera», se dijo y con ello sofocó la menor traza de interés romántico. Por otro lado, tras aquel incidente, su padre, sir Benedict, había sacado una conclusión equivocada, y en las ocasiones en las que ambos se habían visto las caras, le costaba incluso ser educado.

—Si quieres saber mi opinión, Colt, olvídate de todo este asunto —dijo Robert sucinto—, o te arriesgas a que tu preciosa esposa se vuelva tímida. Y ya que estás en ello, yo le diría que mientras no se exceda, puede manejar el dinero para sus gastos personales como desee, y haría alguna otra concesión que no te incomode demasiado. Es bastante obvio que desea complacerte. Devuélvele el favor. —Espoleó al caballo con el talón—. Y ahora, ¿echamos una carrera? Me apetece que Sahir compita con Thebes. Está en muy buena forma esta mañana.

La sala de música era silenciosa, y los largos cortinajes de terciopelo color marfil que cubrían las ventanas mejoraban la acústica e incrementaban la atmósfera de privacidad. Sobre el pianoforte había un tintero y varias hojas de papel pautado, pero sobre los compases apenas había anotado unas notas muy poco satisfactorias, y el único sonido era el crujido ocasional de la banqueta cuando Rebecca cambiaba de postura.

Su musa se mostraba elusiva aquella mañana, admitió con un suspiro. Así había sido en los últimos días y esa nueva rutina le incomodaba. Entraba en la sala todas las mañanas y emprendía la misma serie de tareas: preparaba la pluma, disponía las partituras para poder garabatear las notas en cuanto surgieran en su cabeza y fluyeran hacia sus dedos, se sentaba en la banqueta con las faldas recogidas con recato y posaba las manos sobre el teclado.

Pero no sucedía nada. Nada de aquella dicha usual. En lugar de entregarse a su pasión por la música, Rebecca descubrió un tipo de pasión distinta que ahora absorbía sus pensamientos, y ello la distraía de un modo infernal.

Sosteniéndose la barbilla con la palma de la mano, apoyó un codo, tocó abstraída un *fa* sostenido y mantuvo la nota durante un momento antes de levantar el dedo. Ahí. Al menos podía decir que había hecho algo, aparte de sentarse a pensar en lo imposible.

Y sus sueños eran imposibles.

Ahora sabía lo que era estar cerca de Robert, oler ese aroma puro y varonil de colonia y lino, sentir el roce de sus labios en la piel y la fuerza de su cuerpo esbelto apretándose contra ella…

Bien, eso empeoraba, y mucho, las cosas, y ella había sabido en todo momento que ese desesperado enamoramiento por un experimentado libertino, para quien las conquistas informales estaban a la orden del día, era ridículo. Por no mencionar el desprecio de su padre hacia ese hombre.

Una repentina llamada a la puerta interrumpió esa fantasía imposible de estar entre los brazos de Robert Northfield. Rebecca rezó para que no fueran el mayordomo o una de las doncellas para anunciarle la visita de lord Watts.

—¿Sí?

La puerta se abrió de pronto y, aliviada, vio aparecer a Brianna que sacaba la cabeza por el canto.

—Pensé que tal vez estarías en casa, Beck. Le dije a Hains que no me anunciara para no molestarte. Si estás trabajando, ya volveré más tarde si estoy por aquí cerca.

Mientras los padres de Rebecca consideraban que componer música era un pasatiempo demasiado intelectual para tenérselo en cuenta, Arabella y Brianna conocían su pasión y la comprendían. De hecho, ellas, siempre leales, eran su mejor público

71

cuando tenía una pieza nueva que compartir y al menos, a Dios gracias, se manifestaban impresionadas y extasiadas. Rebecca meneó la cabeza.

—Intento trabajar, pero por desgracia no lo consigo. Tal vez me inspire con una breve visita de una querida amiga. Entra.

Debería haber conducido a la duquesa al salón de las visitas, pero se trataba de Brianna. A la distinguida duquesa de Rolthven pareció complacerle bastante esa informalidad y se acomodó en una de las butacas de brocado con un remolino de faldas de seda azul. Llevaba la melena clara recogida con un moño sencillo; una belleza deslumbrante como Brianna no necesitaba peinados elaborados. Rebecca pensaba a menudo que la modestia de Brianna la hacía aún más atractiva, y que esa era la razón por la que había atraído la mirada de uno de los solteros más codiciados de Inglaterra. Su actitud serena confería elegancia a alguien tan joven como la duquesa de Rolthven.

La temporada anterior las tres habían cosechado éxitos notables. Brianna apareció con su apuesto duque, Arabelle con su afable conde, y luego estaba Rebecca. Ella había rechazado propuesta tras propuesta, porque sentía una infortunada inclinación por un calavera temerario que, estaba casi segura, la otra noche ni siquiera recordaba su nombre.

Tal vez ella no había tenido tanto éxito después de todo.

—Voy a organizar una fiesta campestre.

Al oír esa declaración audaz, Rebecca pestañeó.

—¿En serio? Creía que odiabas esas cosas.

Brianna hizo una mueca.

—Lo normal es que sea así. En fin, todas esas competiciones de tiro, en las que en cualquier caso yo soy horrible, y esas audiciones musicales y representaciones. Pero que yo las deteste no significa que a los demás les suceda lo mismo. Este tipo de reuniones son muy populares, sobre todo en otoño. Espero que Colton se lleve una sorpresa agradable cuando le diga que coincidirá con su cumpleaños, que es dentro de unas semanas. Es un espanto pensar en un regalo para alguien que es dueño de media Inglaterra, ¿sabes? Posee todas las cosas materiales que se puedan desear. Creo que esto le gustará, aunque no estoy segura. Podemos celebrarlo en Rolthven Manor y su abuela puede ayudarme a organizarlo. Ella estará encantada. Aparte del servicio, casi siempre está sola en esa enorme mansión, a la que, la verdad, convendría sacarle más partido.

—Creía que acababais de estar allí.

—Fuimos a celebrar su cumpleaños —confirmó Brianna—. Como la propiedad está cerca de la ciudad no nos quedamos mucho, solo una noche. Robert estuvo aún menos tiempo. Llegó y se fue. Damien ni siquiera pudo asistir porque sigue en España, pero la semana próxima regresará a Inglaterra, según me han dicho. En realidad solo invitaré a amigos íntimos y familia, de modo que esperemos que no sea una de esas grandes celebraciones que me parecen tan aburridas, sino solo una forma agradable de pasar el tiempo.

Rebecca intentó imaginarse al duque de Rolthven en una reunión campestre, aunque fuera en su casa, y fracasó. Era difícil creer que retozaría por el jardín con un arco y una flecha, o que participaría en alguna charada. Él era solemne y reservado y asumía el título con naturalidad, aunque ella le había visto sonreír un par de veces, por lo general a su esposa, y ello confería una calidez a sus facciones que insinuaba una faceta diferente. Rebecca no le conocía lo suficiente para juzgar si le complacería la perspectiva de dar una fiesta en la residencia familiar, pero Brianna parecía entusiasmada.

—Estoy segura de que será maravilloso —le dijo con lealtad.

—Eso espero, en serio. Lo que pretendo es que Colton no esté siempre trabajando tanto. —Brianna frunció un poco las cejas—. Si te soy sincera, no estoy nada convencida de que me lo agradezca, pero pienso hacerlo de todas formas. Llevamos más de tres meses casados y aún no le conozco. Admito que las cosas no son como esperaba.

Puesto que un día tendría que escoger un marido, y sus padres ya le habían dejado muy claro que creían haber sido demasiado pacientes, Rebecca preguntó con franqueza:

—¿Qué esperabas?

Brianna, con una expresión pensativa en su preciosa faz, toqueteó la tela de su vestido.

—Creo que su formalidad y distancia me parecían normales cuando me hacía la corte. Al fin y al cabo, Colton resulta un poco intimidante a primera vista. Por desgracia las cosas no han cambiado mucho desde que nos casamos. Oh, es generoso y educado, casi en exceso, y esa urbanidad me crispa los nervios a veces. Supongo que imaginé que la amistad florecería entre los dos, pero todo sigue igual. Vivimos en la misma casa, yo llevo su apellido y él visita mi lecho, pero aparte de eso parece que vivamos vidas separadas. Pasa más tiempo en su club que conmigo, y creo que considera perfectamente razonable que su vida continúe como antes de que nos casáramos. Colton tiene unas ideas sobre las relaciones entre hombre y mujer que me parecen anticuadas.

—Yo no creo que sean anticuadas —intervino Rebecca en tono firme—. Si te refieres a que opina que todas las mujeres han de actuar de un modo determinado, casarse a una edad determinada y seguir las normas que establece la familia y la sociedad, no creo que sea el único. Esa es una forma de ver las cosas convencional y deprimente.

Brianna enderezó la espalda y la miró de frente.

—Menuda vehemencia. ¿Qué ha pasado? ¿Tus padres te han vuelto a presionar?

—Eso es decir poco. Todos los días me recuerdan que esta es mi segunda temporada. Ayudaría bastante que me sintiera atraída por alguno de los hombres que ellos aprueban, ni que sea de forma remota. —Rebecca hizo todo lo que pudo para no parecer demasiado abatida, pero no creyó haberlo conseguido.

—¿No hay nadie? —Brianna la miró con aire comprensivo—. Me parece que la conocida rectitud de tu padre sobre lo que considera conveniente en un yerno potencial desalienta a algunos de tus conocidos, pero has recibido más de una docena de peticiones de mano, Beck. ¿No hay ninguno que te guste? ¿Ni un solo joven atractivo que haya inspirado un aleteo romántico en tu corazón?

Por desgracia, la imagen de Robert apareció en su mente. La forma como la luz de las velas se reflejaba sobre su cabello castaño, el trazo elegante de su barbilla, la curva pícara de su boca al sonreír, su elasticidad natural y grácil al bailar...

Siempre con otra, por supuesto.

Era una desventaja tener amigos que comprendían tus estados de ánimo. Rebecca aparentó indiferencia.

—No.

Brianna entornó los ojos.

—Tonterías. Estás ruborizándote.

Bien, eso era muy inconveniente.

—No, no es verdad.

—Las manchas rojas que tienes en las mejillas corroboran mi acusación. Por favor, no me dejes con la intriga. Tú nunca habías estado, en fin, tan nerviosa.

Rebecca deseaba contarle a alguien su inclinación por Robert Northfield, pero probablemente Brianna era la persona equivocada. Aunque confiaba en ella de modo implícito, esto no era cuestión de confianza. También era cuñada de Robert, y por otro lado no estaba nada segura de que no se horrorizara tanto como su padre si descubría que estaba enamorada como una loca de un famoso libertino.

Pero la tentación de contárselo todo salvo su nombre estaba presente. Llevaba más de un año guardando el secreto. La otra noche en el jardín no había ayudado en absoluto a remediarlo. Él la había ayudado con galantería, y desde tan cerca que todavía sentía la fuerza de su cuerpo, y aunque sus bocas no se habían tocado exactamente...

Rebecca carraspeó y dirigió la mirada hacia una de las ventanas veladas.

—Estoy enamorada. O al menos eso creo. Debo estarlo, porque lo único que hago es pensar en él.

—¿De verdad?

Rebecca asintió.

—¡Eso es maravilloso, Beck! ¿Quién es?

Rebecca volvió a mirar a su amiga.

—Me temo que no es maravilloso en absoluto. Más bien una tragedia total. Y no voy a decirte su nombre, de modo que, por favor, no me presiones.

La expresión alegre desapareció de las delicadas facciones de Brianna, sustituida por la consternación.

—¿Una tragedia? ¿Por qué?

Rebecca, incapaz de seguir sentada, se puso de pie y dio unos pasos en dirección a la ventana. Suspiró y se dio la vuelta.

—Por unas cien razones, pero para resumir no es... no es posible, y si lo fuera, seguiría sin tener importancia porque él no comparte en lo más mínimo mi interés. Creo que se quedaría atónito si se enterara de que estoy enamorada y que le divertiría, lo cual es aún peor.

Por un momento se hizo el silencio y luego Brianna apuntó:

—¿Por qué es imposible? Reconozco que no te entiendo.

Ahora era cuando Rebecca sabía que podía entrar en un territorio peligroso si hablaba demasiado. Entre los caballeros de clase alta inglesa había un gran número de libertinos, de manera que si decía que el motivo era la mala reputación no estaría concretando demasiado. Robert tenía más mala fama que la mayoría, pero no era el único.

—Mi padre no lo aprobaría. No estoy segura del porqué, pero créeme, aunque ambos compartiéramos los mismos sentimientos, mi padre nunca admitiría el cortejo —dijo en voz baja.

—¿Por qué no? ¿Es un criado?

—No. Es de buena familia. —«De hecho, tú formas parte de ella», pensó.

—¿Está casado?

Gracias a Dios Rebecca podía negar esto con toda sinceridad.

—No, claro que no. Nunca miraría al marido de otra mujer.

Brianna hizo un gesto de alivio.

—Ya imagino que no, pero me preguntaba si sería alguien de la pasada temporada que puede haberse casado con otra.

—No es ese el caso. —Rebecca dio media vuelta y fue hasta la ventana para retirar la cortina. El sol de mediodía inundó el interior—. Si lo fuese, imagino que me sentiría herida, pero luego le olvidaría. No, no está casado. Apostaría a que esa palabra no está en su vocabulario. El problema es que, aunque lo estuviera, aunque él se diese cuenta de que vivo en el mismo planeta, mi padre se opondría firmemente al menor amago de relación, de modo que no hay nada de que hablar.

Brianna se puso de pie con elegancia, cruzó la habitación y le dio un fuerte abrazo.

—No estoy de acuerdo. No, cuando te veo tan triste. ¿Te das cuenta de que esto explica muchas cosas, verdad? Bella y yo nos hemos estado preguntando por qué tenías ese aire tan melancólico a veces, y la verdad es que a las dos nos sorprendió muchísimo que el año pasado rechazaras al marqués de Highton. Estaba muy enamorado, y aparte es rico, apuesto y, lo más importante, agradable. Yo creí que te gustaba. Además, sé que tus padres eran muy partidarios del enlace.

Richard era un buen hombre. Y a Rebecca le había gustado. Aún le gustaba. Demasiado para casarse con él, cuando seguía allí sentada soñando con otra persona.

—Parece una tontería —dijo con una sutil vacilación—, pero lord Highton no era él. De modo que rechacé una proposición muy honesta, aun sabiendo que no tengo ninguna posibilidad de conseguir lo que quiero. Creo que eso me convierte en una boba oficial.

Brianna se apartó.

—Tú no eres boba —dijo con decisión—. Ni mucho menos.

—Debo serlo si albergo ese sentimiento. La primera vez que le vi... —Rebecca se quedó callada, recordando cuando conoció a Robert Northfield. Brianna y ella estaban juntas cuando Robert y su hermano mayor entraron juntos en el salón de baile, ambos tan apuestos y fascinantes. Brianna había mirado de reojo al duque de Rolthven y a partir de ese momento ningún otro pretendiente tuvo la menor posibilidad.

Aquello había acabado bien, pues resultó que Colton correspondió a ese interés. Por desgracia, Rebecca se había visto en la misma situación con su atractivo, cautivador, aunque no tan respetable hermano, pero Robert no había correspondido con nada.

Ni una mirada. Ni un vistazo. Ni una palabra cariñosa. Ni siquiera les habían presentado hasta unas semanas después, y eso fue solo porque Rebecca estaba con Brianna, no porque él lo pidiera.

Eso le dolió y aquí estaba, languideciendo de añoranza por un hombre que era probable que en ese mismo momento estuviera en la cama de otra. Sin duda una mujer preciosa y sofisticada y…

Mejor no pensar en ello.

Brianna ladeó la cabeza como si meditara y una mirada reflexiva apareció en su semblante.

—El amor a primera vista no es solo una fantasía romántica. A mí me pasó con Colton, de modo que nadie puede decirme que es imposible. Y aunque mi marido es imperfecto, yo estoy esforzándome en cambiar su actitud. Me pregunto si el libro podría ayudarte a ti también.

Rebecca no pudo evitarlo y se le escapó una carcajada.

—¿Qué? ¿Te refieres a los escandalosos escritos de lady Rothburg? Debes de estar de broma.

—Por supuesto que no. —Brianna se dio la vuelta, volvió a su butaca con un frufrú de seda azul y juntó las manos sobre el regazo—. Al contrario de lo que piensa la mayoría, el texto no está dedicado por entero a temas sexuales. Lady R da elementos para comprender la mente masculina, y hay al menos un capítulo dedicado a cómo llamar la atención del hombre a quien deseas. Parece que tuvo un gran número de amantes, que le aportaron una serie de buenas experiencias con el sexo opuesto.

—Me parece que no has oído lo que te he dicho.

Brianna agitó la mano en el aire con un gesto de rechazo.

—Tengo un oído divino. Tu padre no lo aprobaría y a ese hombre en cuestión no le interesa el matrimonio, ¿es eso? Ninguno de esos obstáculos es insalvable.

Rebecca apoyó el hombro en el marco de la ventana y miró de frente a su amiga.

—Eso es como decir que los Alpes son meros montones de roca. —Ambos obstáculos le parecían igualmente formidables.

—Oh, por favor, Beck. Eres preciosa, maravillosa en todos los sentidos y capaz de atraer a cualquier hombre. En cuanto a tu padre, aunque creas que se opondría rotundamente, te quiere, y apostaría a que si tu felicidad está en juego y ese joven procede de una familia decente, acabaría cediendo.

Afirmar que sobre eso tenía sus dudas era quedarse corta y Rebecca no se molestó en manifestarlo.

—Al hombre del que estamos hablando no le interesa hacerle la corte a nadie, Bri. Eso está claro.

—Tal vez tú puedes hacer que cambie de idea. Si ese varón misterioso te pidiera que te casases con él, ¿qué le dirías?

La pregunta hizo aflorar todos los sueños que había tenido siempre sobre Robert Northfield, con una rodilla en el suelo, tomándole la mano con firmeza y declarándole amor imperecedero. Pero siempre había sabido que esas imágenes románticas no eran más que fantasías irreales, y meneó la cabeza.

—No me lo pediría.

—Pero ¿y si lo hiciera?

—Bri —dijo con exasperación.

—Te prestaré el libro cuando quieras. Yo casi lo he terminado.

—Yo no podría —gimió Rebecca; que Brianna lo leyera era distinto… al menos ella estaba casada.

Pero debía reconocer que ese texto escandaloso la intrigaba. No es que creyera que podría obrar un milagro, como provocar un cambio en el corazón de un calavera de la talla de Robert, pero no podía negar que sentía curiosidad por esas revelaciones prohibidas que lady Rothburg podía ofrecer.

—Es muy instructivo. —Brianna adoptó un aire pícaro pero sincero—. Y además, ¿por qué la intimidad ha de ser algo tan secreto? Los hombres lo saben todo y nosotras no sabemos nada. No es justo mantener a las jóvenes en la ignorancia sobre un aspecto natural de la vida.

Bien, eso era bastante cierto.

—¿Quién ha dicho que la vida es justa? —musitó Rebecca.

—Dejando aparte el libro, espero que asistas.

Asistir. La fiesta. La reunión campestre en la que sin duda Robert estaría presente también.

Rebecca notó un pálpito traicionero en el pulso, aunque era irracional acudir para torturarse a sí misma.

—Necesito el permiso de mis padres y no estoy segura de que me lo den. Tú estás casada y eres duquesa, pero sigues siendo unos meses menor que yo. Igual que Arabella. Quizá no os consideren adecuadas como acompañantes.

—La abuela de Colton estará presente. ¿Se te ocurre alguien más respetable que la duquesa viuda de Rolthven? Seguro que ella sí es adecuada, y además quiero que interpretes alguna de tus obras.

¿Una oportunidad de tocar su música en público? Rebecca sintió un tirón en la garganta.

—Sabes que no puedo. Mi madre se desmayaría si se enterara.

Brianna arqueó las cejas.

—Yo no he dicho que debas decir que la música es tuya. Eres una buena pianista. Toca para nosotros, sin más. Cuando el público quede fascinado, como sé que sucederá, y pregunte el nombre del compositor, invéntate algo. Será una oportunidad para que demuestres tu genialidad sin restricciones. Y podrás oír los elogios de primera mano, como debe ser. Necesitaremos algún entretenimiento refinado.

Ahora estaba perdida. ¿Robert y su otra pasión, su música? No había forma de resistirse.

—Me encantaría ir. —Y ya que era tan boba como para colocarse a sí misma ante la perspectiva de un posible disgusto amoroso, también podía rematar la locura—. Y tendré en cuenta tu oferta sobre el libro.

5

Los hombres y las mujeres no son compañeros naturales salvo en un sentido físico. Lo habitual es que no nos gusten las mismas distracciones, y que no nos parezcan graciosas o interesantes las mismas cosas, y nuestras vidas cotidianas son tan dispares que a veces es difícil que nos comprendamos mutuamente. Hay pocos hombres que se preocupen de su guardarropa, salvo de un modo muy ocasional, y hay pocas mujeres a quienes les guste hablar sobre caballos y perros de caza. No obstante, estas numerosas diferencias pueden favoreceros. Elogiadle y agradecedle siempre que os conceda algo de su tiempo y dinero, y veréis que aumenta su generosidad.

Del capítulo titulado
«Convertir la desgana en fogosidad»

*E*l sobre en cuestión estaba entre un montón de correspondencia, y no llevaba sello ni señas del remitente. El secretario de Colton, Mills, un joven delgado de rasgos insulsos y porte discreto, se lo entregó algo extrañado.

—Esto… creo que es de su excelencia, la duquesa.

Colton cogió el pergamino que le ofrecía.

—¿De mi esposa?

—Sí, señor.

—¿Por qué demonios me iba a escribir una nota? —Era una

pregunta ridícula, porque ¿cómo iba a saber su secretario lo que pensaba Brianna? La verdad es que la mayoría de las veces ni el propio Colton la entendía.

—Parece una invitación, excelencia —dijo Mills, solícito.

—Eso ya lo veo. —Colton examinó el texto por segunda vez—. Resulta bastante interesante que te inviten a tu propia casa. Y aún lo es más que la duquesa haya olvidado hablarme de sus planes. ¿Por qué demonios planea una fiesta campestre?

—¿Una sorpresa, señor? —Mills recolocó una pila de documentos con su usual eficiencia, y una actitud más discreta que nunca.

Colton le miró.

—Estoy de acuerdo —dijo con sequedad—. Es una sorpresa, pero eso no me ayuda a comprender por qué no me dijo ni una palabra sobre ello.

—Su cumpleaños, excelencia.

—¿Mi cumpleaños?

—El día cinco. Cumplirá usted veintinueve.

—Ya sé qué edad tengo —replicó con aspereza, sintiéndose un poco tonto. Al pensar en ello, calculó que era la semana siguiente. La verdad es que no le había pasado por la cabeza que su encantadora y joven esposa hiciera algo como planear una fiesta para celebrarlo. No sabía si sentirse conmovido o un tanto molesto. Ambas cosas, seguramente. Aunque apreciaba el considerado gesto, también estaba demasiado ocupado para olvidarse de todo e irse al campo a holgazanear durante cinco días, en una casa repleta de invitados.

Brianna tenía una tendencia infernal a complicar cosas que deberían ser simples.

Suspiró, dejó la invitación sobre la mesa, y descubrió un leve rastro del seductor perfume impregnado en el papel.

—Puesto que sin duda ella ya ha enviado otras invitaciones al evento, supongo que no me queda otro remedio que asistir. Por favor, compruebe mi agenda y cambie todas las citas que sea posible. Me parece que tenía que ver a lord Liverpool durante esos días, y uno no cancela una cita con el primer ministro a menos que él esté conforme. De ser así, usted me acompañará a Rolthven y así podremos trabajar un poco mientras esté allí. Ahora mismo lo mejor es que vaya en busca de mi esposa e intente averiguar si está maquinando algo más que yo no sepa.

—Sí, excelencia. —Mills se comportó con su eficiencia y discreción habituales, mientras Colton se ponía de pie y salía de su estudio. En el vestíbulo principal se encontró con el mayordomo, quien le informó de que sí, en efecto, la duquesa acababa de llegar y estaba en casa.

Mientras subía la estilizada curva de la escalinata principal que conducía al segundo piso donde estaban sus aposentos, Colton pensó en cómo manejar la situación. Tal vez un firme reproche. Aunque no quería parecer desagradecido por esa celebración en su honor, ella debía entender que no podía reorganizar su agenda. Se detuvo antes de llamar a la puerta de su dormitorio, pero entonces recordó que Brianna era su esposa y que aquella era su casa, así que la abrió.

La doncella, sobresaltada por esa irrupción abrupta e inusual en la alcoba de su señora a media tarde, levantó los ojos. En aquel momento estaba sacudiendo una de esas ridículas prendas interiores transparentes a las que Brianna estaba aficionándose. Se inclinó con una profunda reverencia y el vaporoso encaje quedó suspendido en sus manos.

—Excelencia.

Al oír una leve salpicadura detrás del biombo, colocado sobre una tarima en el otro extremo de la habitación, supo dónde estaba Brianna. Mientras se bañaba, canturreaba una tonada con una musicalidad sorprendente. No sabía que su bella esposa supiera cantar.

Si estaba bañándose, estaba desnuda.

Ese hecho irrefutable le contuvo un momento, pues aunque había ido allí para hablar con ella, no esperaba encontrarla desnuda. Probablemente lo mejor sería que se diera la vuelta y se fuese, le sugirió la voz de la razón. Podían hablar de la fiesta durante la cena.

Podía incluso pedirle que bajara un poco antes a tomar una copa de jerez, y sacar el tema en ese momento.

Oyó otra pequeña salpicadura.

Un sonido con un erotismo inesperado. Era extraño, pero hasta ese momento nunca había considerado que bañarse fuera un pasatiempo seductor.

Colton miró un segundo a la doncella de Brianna.

—Por favor, discúlpenos. La duquesa la llamará más tarde si la necesita.

—Sí, excelencia. —La joven colocó de inmediato la camisola sobre el taburete del tocador, salió a toda prisa y cerró la puerta.

—¿Colton? —dijo Brianna desde detrás del biombo. Era obvio que había reconocido su voz.

Eran las cuatro en punto de la tarde, se repitió a sí mismo. Y además estaba molesto por el desconcertante comportamiento de su esposa.

Pero eso a su rebelde miembro no le importaba. Ni tan siquiera había visto aún a Brianna y ya sentía crecer una erección. La fragancia del jabón de lavanda le recordó la dulzura de su aroma. Esa tentadora imagen mental de unos hombros desnudos apoyados contra el borde de la bañera le provocó una reacción tan intensa que apenas pudo creerlo.

Las cuatro en punto de la tarde era un buen momento para hacerle el amor a una esposa.

Fue hacia allí y rodeó el biombo.

Un par de divinos ojos azules se alzaron para mirarle cuando subió los dos escalones y se detuvo junto al borde de la tina. Brianna llevaba su tenue cabellera dorada recogida en alto de un modo informal, y unos mechones rebeldes acariciaban su cuello. Las curvas superiores de sus senos estaban completamente a la vista, la piel suntuosa húmeda y brillante, y en sus suaves mejillas había un precioso ardor causado por el agua caliente, que se intensificó cuando él procedió a examinar sin prisas qué conseguía verle.

—Recibí tu invitación.

Eso, sin duda alguna, tenía un doble sentido, pensó él con la mirada lasciva pegada a la piel sedosa y redondeada que asomaba por encima del agua.

—¿Ah, sí? —respondió ella en un tono muy bajo y vacilante.

Dios misericordioso, incluso sus rodillas, apenas visibles sobre el agua jabonosa, eran cautivadoras.

Si un hombre se sentía fascinado por una articulación, es que tenía un auténtico problema.

—Sí —dijo con la voz ronca.

—¿Estás enfadado?

Él había subido con la intención de decirle que no podía lanzarse a organizar actos sociales sin consultarle, pero ahora, al bajar la vista hacia aquel delicioso rostro, descubrió que no estaba ni mucho menos tan irritado como antes. Lo que sentía no tenía nada que ver con la irritación y mucho con la lujuria incipiente.

—No estoy seguro. No diría que enfadado sea la palabra adecuada. ¿Hay algún motivo para que decidieras no consultarlo conmigo primero?

—Entonces no hubiera sido una sorpresa, ¿no te parece?

—Supongo que no —reconoció, sin saber cómo manejar la situación.

La sonrisa deslumbrante de Brianna provocó que una sangre que no sabía que le quedaba inundara sus ingles.

—Estoy muy contenta de que no estés enfadado conmigo. No estaba segura de que te gustara la idea.

No le gustaba en especial, pero era imposible concentrarse en otra cosa que no fuera la imagen hechicera de su impresionante esposa en el baño. Lavar a alguien que no fuera él mismo quedaba fuera de los límites de su experiencia, pero Colton estaba dispuesto a intentarlo. Se despojó de la chaqueta, se deshizo la corbata, y vio que Brianna abría los ojos sorprendida. Desabrochó con calma los gemelos de los puños y luego se arremangó. El jabón estaba sobre un platito de porcelana, colgado del borde de la bañera, y al cogerlo averiguó que incluso ese tacto resbaladizo y húmedo le excitaba.

—Permite que te ayude a terminar, madame.

Brianna emitió un pequeño jadeo cuando él deslizó las manos empapadas de jabón sobre sus pechos. Tenían un tacto exquisito en aquella agua cálida. Rotundos, firmes y con una piel elástica como el satén que él tocó y acarició. Colton se tomó su tiempo y sospesó y levantó cada uno por turnos, como si evaluara su madurez. Cuando notó en la palma de la mano los pezones endurecidos, sonrió sin poderlo evitar.

—Soy... —dijo Brianna sin aliento y con los ojos entornados— muy capaz de bañarme sola.

—Eres perfecta, eso está claro —respondió Colton con el miembro tan duro que temió que le reventara los pantalones.

A las cuatro de la tarde.

Lavó sus brazos esbeltos, la nuca, la cautivadora suavidad de sus muslos. Descubrió la cálida dulzura entre las piernas que Brianna separó para él, y la respiración de su esposa se transformó en pequeños jadeos cuando deslizó los dedos en aquella ardorosa intensidad. El primer quejido hizo que deseara obtener un segundo, y Colton se inclinó hacia delante para besarla, mientras iniciaba un movimiento rítmico con una mano pegada a la piel brillante y satinada.

Esta, recordó, no era la razón por la que había subido a hablar con ella.

Pero aun así, suponía un cambio de planes delicioso.

Brianna apretó los músculos internos contra sus dedos invasores y él sonrió e intensificó el beso, convertido en algo más agudo, más carnal.

Era perverso y peculiar que te tocaran de esa forma a plena luz del día, pero Brianna descubrió que no tenía la menor objeción.

Ninguna.

La boca de Colton era ardiente e insistente, su lengua, penetrante e inapelable, y ella le acarició apenas la cara, recorriendo con los dedos empapados el mentón nítido, mientras él giraba con delicadeza el pulgar entre sus muslos separados. Brianna tembló sin querer al sentir descargas de placer que recorrían su cuerpo y se asentaban en la boca del estómago.

—Es delicioso —murmuró Colton pegado a sus labios—, pero puedo hacerlo incluso mejor. Me parece que ya has terminado de bañarte. ¿Pasamos a la cama?

Antes de que ella pudiera responder, él sumergió los brazos en el agua y la sacó de la tina, sin preocuparse de su ropa. Brianna jadeó ante aquel gesto audaz, que le resultó completamente inesperado e impropio de él.

—¡Colton, te empaparás!

—Tengo un armario entero lleno de ropa seca en la habitación de al lado.

Eso era verdad, pero aun así a ella le maravilló que actuara de forma tan impulsiva. Se colgó de sus anchos hombros mientras él atravesaba la habitación y depositaba su cuerpo chorreante sobre la cama. Colton empezó a desnudarse de forma sistemática, con los ojos pegados a su piel reluciente. Arrojó primero las botas a un lado, con un gesto despreocupado, insólito en él. Apartó de cualquier manera la fina camisa de lino, ahora empapada, y después los pantalones, revelando una erección desaforada.

Ellos nunca habían hecho el amor durante el día. Las cortinas estaban descorridas, como era lógico, y la luz del sol derramada sobre la piel de Colton le confería un brillo dorado que definía los músculos prietos y lustrosos de su cuerpo, y provocaba reflejos en su densa cabellera. Brianna sabía que su marido la consideraba hermosa, pues él se lo había dicho con una sinceridad halagadora, y la evidencia del deseo que sentía por ella era especialmente obvia en ese momento. Pero ella también le creía hermoso en un sentido muy varonil, con su cuerpo fuerte y esbelto y sus marcadas facciones. La gente solía opinar que Robert era el hermano más guapo a causa de su pícaro encanto, pero, desde el imparcial punto de vista de Brianna, Colton era tan o más atractivo. Era cierto que no sonreía muy a menudo, y eso era algo que deseaba cambiar, pero desde el primer momento en que le vio, lo supo, sin más.

Era suyo. Y no tenía la menor intención de compartirlo con ninguna otra mujer.

Debía de estar haciendo ciertos progresos; el hombre reservado y formal con quien se había casado tres meses antes no la habría sacado de la bañera a media tarde.

—Te deseo —dijo él. Una declaración innecesaria puesto que la evidencia física permanecía en alto pegada a su estómago firme.

—Entonces estamos de acuerdo, excelencia —murmuró ella tirando del lazo que le sujetaba el cabello y dejando que la melena fluyera en libertad—. También yo te deseo.

Él trepó a la cama y se colocó sobre ella, la aprisionó debajo y buscó con la boca la sensible juntura entre el cuello y el hombro.

—No tengo tiempo para esto.

Era la cosa menos romántica que ella podía imaginar en boca de un hombre, pero proviniendo de Colton era un auténtico cumplido.

Brianna deslizó la mano a lo largo de la pétrea musculatura de sus hombros con una carcajada contenida.

—Haré todo lo posible para que cada segundo de este rato valga la pena.

—Mmm. —Él le lamió el cuello y ella notó pegada al muslo su erección rígida.

Esa respuesta evasiva no le molestó, pues su caprichoso cuerpo estaba a merced del deseo, y tanto como deseaba complacer y seducir a su apuesto marido, también sentía una abrumadora necesidad de tenerle dentro. Cuando él tomó con la mano su seno desnudo, ella se arqueó para facilitar la caricia, sin vergüenza, desinhibida, y un quejido sordo emergió de su garganta. Sintió un latido entre las piernas y notó que estaba húmeda y que eso no tenía nada que ver con el baño.

—Qué suave —dijo Colton con la voz ronca, acariciando con delicadeza.

«No esperes», pensó ella. ¿Sería muy lascivo pedirle que la tomara de forma tan rápida y vehemente como lo había hecho en el carruaje y la otra noche, después de que ella pusiera en práctica aquel consejo del segundo capítulo?

A un hombre tan conservador como su marido, era probable que le pareciera lascivo, decidió Brianna, abrumada por el anhelo. Se mordió el labio mientras las manos de su esposo seguían recorriendo su cuerpo. Pero cambió de posición con sutileza y levantó las caderas para urgirle sin palabras, con un pálpito en el corazón.

Colton pareció entenderlo, pues utilizó las rodillas para separarle las piernas y al mismo tiempo que poseía su cuerpo, poseyó su boca con un beso abrasador. Hundió el miembro largo y duro en el conducto de Brianna, arrancándole un grito de placer del fondo de la garganta.

Mientras él empezó a moverse con embestidas prolongadas y rotundas que provocaron en ella una sensación de maravillosos hormigueos de placer que recorrieron todas sus terminaciones nerviosas, Brianna pensó que aunque en la vida cotidiana les quedaba todavía un largo camino por recorrer para conocerse mutuamente, aquí estaban alcanzando un acuerdo. Colton tenía la cara ensombrecida por la pasión y sus ojos celestes brillaban bajo la luz de la tarde, mientras aceleraba el ritmo ante el pellizco punzante de las uñas de Brianna sobre sus hombros.

Ella cerró los ojos, rodeada por el aroma de su esposo, fresco, limpio y masculino, dominada por la fuerza afrodisíaca de su cuerpo; una espiral ascendente de plenitud sexual la transportó irremediablemente a la cima de un éxtasis vertiginoso, antes de caer de buen grado al paraíso. Brianna gritó al llegar al clímax. Fue un sonido breve y cortante del que apenas fue consciente, y Colton respondió con un ruido sordo y todo su cuerpo se quedó rígido. El pulso de la eyaculación fue inconfundible cuando irrumpió como una oleada en el cuerpo tembloroso de Brianna una última vez, y la inundó con su descarga.

En la estela letárgica siguiente, Brianna no protestó cuando él rodó de costado arrastrando consigo los cuerpos de ambos entrelazados. Acurrucada junto a él, notaba el suspiro de su torso rudo con una sensación de nítida satisfacción.

—Opino que bañarse solo está sobrevalorado —murmuró con ironía en cuanto recuperó fuerzas suficientes para hablar—. Puede que a partir de ahora solicite tu ayuda.

—Siempre a su servicio, madame. —Colton le acarició la cadera desnuda. Fue apenas un roce con los dedos; había hablado con una voz alegre, pero tenía una expresión difícil de descifrar. Emitió un pequeño suspiro—. Pero reconozco que lo que acaba de pasar no era en absoluto mi intención cuando vine hasta aquí para hablar contigo.

Ella, desnuda y refugiada entre sus brazos, se dio cuenta de su posición de ventaja y le presionó.

—Ah, sí, la invitación. Dijiste que no te importaba.

—No —corrigió él, y su voz recuperó el timbre del duque austero—, dije que no estaba enfadado. Hay una clara diferencia. Por lo visto Mills cree que haces esto por mi cumpleaños.

Ella ya había supuesto que Colton no daría saltos de alegría, pero pensar en arrancarle de su eterna y devota dedicación a las responsabilidades ducales le había parecido demasiado atractivo para resistirse. Durante el día casi no le veía, aparte del presente descarrío, que era alentador. ¿Cuándo invertía Colton algo de tiempo en disfrutar? Cuando Brianna se lo había preguntado una noche, él le había respondido distraído que de vez en cuando iba de caza, y que tenía un palco en Newmarket donde en ocasiones asistía a las carreras. Para mantenerse en forma practicaba esgrima casi a diario, y dar un paseo a caballo por la mañana formaba parte de su rutina diaria.

Era poco probable que la invitara a tomar parte en esas actividades, de modo que, con la reunión campestre, al menos le obligaba a pasar algo de tiempo con ella de un modo no solo sexual. Él cenaba la mitad de las noches en ese club o bien tenían invitados, y cuando salían juntos siempre estaban rodeados de otras personas.

—Lo planeé para complacerte —aclaró ella sin ser sincera del todo.

Durante un momento Colton no dijo nada. Luego exhaló y su aliento le agitó el cabello.

—Ya sé que lo hiciste con la mejor intención, pero debo insistir para que en el futuro me consultes primero.

La palabra insistir resultaba irritante. Ella sacó el as de la manga.

—Tu abuela está emocionadísima.

No era mentira. La venerable duquesa estaba entusiasmada con la idea de una fiesta y una horda de invitados, por no hablar de que la visitarían sus tres nietos a la vez. Brianna comprendió que eso sucedía muy de vez en cuando. Damien trabajaba para la Corona y pasaba más tiempo fuera que en casa, los licenciosos intereses de Robert eran legendarios, y poco accesibles si se enterraba en el campo, y Colton se tomaba sus responsabilidades con tanta diligencia que, en su opinión, llevaba una vida muy poco equilibrada.

—¿Ah, sí? —En la voz de su esposo había un ligero deje de enfado—. ¿Por qué tengo la sensación de que me están manipulando?

—Colton —dijo Brianna con toda la brusquedad de la que fue capaz—, me cuesta pensar que te manipule alguien que se toma tantas molestias para festejar tu cumpleaños. Ya te he dicho que no te pedí permiso porque se suponía que era una sorpresa. Una sorpresa agradable.

«Espera y verás», dijo una vocecita en su interior. Lady Rothburg hacía una sugerencia muy escandalosa en el capítulo que acababa de leer, y aunque Brianna se ruborizaba cada vez que pensaba en ello, aun estando sola, estaba dispuesta a intentarlo si con ello complacía a Colton.

—En mi vida no hay lugar para las sorpresas, Brianna.

—Salvo que esté equivocada, se trata de nuestra vida, así que algo tengo yo que decir. —Le acarició la mejilla con un gesto tierno y sincero.

Sincero.

Y tal vez, por primera vez, él también lo sintió pues parecía desconcertado. La miró a los ojos con aquellas magníficas esferas celestes.

Puede que fuera una locura, pero ella insistió.

—¿O no?

No, le hubieran dicho todos los hombres de Inglaterra, pero también era cierto que ella se había casado solo con uno.

—No tenía ni idea de que me había casado con una mujer tan combativa. —Él rodó de repente, se colocó sobre ella, la presionó contra el colchón y bajó la boca hasta que pudo murmurar pegado a sus labios—: Me parece que estás discutiendo conmigo. ¿Me equivoco, o tienes cierta costumbre de hacerlo?

—Yo no lo llamaría costumbre. —Brianna se sintió de inmediato sin aliento y ansiosa también, como si no acabaran de hacer el amor. Él volvía a estar excitado. Ella notaba en el muslo la presión de su miembro nuevamente erecto.

—Hum, me parece que discrepo. —La abrazó con más fuerza y le rozó la sien con sus labios firmes. Luego exhaló y añadió resignado—: Pero debo irme. Ha sido un entretenimiento muy satisfactorio, pero Mills debe de estar preguntándose qué demonios me ha pasado y tengo una docena de…

Brianna le interrumpió, se apoyó en los codos y presionó la boca contra sus labios con un beso deliberadamente provocativo. Le pasó los brazos alrededor del cuello y se colgó de él como si de veras tuviera el poder de impedir que abandonara la cama.

Resultó que lo tenía. Pese al apretado horario que insistió que tenía, Colton se quedó otra hora de lo más placentera antes de retirarse.

Un golpe maestro, pensó ella eufórica cuando volvió a lavarse en el agua de la bañera que ahora estaba tibia. Colton no le había dicho que no tenía ni voz ni voto en su matrimonio, y por la forma en que la besó y la acarició…

Sí, las cosas estaban yendo muy bien.

6

El concepto «esposa» provoca de modo inmediato un efecto muy poco excitante. La mayoría de los hombres son cazadores por naturaleza y, con el matrimonio, esa caza se termina. Algunas mujeres prefieren el aburrido papel de la esposa devota, pero nunca he sido capaz de comprender por qué. ¿Quién quiere a un simple marido cuando puede tener un amante ardiente en su lugar? Cuando se cierra la puerta del dormitorio deben abandonarse las cortapisas de la educación. Recordad que no es necesario ser una meretriz para actuar como tal de vez en cuando.

Del capítulo titulado
«Con un poco de lujuria llegaréis muy lejos»

*E*l nivel del vino de la licorera había bajado de forma significativa y sus voces debían de haber aumentado algunos decibelios, pero ese era el tipo de compañía que más complacía a Robert, que se recostó en la butaca con una copa entre los dedos y una sonrisa genuina en los labios.

—Es agradable tenerte de nuevo en casa. Me alegro de que vinieras aquí primero.

Robert y su hermano Damien estaban cómodamente sentados, sin corbata y con las chaquetas tiradas en medio del mobiliario desordenado de un soltero, en la estancia que Robert consideraba su estudio. Era un batiburrillo de antigüedades del Viejo Mundo, algunas piezas procedentes de Oriente, y un ecléctico conjunto de mesas lacadas y viejas estanterías de roble, muy agradable para la vista, al menos para la de Robert. No era ningún secreto que él rechazaba las formalidades siempre que podía.

Damien, un año mayor, a la sazón el primero en la línea de sucesión al ducado de Rolthven, y tan poco interesado en ese papel como el propio Robert, sonrió. Era el más reposado de los tres hermanos. Tenía el mismo tono de piel y la misma constitución física, pero sus ojos no eran azules, sino negros. Diplomático por naturaleza, estaba muy capacitado para la misión que desempeñaba en el gobierno británico. Su porte discreto no expresaba ni la autoridad natural de Colton, ni esa actitud más despreocupada de Robert ante la vida.

—Te aseguro que es agradable estar de vuelta. Pasé por Grosvenor Square, pero ni Colton ni su nueva duquesa estaban en casa.

—Les invitan a todas partes, a todas horas.

—Me lo imagino. —Damien se arrellanó y contempló su copa con satisfacción—. Al menos tú estabas en casa… cosa que me sorprende un poco.

—Al contrario de lo que la gente cree, a mí me gusta pasar una noche a solas de vez en cuando. Y estoy encantado de haberme quedado hoy en casa ya que has venido. ¿Cuánto hace que no pisabas suelo inglés? ¿Más de un año?

—Lord Wellington es un patrón despiadado a veces.

Robert levantó una ceja.

—Seguro que sí.

—Gana batallas. —Esa frase simple y un leve encogimiento de hombros resumieron los sentimientos de su hermano.

—Y esperemos que esta maldita guerra, con la ayuda de hombres como tú —comentó Robert.

—Y tú. —Damien bebió un sorbo—. No desestimes tus servicios a la Corona, Robert. Dios sabe que agradecemos la complejidad de tu cerebro.

Robert no valoraba demasiado su papel de asesor ocasional en el Ministerio de la Guerra. Aunque nadie lo mencionaba, había obtenido la mejor nota de matemáticas de todo Cambridge. Pero la buena sociedad solo hablaba de su disoluta vida privada y del número de mujeres que se llevaba a la cama. Pese a que, en un sentido filosófico, era inmune a la estrechez de miras con que los demás juzgaban su existencia, seguía provocándole una punzada de irritación esa falta de interés por su intelecto. Damien, sin embargo, no había olvidado la facilidad de Robert para resolver pequeños rompecabezas en un tiempo récord, y unos años antes había implicado a su hermano en la tarea de descifrar el código de los comunicados franceses. El desafío era estimulante y aunque Robert nunca había sentido deseos de ser militar, al menos así podía ayudar a su país de algún modo. Una vez que él traducía los códigos, la información volvía a España y se utilizaba para interceptar mensajes.

—Mis servicios —murmuró— son puramente nominales, pero gracias. Háblame de Badajoz. He oído historias terroríficas sobre el asedio.

Estuvieron una hora comentando la campaña en la península y Robert, sintiéndose expansivo y relajado, abrió una segunda botella de clarete. Una de las mejores cosas que había en su vida era la relación que tenía con sus dos hermanos, y le complacía que Damien hubiera vuelto a Londres, aunque fuera por poco tiempo.

—Para cambiar el tema de la guerra por otro más agradable, tengo entendido que se celebrará una fiesta por el cumpleaños de Colton. —Damien hizo girar con indolencia el líquido rubí de su copa, con un destello irónico en la mirada—. Me encontré con una invitación de su reciente esposa cuando recogí mi correspondencia personal. Reconozco que me sorprendió que él estuviera de acuerdo con un evento de ese tipo, pero quizá el matrimonio está atemperando a nuestro hermano mayor.

Robert no pudo evitarlo y esbozó una sonrisa al recordar los diversos ejemplos con los que Colton le había manifestado su desconcierto ante el comportamiento de Brianna.

—No creo que esté resultando como él esperaba. El espíritu de ella es tan independiente como cautivadora es su belleza. Ya sabes que a Colton le gusta que las cosas sean claras y lógicas. Mientras que Brianna es ingeniosa, inteligente y nada previsible. De manera que imagina a nuestro hermano, en ocasiones autocrático, con una criatura que le exige no solo espontaneidad, sino también tolerancia. Esta fiesta es un ejemplo. A juzgar por las quejas de Colton sobre el tema, creo que ella lo planeó todo sin consultarle. Se enteró cuando ella le mandó una invitación.

Damien se echó a reír con su habitual calma.

—Puede que sea justo lo que Colton necesita. A toda esa respetabilidad le conviene un vapuleo de vez en cuando.

Robert pensó en ese vestido escotado que seguía generando comentarios. Aunque aquel episodio escandaloso había tenido lugar semanas antes, y él no había estado presente. Como Brianna era su cuñada, la mayoría de sus conocidos habían tenido la sensatez de no comentarlo en su presencia, pero aun así, había oído algún comentario procaz en boca de quienes deseaban que la duquesa de Rolthven apareciera de nuevo en público con un tipo de atuendo similar.

—Brianna hace todo lo que puede.

—No pude asistir a la boda. —Damien parecía sinceramente disgustado—. La guerra no espera a nadie. Háblame de ella. Reconozco que siento curiosidad.

—Imagina un cabello dorado, una piel de rocío y un cuerpo que Venus envidiaría —Robert reflexionó un momento—, pero bajo esas curvas exuberantes y esos fascinantes ojos azules hay sustancia. Aparte de su aspecto, a mí me gusta Brianna. Es buena persona. Tiene sentido del humor y también, por lo que parece, de la aventura; algo que nuestro hermano se está esforzando en comprender, aunque por el momento aún no lo haya conseguido.

Damien se rió.

—Parece deliciosa. Estoy impaciente por conocerla.

—Aunque a Colton no le entusiasma demasiado la idea, la reunión será una buena oportunidad. Al menos estaremos todos juntos. La abuela lo espera con ansia. Ya sabes cómo le gusta el ajetreo de las fiestas. Sé que echa de menos Londres, ahora que está demasiado débil para viajar de acá para allá.

—Tengo muchas ganas de verla y me atrevería a decir que será entretenido observar a la nueva duquesa de Rolthven interactuando con Colton. —En los ojos oscuros de Damien brillaba una conjetura—. Reconozco que me sorprendió enterarme de que él se había casado por amor. Nunca hubiera imaginado que nuestro hermano mayor haría algo tan sentimental.

Ese era un aspecto sobre el que el propio Robert había meditado y que, a decir verdad, le intranquilizaba. Si podía pasarle a Colton… bueno, podía pasarle a cualquiera.

¿Incluso a él?

—No creo que él vea su matrimonio de ese modo todavía —dijo con brusquedad—. Imagino que cree que hizo una elección práctica. Brianna es joven, bonita y de buena familia, los tres requisitos esenciales. Y desde ese punto de vista, creo que en efecto cumplió con su deber y escogió a la duquesa apropiada y digna de un título ilustre. No obstante, si uno analiza la relación desde el momento en que se conocieron, yo diría con cierta autoridad que él reaccionó con ella de un modo distinto desde el principio. Muy distinto que con cualquiera de esas otras jovencitas de risa fácil que sus ansiosas mamás colocaban de un modo constante ante sus excelsas narices. El interés fue inmediato y recíproco, de lo cual me alegro por él. Una de las cosas que más me gustan de Brianna es que me parece que para ella el hecho de que Colton sea duque es una anécdota.

—Eso, como actual heredero del ducado, aumenta mi estima por ella. —Damien bebió un buen trago de clarete y añadió—: Las jóvenes damas a la caza de título y fortuna me aterrorizan más que el avance de una columna francesa.

—Por suerte, nosotros estaremos a salvo cuando Brianna le dé un heredero a Colton.

—Esperemos que sea pronto.

Al recordar el desasosiego de Colton ante el aventurero espíritu sexual de su esposa, Robert rió por lo bajo.

—Me parece que ella se está dedicando a ello, en efecto.

Damien alzó las cejas.

—Parece una damisela encantadora. Dime, ¿quién más crees que estará en la lista de invitados a la celebración?

—No lo he preguntado, pero por lo que a Colton respecta, me da la impresión de que solo estará la familia y unos pocos amigos íntimos.

Amigos íntimos. Mientras hablaba, Robert se preguntó abstraído si la deliciosa señorita Marston de ojos color de mar estaría invitada a la fiesta. Según Colton, la joven dama era una de las amigas más fieles de Brianna junto con la condesa de Bonham. Andrew Smythe, el marqués de Bonham, había mencionado de modo casual que él y su reciente esposa asistirían a la reunión, así que tal vez Rebecca Marston también estaría allí.

No es que fuese muy importante que ella estuviera presente, pensó mientras se arrellanaba en la butaca con las piernas extendidas. Cualquier interés que Rebecca le hubiera suscitado había sido tan solo porque era atractiva e inocente como un corderito, y puede que él estuviera tan acostumbrado a la experimentada sofisticación de sus amantes habituales, que esa diferencia le había tocado la fibra.

Pero no había dejado de pensar en ella. Y algo peor, la había buscado en las escasas fiestas a las que había asistido últimamente. Gracias a su abundante melena azabache y su silueta grácil era bastante fácil localizarla, y se preguntó por qué no le había prestado más atención en el pasado. La noche anterior, sin duda después de varios coñacs, incluso había pensado en pedirle un baile.

Por suerte había sido una locura transitoria, aunque ya había cruzado la mitad del salón cuando se dio cuenta de lo que iba a hacer y recuperó la sensatez. Las columnas de sociedad habrían hecho su agosto si le hubieran visto bailando con una joven inocente de incuestionable virtud.

—¿Una pequeña reunión? —Damien interrumpió sus pensamientos—. Eso me apetece más que una gran fiesta. Llevo algún tiempo muy desconectado de la sociedad. Por favor, dime que no asistirán jovencitas casaderas, aunque tengo la terrible sensación de que sí. Qué sería una reunión campestre sin jovencitas de sonrisa afectada.

«Rebecca nunca sonreiría de ese modo», y esa convicción le resultó alarmante, ya que en realidad Robert no la conocía muy bien.

—Ninguna que yo sepa —consiguió decir sin faltar a la verdad.

Si era sincero consigo mismo, debía admitir que le habría gustado robarle a ella ese beso cuando sintió la tentación. Quizá entonces habría satisfecho su curiosidad y podría apartarla de su mente.

Olvidó a la inalcanzable señorita Marston en favor de otra copa de vino.

Sufría como una tonta, incapaz de decidir qué ponerse. No solo para el momento de la llegada, sino durante cada minuto de la estancia en Rolthven Manor. Eso, por supuesto, después de haber sufrido por si su padre accedería o no a dejarla ir. Aunque lo cierto era que, de hecho, ni la propia Rebecca estaba segura de si debía ir.

Era un dilema personal endiablado.

—¿Este, señorita? —Su doncella le mostró un vestido plateado de tisú que le gustaba en particular, porque era el más atrevido que había tenido. No es que «atrevido» quisiera decir gran cosa en el contexto de un guardarropa escogido al detalle por su madre, pero como mínimo era el menos conservador.

¿Por qué no llevarlo? Al fin y al cabo, Brianna había lucido aquel escandaloso modelo en la ópera y consiguió que el duque se comportara de forma muy inusual. Si quería que se fijaran en ella, el tisú plateado era la mejor opción.

—Sí —dijo Rebecca confiando aparentar indiferencia—, y el de seda de color aguamarina también, por favor. Unos zapatos a juego y mi mejor chal, porque en el campo refresca por la tarde.

—Sí, señorita. —Molly dobló con cuidado el vestido y lo metió en el baúl.

Cinco días cerca de Robert Northfield. En la casa donde él había pasado la infancia, comiendo en la misma mesa, intercambiando bromas ingeniosas...

Claro que, pensó con cierto dolor, ella no era capaz de decir nada ocurrente cuando Robert estaba presente, y si él seguía su patrón de comportamiento habitual, se limitaría a evitarla como si fuera un roedor portador de la peste.

Qué idea tan estimulante...

En ese momento era una joven soltera muy bien considerada en los círculos sociales. Era su segunda temporada, y los jóvenes la adulaban; pero eran caballeros en busca de una esposa adecuada. Ojalá el cielo la librara de bobos con ambiciones políticas como lord Watts, que no la valoraban como persona, sino por la influencia de su padre.

Robert Northfield, demasiado apuesto y con mala fama, no buscaba una esposa.

Pero ella iba a ir a Essex de todas formas.

—Me llevaré el encaje ámbar, el tul marfil y la muselina rosa. Mis dos mejores trajes de montar, y ropa de viaje para el trayecto de vuelta. —Rebecca reprimió un espasmo de nervios en el estómago—. Estoy segura de que en Rolthven Manor todo el mundo irá de etiqueta.

Molly se limitó a asentir y continuó con sus tareas.

Una vez el equipaje estuvo preparado, Rebecca comprobó su aspecto en el espejo, se arregló el pelo y bajó a cenar. Su padre tenía la costumbre de reunirles a todos en la salita para tomar una copa de jerez antes de pasar al comedor, y no soportaba que ella llegara tarde. Eso significaba un sermón, sin duda, y aunque le adoraba en muchos aspectos, a veces le resultaba tedioso.

Entró en el salón y dijo animada:

—Estaba haciendo el equipaje, ¿llego tarde?

—Casi. —Vestido con elegancia, incluso para una cena en familia, su padre tenía un aspecto imponente y distinguido. Levantó una pequeña copa de cristal y se la entregó con una cortés inclinación de cabeza—. Por suerte eso significa que no. Llegas justo a tiempo, querida.

—Gracias. —Ella aceptó el ofrecimiento con decoro.

—He dado mi consentimiento a esta excursión, pero acompañado de ciertas reservas.

Rebecca emitió un quejido interior. No le sorprendía. Él solía tener reservas.

—La honorable duquesa… —empezó a decir.

—Es una anciana —apostilló él—, dicho sea con todo respeto. Tu madre y yo hemos decidido aceptar la invitación de acompañarte. Ya sé que es un poco precipitado, pero esta mañana temprano mandé un recado a la duquesa, quien, a pesar de habérselo comunicado en el último momento, tuvo la amabilidad de contestar diciendo que somos bienvenidos. Está decidido.

A Rebecca se le cayó el alma a los pies. Ir acompañada de sus padres suponía una tortura. Era varios meses mayor que Brianna, pero ahí estaba, vigilada como una niña, mientras sus amigas podían dar fiestas y vestir como quisieran y… oh, era exasperante en muchos sentidos. Rebecca irguió la columna y se hundió en la butaca de brocado. La fría formalidad de la sala enfatizaba aún más su papel de prisionera virtual.

En aquel momento tuvo una pequeña revelación. O quizá una grande. Lo único claro es que la zarandeó en lo más profundo, porque era la certidumbre que había estado evitando desde hacía meses.

La independencia era una mercancía preciosa. Ella la anhelaba, pero el único modo aceptable de abandonar a sus padres era acudir junto a un marido. El tiempo pasaba deprisa, pura y simplemente.

Contempló su copa.

—¿Debo deducir que no os fiáis de mí si voy sola? Bri puede organizar fiestas alegremente e invitar a quien le apetezca, sin embargo yo, que carezco del apoyo de un varón que guíe todos mis pasos, solo soy de fiar si cuento en todo momento con la protección de mis padres.

—Tu amiga ya no es una joven soltera —dijo su padre tras una breve pausa—. Es su marido quien gobierna sus actos. Ese no es tu caso. Cuando lo sea, nosotros nos retiraremos, no te preocupes.

—¿Esto es un castigo por no haberme casado? —Rebecca arqueó las cejas a propósito, sosteniendo con precariedad la copa de jerez con las manos.

—¿Ir acompañada de tus padres a una fiesta campestre es un castigo?

Bien, después de todo, su padre era un político y los cambios bruscos de las reglas de juego eran su especialidad. Aunque Rebecca no aspiraba a intentar disimular que estaba pendiente de la presencia de Robert, sobre todo en un grupo tan reducido, sus padres acababan de complicar las cosas aún más.

—No, por supuesto que no.

—Entonces estamos de acuerdo.

Ella no describiría la situación precisamente así. Optó por no hacer comentarios.

—¿Y qué hay de Damien Northfield?

Rebecca se quedó helada, paralizada ante el comentario de su madre y con la copa suspendida bajo sus labios.

—¿Damien Northfield? ¿A qué te refieres? ¿Qué le pasa?

—Ha regresado de España.

En un primer momento, ella se quedó con la mirada fija, sin decir palabra.

Su madre reflexionó un momento.

—La verdad es que hasta ahora no lo había pensado, pero es muy buen partido. Para empezar es el heredero de Rolthven...

La idea era tan absurda que Rebecca intervino:

—Debes de estar de broma.

Oh, Dios, ella nunca interrumpía a su madre. Mientras su padre arqueaba las cejas y en su frente se dibujaba una expresión ceñuda, rectificó enseguida:

—Me refiero a que no le conozco siquiera.

Además era hermano de Robert. Pero estaba claro que no podía usar eso como argumento, de modo que lo que hizo fue beber un buen trago de jerez, algo impropio de una dama.

—Yo solo apuntaba que esta podría ser una oportunidad para

conocerle, y quién sabe, tal vez os entendáis. —Su madre enarcó las cejas y en sus ojos apareció un destello que Rebecca identificó—. Ya hace algún tiempo que no se le ve en sociedad, pero si mal no recuerdo, tiene el porte de los Northfield y una fortuna considerable. Piensa en lo encantada que estaría Brianna si tú te sintieras atraída por su cuñado y él por ti.

Ella ya sentía una firme atracción por uno de los hermanos Northfield, lo deseara o no, y si sus padres conocieran su enamoramiento, nunca la dejarían ir a Rolthven, con o sin ellos.

—Estoy segura de que es un hombre muy agradable —dijo en tono neutral—, pero me parece que es una especie de ayudante de campo del general Wellington y eso debe de mantenerle bastante ocupado, ¿verdad? No creo que en este momento busque esposa.

—Dicen que le concederán un título por sus servicios a la Corona, si al final no hereda —comentó su padre. Cosa que no ayudó demasiado.

Rebecca le lanzó una mirada de reproche que decía «traidor».

Él levantó las cejas.

—Te guste Damien Northfield o no, estoy seguro de que también asistirán otros jóvenes que esperan poder bailar contigo e insistirán para que les permita ser tu pareja en los diversos festejos. —Su expresión pasó de una ligera ironía a un semblante más serio, y añadió—: Puede que esta sea una buena oportunidad para que conozcas mejor a alguno de ellos, lejos del tumulto de los bailes y de las abarrotadas veladas sociales.

La implicación estaba clara: un mayor conocimiento quizá la ayudara a tomar una decisión. Su padre no estaba complacido con esta segunda temporada, pero hasta la fecha había soportado el firme rechazo de Rebecca a todas sus propuestas. Su veintiún cumpleaños amenazaba en el horizonte y ella sabía que su padre no tardaría en lanzarle un ultimátum.

¿Qué haría en tal caso? No había ninguna duda: sus padres deseaban verla bien colocada.

—Estoy convencida de que tienes razón —dijo sin el menor sonsonete, y sin ganas de discutir el tema en ese momento.

Cuando necesitara pelear de verdad, como en el caso de lord Watts como marido potencial, lo haría. Pero no deseaba que este viaje empezara con una desavenencia con sus controladores padres.

Por desgracia su padre, que era difícil de engañar, dijo con brusquedad:

—Siempre me escama cuando me das la razón tan deprisa.

Ella le miró con aire inocente.

—En este caso estoy muy de acuerdo contigo. Confieso que estoy cansada de toda la vorágine de Londres y esta salida me parece un cambio agradable. Solo el hecho de pasar un tiempo con Arabella y Brianna ya será una delicia, estoy segura.

—Y no olvides al hermano menor del duque —le recordó su madre con aire remilgado.

«Como si pudiera», pensó Rebecca con un fogonazo de tristeza, mientras bebía un sorbo de jerez. Ella pensaba demasiado a menudo en el hermano menor del duque de Rolthven, pero no en aquel a quien se refería su madre.

Rebecca tuvo la sensación de que esos cinco días podían ser durísimos.

7

El deseo es un juego. Una puede practicarlo con ligera sutileza, o con flagrante coqueteo.

Del capítulo titulado
«Cómo huir y estar segura de que te atraparán»

*B*rianna se agarró a la correa para mantener el equilibrio cuando entraron en una zona especialmente angosta del camino. Colton, sentado frente a ella, apenas se movió del asiento. Estaba leyendo otra carta más del saco de correspondencia que se había llevado, con sus largas piernas extendidas, de modo que le rozaba las faldas con las botas que calzaba, y la expresión ausente. En algún momento del trayecto le había caído sobre la frente un mechón de cabello castaño que le daba un aire casi infantil, pero estaba demasiado distraído para darse cuenta, y en cualquier caso la anchura de sus hombros y la nítida masculinidad de sus facciones no tenían nada de infantil.

Brianna cedió por fin al impulso que llevaba tentándola durante los últimos kilómetros. Se inclinó hacia delante y con un gesto de familiaridad colocó el rizo rebelde en su lugar.

Él levantó la vista del pedazo de pergamino que tenía en la mano y, para alivio de Brianna, lo dejó a un lado.

—No estoy prestándote atención. Discúlpame.

—Ya me dijiste que seguirías teniendo que ocuparte de tus

asuntos cuando estuviéramos en Rolthven, pero admito que este silencio me está resultando un tanto pesado. —En realidad Brianna no esperaba que él comprendiera el nerviosismo que sentía ante su primera incursión real en el papel de gran anfitriona. Colton estaba tan acostumbrado a todo lo referido a la pompa y a los grandes eventos, que incluso dudaba que se hubiera parado a pensar en ello. Por Dios santo, su marido saludaba al príncipe regente por su nombre de pila.

—¿Cómo fue tu infancia? —Parecía una pregunta apropiada en aquel momento, pues se acercaban a la propiedad donde él se había criado, y ella sentía curiosidad.

Colton levantó las cejas un milímetro.

—¿Mi infancia?

—Me imagino que no es fácil crecer siendo el primogénito de un duque. —Brianna recordó la imagen de sus sobrinas corriendo como locas por el parque días atrás, entre un vendaval de carcajadas infantiles. Ella también había tenido una niñez maravillosa—. ¿Te permitían jugar, montar en poni, aprender a nadar… y todas esas típicas cosas que a los niños les encanta hacer?

—De hecho, sí. Hasta cierto punto, supongo. —Sus ojos celestes la miraban de un modo que solo podía describirse como cauteloso—. ¿Puedo preguntar por qué estamos teniendo esta conversación?

—Dudo que esto sea una conversación —señaló ella—. Tú apenas has pronunciado un par de palabras. Y lo pregunto porque en el día a día dedicas tan poco tiempo a disfrutar, que me preguntaba si te educaron para que creyeras que así es como debe vivirse la vida.

Colton respondió con sequedad:

—Tengo entendido que conoces a mi hermano. Es obvio que no nos educaron para repudiar las frivolidades. Con eso no quiero decir que Robert sea un frívolo, pero no se priva de ningún placer.

Pero Robert no era el hermano mayor, pensó Brianna, observando a su marido bajo el halo de las pestañas.

—Yo asisto a audiciones musicales, voy a la ópera y a otros espectáculos. Doy un paseo a caballo cada mañana a menos que haga muy mal tiempo, y voy al club. —Colton había enumerado despacio la lista, y luego bajó la voz—: Desde que me casé, disfruto sobre todo por las noches.

Cualquier respuesta que ella hubiera podido dar quedó silenciada por el traqueteo del carruaje al entrar en el prolongado sendero. La fachada de Rolthven Manor, de piedra gris y líneas elegantes y nítidas, no era exactamente medieval, pero provocaba una sensación que evocaba esa época.

Tal vez fueran las torrecillas colocadas a ambos lados de la impresionante fachada, altas e imponentes, que flanqueaban la estructura como grandiosos símbolos de una era en la que los Northfield habían sido señores feudales. Colton le había explicado durante su primera visita que solo se conservaban partes del castillo original y que la residencia principal había sido demolida y reconstruida hacía varios siglos. Un magnífico conjunto de escalones enormes conducía a una espléndida terraza y el vestíbulo en sí mismo era descomunal, con portaladas dobles decoradas con paneles de vidrieras de colores y madera oscura. El escudo de armas de la familia estaba esculpido en el portal, de modo que nadie pudiera dudar de que esa residencia solariega de la heredad ducal era suya y solo suya.

Vista desde fuera y en un día gris, a Brianna le parecía un lugar un tanto sobrecogedor, pese a lo cuidado del terreno y a los impecables parterres de flores. Sin embargo, cuando lucía un sol glorioso conseguía parecerle cálido y acogedor, y esperaba que a sus invitados les sucediera lo mismo.

Si iba a hacer esto por Colton, quería hacerlo bien.

El vehículo subió por el sendero y sintió mariposas revoloteando en su estómago.

La falta de entusiasmo de Colton ante el evento era muy evidente, pensó con moderada resignación. Su empeño por que resultara placentero para un hombre que no tenía intención de disfrutarlo se había visto incrementado por sus actuales triunfos, que repasó mentalmente para reafirmar su valor. Hasta el momento eran tres. De hecho los había anotado y había escondido el pergamino en el libro prohibido de lady Rothburg.

Un salvaje y erótico paseo en carruaje.

Una noche en la que él... en fin, Brianna notó que se ruborizaba al pensarlo, pero la verdad es que él la había besado en un sitio donde jamás habría soñado que la besara ningún hombre, y había sentido un perverso placer.

Un baño memorable, y el interludio que había suscitado.

En el pedazo de papel escribió: La ópera. Su dormitorio. Mi baño.

Quería evitar la posibilidad de que alguien descubriera la nota, interpretase sus intenciones y avergonzara tanto a Colton como a ella misma. Si de algo estaba segura era de que a él no le complacería en lo más mínimo. Por otro lado, necesitaba anotar sus progresos, porque en ocasiones como esta, cuando él viajaba junto a ella durante horas y horas en un carruaje cerrado, y estaba tan obcecado que apenas le había hablado hasta estos últimos kilómetros, y porque ella le había empujado a hacerlo, Brianna necesitaba mantener una noción clara sobre sus objetivos, o estaba condenada al desánimo.

Él disfrutaba de sus noches. La pasión era muy satisfactoria, pero no solo la pasión. La amistad también. Y luego el amor.

El carruaje se detuvo de golpe.

Después de esa fiesta en el campo, esperaba tener más éxitos que añadir a la lista.

—Hemos llegado —dijo con buen ánimo.

—Eso espero —replicó su marido con el amago de una sonrisa en los labios—, en caso contrario nos habríamos detenido sin motivo.

Colton se merecía la mirada fulminante que ella le lanzó, pero hizo caso omiso. Salió y le ofreció la mano para ayudarla a bajar del vehículo.

Brianna se fijó en que los sirvientes se habían colocado en fila en los escalones, pero él registró su presencia con gesto de ligero asentimiento mientras la escoltaba a la puerta principal. La bandera que ondeaba sobre la casa indicaba que él estaba en la mansión, cosa que ella sabía que no sucedía muy a menudo.

Para qué visitar su preciosa residencia en el campo y descansar, cuando podía enterrarse en su sombrío estudio de Londres, se preguntó Brianna con sarcasmo. No es que Colton no fuera a Rolthven de vez en cuando, pero hasta la fecha se había tratado de visitas efímeras y ella tenía la impresión de que eso era lo habitual. Lo cierto es que la abuela de su marido se quejaba de su ausencia siempre que tenía oportunidad.

—Confío en que nuestros invitados puedan gozar también de este buen tiempo —apuntó mientras el mayordomo abría la puerta con un gesto enfático.

Colton emitió un sonido ambiguo y se dirigió al anciano criado.

—¿Cómo se encuentra, Lynley?

—Muy bien, excelencia. —El hombre hizo una reverencia cortés y su cabello plateado brilló bajo el sol vespertino—. Es agradable volver a verle tan pronto.

—Sí, bien, esta visita repetida debe atribuirla a mi esposa. —Colton apenas la rozó con la mirada—. Dígame, ¿ha llegado alguien más?

—Lord Robert y lord Damien están aquí, señor. Hará una hora que llegaron. —Lynley, que tenía un porte impecable y vestía con la elegancia de un aristócrata, dio un paso atrás para dejarles pasar al inmenso vestíbulo principal.

El espacio producía un poderoso impacto incluso en alguien que ya había estado allí varias veces. Había nada menos que seis chimeneas, e innumerables tapices antiguos, cuyo valor debía de ser incalculable, colgaban de las inmensas paredes. Las ventanas con parteluz contribuían a tamizar la luz exterior, que iluminaba de un modo muy agradable la enorme habitación, si es que alguien podía llamar habitación a un espacio tan inmenso. Era extraño, pero resultaba en verdad acogedora, aunque Brianna ignoraba cómo podía ser eso. Quizá por la atmósfera íntima que conseguían los pequeños grupos de elegante mobiliario colocados aquí y allá, pensados para estimular la conversación entre los invitados, o tal vez por esas mullidas alfombras sobre el suelo pulido… no estaba segura. Lo que sabía era que Rolthven Manor le gustaba, y que deseaba que Colton se dignara a que ambos pasaran más tiempo allí.

—¿Subimos a cambiarnos? —preguntó su marido, cogiéndola del codo y llevándola hacia la escalinata doble del final del vestíbulo. Brianna era incapaz de saber si él se había fijado alguna vez en aquel majestuoso escenario—. A mí, por lo menos, me vendría bien un baño y un coñac.

El agua caliente y cambiarse de ropa sonaban muy bien, y Brianna asintió y dejó que la condujera arriba por la curva de la escalera de la izquierda hacia sus aposentos. Eran magníficos, igual que el resto de la casa, quizá incluso demasiado. A ella no le gustaba nada aquel mobiliario pesado y oscuro, ni esa abundancia de puntas de encaje en su alcoba. También era obvio que a la madre de Colton, que estaba casada en segundas nupcias con un conde italiano y vivía en el campo cerca de Florencia, le gustaba el color lavanda, pero Brianna no compartía esa pasión, y aunque meses atrás Colton le había dicho con un gesto de despreocupación que podía redecorarla a su gusto, nunca se quedaban el tiempo suficiente para que pudiera emprender ese proyecto. Quizá si él disfrutaba de este breve viaje, podría convencerle de salir de Londres más a menudo.

Estaba bastante decidida a que él disfrutara.

Su doncella y el ayuda de cámara de Colton se habían adelantado con el equipaje, y Brianna descubrió que su baúl ya estaba deshecho, y los cepillos y demás enseres personales colocados en el vistoso tocador. Los grandes ventanales estaban abiertos al calor de la tarde, y los visillos de encaje flotaban a merced de la brisa que llegaba del parque en flor.

—Le traerán el agua caliente enseguida, excelencia. —Su doncella, una dulce jovencita de Cornualles, procedió a ayudarla a desnudarse—. ¿Qué vestido desea para esta noche?

—Ninguno en tonos lavanda —musitó, mirando alrededor—. Puede que el de seda azul claro. Esta noche habrá una tranquila cena en familia. Los invitados no llegarán hasta mañana.

—Muy bien, excelencia.

Después de limpiarse la suciedad del viaje y vestirse, Brianna se cepilló el pelo y con la ayuda de Molly, se hizo un ligero moño en la nuca. Sentada frente al recargado espejo dorado, se preguntó cuándo debía ofrecerle a su marido el malicioso regalo de cumpleaños que había planeado.

Tenía que escoger el momento perfecto.

Pretendía que Colton lo recordara durante el resto de su vida.

La apariencia de mujer frágil con un monóculo en el ojo y la manta sobre el regazo resultaba, como siempre, muy conseguida.

—Es agradable que por fin hayas encontrado tiempo para la familia —dijo la anciana con brusquedad.

A pesar de la edad de su abuela, su espíritu no tenía nada de débil, pensó Colton con cariño.

—Me parece que he sido obediente y he venido, ¿no es verdad? —dijo intentando no mostrarse a la defensiva.

—Solo porque tu preciosa y joven esposa te ha obligado —replicó con sorna la venerable duquesa.

Brianna se limitó a sonreír.

—Colton está muy ocupado. Estoy muy contenta de que haya aceptado venir.

Damien se apoyó en la butaca y enarcó una ceja de forma enigmática. Robert parecía divertido. Mientras se le ocurría algo diplomático que decir, Colton pensó que eran tres hombres adultos, pero que sin embargo se sentían en minoría frente a una mujer anciana y a una joven de belleza perturbadora. Carraspeó.

—Todo esto me apetece mucho.

Su abuela entornó sus astutos ojos azules y bajó la lente.

—Eso no sé si creérmelo, pero no pienso discutir. Tú estás aquí, Damien ha vuelto por fin a casa para quedarse al menos una breve temporada, y Robbie ha renunciado a los placeres de Londres para retirarse al campo. Eso no había pasado desde…

Su voz se fue apagando y Colton vio de pronto que tenía un brillo sospechoso en los ojos y recolocaba el bastón junto a la butaca, como si lo más importante del mundo fuera que estuviese en el ángulo preciso. Colton terminó la frase por ella, en silencio: desde que su padre, el hijo de ella, había muerto de forma inesperada por unas fiebres repentinas. Colton tenía veinte años, Damien acababa de entrar en Cambridge y Robbie aún estaba en Eton, cuando la familia al completo se había congregado para el funeral. Colton pensó que la anciana tenía toda la razón. Desde entonces, los tres habían decidido emprender caminos separados, en busca de sus pasiones particulares. Él había heredado un ducado y tuvo que aprender a manejarlo, Damien siempre había amado los viajes y la intriga, y Robbie siempre había sido inconsciente y encantador.

Dios santo, se diría que había transcurrido una eternidad desde entonces, cuando todos se habían reunido junto a la tumba de su padre, sintiendo que su mundo se deslizaba hacia otra dimensión. Al menos así era como él había vivido el duelo, y también había percibido un cambio en Damien y en Robert. La realidad les había golpeado de forma muy desagradable y cada uno de ellos se vio obligado a bregar con la devastación a su manera.

«¿Cómo fue tu infancia?» ¿Se daba cuenta Brianna de la conmoción que provocaba esa sencilla pregunta en sus recuerdos?

Tras la muerte de su padre, él había pasado una temporada abrumado, pero decidido a manejar sus propiedades y el resto de los intereses financieros con la misma precisión y destreza que todos los duques de Rolthven que le habían precedido. Estaba tan ofuscado que ni siquiera se dio cuenta de que su madre reemprendió la vida social después del luto, y en consecuencia se quedó atónito cuando ella anunció su intención de volver a casarse. Damien también estaba ausente casi siempre, y con su abuela residiendo de forma permanente en el campo y siendo Londres mucho más práctico para sus obligaciones, Colton no había sido consciente de lo mucho que extrañaba Rolthven y estar todos juntos. Robert era el único miembro de la familia a quien veía con regularidad, y eso solía ser porque coincidían de manera espontánea en diversas actividades sociales y compartían los mismos clubes.

Aunque él no solía hacer demostraciones de afecto en presencia de los demás, su abuela era de las pocas personas capaces de inspirarle a ello. Colton se acercó y le acarició una mano venosa y azulada.

—Ya era hora de que estuviéramos todos juntos, abuela. En este punto tienes toda la razón.

Ella le lanzó una mirada feroz.

—Yo siempre tengo razón, jovencito.

Aliviado al ver que las lágrimas habían desaparecido de sus ojos, él inclinó la cabeza.

—Sí, madame, tienes razón.

—Siempre.

Colton vio con claridad que le temblaban los labios. Uno de sus hermanos, seguro que se trataba de Robert, se echó a reír.

—Siempre.

—Ahora que esto ha quedado claro, te doy permiso para que me acompañes a cenar.

Así lo hizo. Le ofreció el brazo para que se apoyara, notó el peso de su liviano cuerpo sobre él al levantarse, y caminó despacio agarrándole la manga con los dedos. Colton oyó que Robert le decía algo a Brianna a sus espaldas, y que esta respondía con una carcajada musical. Ahora que reflexionaba sobre el asunto, le avergonzaba su reacción inicial ante la ocurrencia de su esposa, y por primera vez se preguntó si se mantenía ocupado a todas horas para no tener tiempo de extrañar a su familia. ¿Por qué no había analizado la situación hasta hoy?

El comedor no podía considerarse acogedor desde ningún punto de vista. En sus techos altos había unos ostentosos frescos decorativos de un maestro italiano que, varios siglos atrás, había cobrado una fortuna por decorar diversas residencias. Las paredes que los sustentaban estaban cubiertas con paneles oscuros pulidos con gran lustre, y la descomunal mesa podía acoger a treinta personas a la vez. A ambos lados de la estancia había dos puertas independientes que permitían el tránsito de los criados con las bandejas. La luz provenía de diversos candelabros enormes y la sala estaba flanqueada por chimeneas a cada lado. Se habían dispuesto cinco asientos en un extremo, bastante juntos, para que todos pudieran conversar con comodidad, sin tener que gritar para hacerse oír. Colton acomodó primero a su abuela y con un singular sentimiento de posesión que ni siquiera se había dado cuenta que tenía, se dio la vuelta para apartar una silla para su esposa, adelantándose a su hermano menor.

Santo cielo, Brianna estaba espléndida esa noche. Lucía un sencillo traje de seda azul, la pálida piel sin mácula, radiante, y el recogido de su cabello dorado centelleaba bajo la luz del candelabro. Parecía la personificación de la feminidad mientras le obsequiaba con una brillante sonrisa y se sentaba entre una ráfaga de perfume suave y tentador.

Más tarde, se prometió a sí mismo, obtendría gran placer quitándole ese traje y desatando su lustroso cabello. Luego la llevaría a la cama y oiría esos leves y excitantes sonidos que indicaban que todas y cada una de las cosas que le hacía le gustaban y que deseaba más.

—¿Vas a sentarte?

La pregunta, que su esposa expuso con tanta delicadeza, le hizo notar que seguía de pie junto a su silla, mirándola boquiabierto como un tonto.

Y fantaseando con hacerle el amor delante de toda su familia, incluida su abuela, nada menos.

Brianna causaba ese perturbador efecto en él.

—Lo siento. Acabo de recordar que olvidé hacer una cosa antes de salir. No importa, mi abogado puede ocuparse de ello —mintió Colton, y cogió a toda prisa la silla de la cabecera de la mesa, sintiéndose como un idiota. En cuanto se sentó, un lacayo se acercó para servir el vino y él, agradecido, cogió la copa intentando no hacer caso de la sonrisita de Robert. Puede que nadie más se hubiera dado cuenta de aquel instante de transitoria obsesión por su esposa, pero su hermano lo había notado, sin duda. Como nimia represalia a la irritante expresión de Robert,

Colton preguntó con frialdad—: Así, dime, querida, ¿has invitado a alguna joven soltera a la fiesta?

Brianna sonrió con malicia y en su mejilla apareció un hoyuelo delicioso.

—¿Cómo no iba a invitar a alguna, cuando asistirán dos de los mejores partidos de Inglaterra?

Damien reaccionó con una cara de terror cómica. Robert emitió un sonoro gruñido. Su abuela, la venerable duquesa, sofocó una carcajada y dijo con franqueza:

—Bien hecho, hija. Me gustaría verles a todos casados antes de abandonar este mundo.

—Yo siempre he deseado que vivas eternamente, abuela —Robert levantó la copa a modo de pequeño brindis—, y este comentario refuerza dicho sentimiento.

—Amén —musitó Damien.

—Era solo una broma —dijo Brianna, con una expresión irónica en sus encantadores ojos—. La lista de invitados es bastante reducida. Aparte del conde y la condesa de Bonham, están los Marston, lord Bishop y su hija, la señora Newman, lord Knightly y lord Emerson, y las hermanas Campbell con sus padres. Eso es todo. Por desagracia mi hermana y su marido no pueden venir.

—¿Eso es todo? Eso incluye a cinco jovencitas solteras. —Robert se puso manifiestamente pálido.

—Y a cinco solteros también. —Brianna dio un sorbo de vino con serena elegancia y arrugó la frente—. No se puede dar una fiesta como esta y no igualar el número de caballeros y damas. Así me lo dijo tu abuela y yo organicé la lista de invitados en función de ello. Por otro lado, tú estás acostumbrado a asistir a fiestas con jóvenes solteras.

—Pero no cinco a la vez y obligado a estar en su compañía a todas horas durante cinco días.

—Dios bendito. —Damien tenía la expresión de un hombre cazado.

—Oh, no hagáis que parezca tan horrible. Os prometo que son muy agradables, en caso contrario no las habría invitado.

Colton observó la expresión de su esposa, y tuvo la impresión de que bajo aquella apariencia tan formal estaba riéndose.

De hecho a él le parecía bastante fascinante. ¿Cómo demonios se las había arreglado para convencerle?, y algo aún más insólito, ¿cómo había manipulado a sus hermanos, tan proclives a guardar las distancias, a una situación similar?

—Estoy seguro de que lo pasaréis muy bien —murmuró Colton—. Igual que todos.

Robert, que era consciente de que Colton se había mostrado contrario a la celebración, le lanzó una mirada sardónica. Damien hizo una mueca y un gesto para pedir más vino, pues se acababa de terminar la copa. Su abuela les observaba a todos con vivo interés, y Brianna se inclinó hacia delante y acarició la mano de Colton.

Una caricia. Apenas un roce con los dedos. Pero a él se le erizó la piel. Ella le miró con los ojos empañados.

—Me alegra tanto que digas eso, cariño. Pensar en ello me ha tenido muy preocupada.

«Cariño…» Por normal general no le habría gustado esa muestra de afecto en público, aunque solo estuviera delante de la familia. Pero la expresión de Brianna le sorprendió de un modo determinado que le impidió fruncir el ceño siquiera. Sin ninguna lógica, se puso a recordar si ella le había llamado cariño antes. No, creía que no.

«Me ha tenido muy preocupada…»

¿Estaba preocupada? Él se había mostrado molesto con la idea y ella se había inquietado. Colton se sintió como un canalla, sobre todo al ver la mirada que le lanzó su abuela.

Bien, ¿por qué demonios se suponía que debía saber cómo tenía que actuar un hombre casado? Al fin y al cabo, él tenía tan poca práctica como Brianna.

—No entiendo por qué debías preocuparte.

Sus dos hermanos intercambiaron sendas miradas y eso le irritó de un modo indecible.

—¿Tal vez —dijo Robert— pensó que te resistirías a dejar Londres para dedicar parte de tu tiempo a descansar? No puedo imaginar, por mucho que lo intente, de dónde habrá sacado esa impresión.

Colton observó a su hermano con expresión glacial.

—La mesa no es lugar para sarcasmos, Robbie.

—¿Es que he sido sarcástico? —La inocencia fingida confería a los rasgos de Robert una apariencia angelical, aunque él no tenía nada que ver con ningún ángel, a menos que fuera uno caído.

La aparición del primer plato salvó a Colton de tener que replicar. Dedicó toda su atención a la sopa. Hasta cierto punto comprendía las objeciones de sus hermanos ante la atmósfera de la reunión campestre, pero también era cierto que las jóvenes damas invitadas eran amigas de Brianna, y que si ellos querían evitar complicaciones con señoritas casaderas, podían limitarse a ser educados durante cinco días y olvidarse del asunto. En su opinión eso no era pedir demasiado. Él era el cabeza de familia y podría exigir mucho más.

Demonios, puede que uno de ellos encontrara esposa, pensó mientras observaba a Brianna sumergir la cuchara en la cremosa sopa y probarla con finura. Que Dios les ayudase.

8

El principal conflicto entre los varones y las mujeres no es consecuencia de los juegos que jugamos, sino de las reglas diferentes que seguimos. Nosotras tenemos unas y ellos tienen otras.

Del capítulo titulado «Los porqués»

*R*obert no se había dado cuenta siquiera de que Brianna estaba ansiosa hasta que ella le abordó. Apenas había puesto un pie en el vestíbulo central, cuando se vio rodeado por una bandada de lacayos cargados con enormes jarrones de flores del invernadero y una mano grácil le agarró del brazo con una fuerza sorprendente.

—Necesito ayuda. —Su cuñada prácticamente le arrastró hacia una chimenea de mármol italiano junto a un conjunto de butacas de terciopelo—. Los invitados están empezando a llegar y el té se servirá dentro de menos de una hora. ¿Qué te parece si colocamos las rosas justo aquí?

El ramillete de capullos rojos y brillantes contrastaba de forma espectacular con la piedra blanca, por lo que él respondió con lógica:

—Opino que tienen un aspecto encantador.

Ella le miró con ojos suplicantes y una pequeña mancha en las mejillas.

—¿Estás seguro?

Él sacó un pañuelo del bolsillo y limpió dicha sustancia, que tenía un sospechoso aspecto de polen.

—Estoy bastante seguro.

El rubor de sus mejillas y ese tic nervioso en la mano le recordaron que Brianna apenas tenía veinte años, y aunque solía aparentar bastante seguridad en sí misma, no estaba en absoluto acostumbrada a su nueva posición como duquesa de Rolthven. Su nivel de experiencia en ese tipo de cosas era limitado.

—La señora Finnegan —dijo él con tanto tacto como pudo— lleva treinta años como ama de llaves, y ella sabrá el lugar exacto donde colocar las rosas para que causen el mejor efecto, ya que ha organizado bastantes reuniones campestres en el pasado. Mi madre nos la habría arrebatado sin piedad cuando se fue a Italia si hubiera podido convencerla. Yo creo que Finnie estará encantada si delegas en ella algunas decisiones.

—Deseo tanto que todo sea perfecto —dijo Brianna con una seriedad entrañable—. Colton ha aceptado todo este asunto casi como una imposición, y si resulta un desastre le pondré en ridículo, aparte de haberle hecho perder el tiempo.

Por un segundo, cuando Robert observó su rostro encantador y vio aquella sinceridad en sus ojos, envidió a su hermano por tener esposa. No Brianna en concreto, aunque era una mujer preciosa en todos los sentidos, y él admiraba su ánimo y su ingenio, sino la idea de que ella se hubiera tomado la molestia de planear esa fiesta. No era que su hermano fuera a fijarse en las rosas, ni mucho menos en dónde estaban, sino porque ella deseaba hacer feliz a Colton por encima de todo.

Menudo concepto. Robert estaba muy familiarizado con damas que deseaban que él les hiciera feliz a ellas. Ansiaban el placer que era capaz de darles en la cama, el prestigio de tontear con el hermano menor de un duque, las consabidas joyas y demás regalos caros.

¿Pensaban alguna vez en él? No en lord Robert Northfield con su generosa herencia y sus relaciones influyentes, no si le consideraban o no un amante hábil y apuesto, sino en su vida, en sus ideas y en sus aspiraciones.

Nunca. Tenía la sensación de que a ninguna de las mujeres con las que se acostaba jamás se le había ocurrido preguntarse si él era feliz. Eso también era culpa suya, concluyó mientras seguía allí mirando a Brianna y respirando la fragancia de las flores del invernáculo que llenaba el aire. Él escogía a propósito compañeras que no desearan más que relaciones sexuales esporádicas, sin implicaciones emocionales. Él seducía a una clase específica de mujeres y ellas disfrutaban muchísimo con sus atenciones.

Pero ¿bastaba con eso? Ninguna mujer le había mirado jamás como Brianna miraba a su hermano.

Colton también, en los momentos de descuido en los que no estaba encerrado en un lugar seguro, apartado del mundo y dedicado a enviar contratos y cartas a administradores de fincas, miraba a su esposa con un cariño especial en los ojos, del que Robert sospechaba que su hermano mayor ni siquiera era consciente.

Era extraordinario que a los veintiséis años y con su grado de experiencia con las mujeres, Robert solo hubiera considerado la posibilidad de enamorarse de alguien como un divertimento.

—Tú le enorgulleces en todos los sentidos, y no solo me refiero al título. —Robert palmeó la mano que seguía sujetándole, y sintió incredulidad ante el tono emotivo de su propia voz. Él no era un sentimental… al menos eso creía—. Ahora deja que yo me ocupe de traerte a la señora Finnegan, ¿te parece? Después supongo que tendré que cambiarme. Me he pasado casi todo el día cabalgando por ahí.

—Gracias. —Brianna le soltó la manga con una sonrisa compungida—. La verdad es que agradecería su ayuda.

—Es un placer, *madame la duchesse*. —Robert hizo una reverencia exagerada que la hizo reír y luego fue en busca de la siempre eficiente Finnie, como la llamaba desde que aprendió a hablar. Le explicó que a la joven esposa de Colton le iría bien que la orientara un poco, y subió a cambiarse.

Sin perder un momento la conciencia de haber experimentado una especie de momento profundo.

Mientras se ajustaba la corbata frente al espejo, este le devolvió la mirada de un rostro taciturno, muy distinta a su habitual imagen irresponsable.

Al oír que llamaban se dio la vuelta.

—¿Sí? —dijo sin más.

Damien abrió la puerta de la alcoba y entró.

—Pensé que podríamos bajar juntos a tomar el té para presentar un frente de solteros común.

Robert forzó una sonrisa, intentando deshacerse de su anterior ánimo contemplativo.

—¿Has estado planeando cómo sobrevivir a esto?

—Yo soy consejero militar —su hermano se encogió de hombros— y me parece una estrategia inteligente, aunque reconozco que estoy más acostumbrado a calcular el movimiento de las fuerzas francesas que a damitas entusiastas y sus intenciones.

—Tal vez nos estemos dando demasiada importancia —dijo Robert con sequedad—. Es posible que ninguna de las jóvenes que Brianna ha invitado esté interesada en ninguno de los dos.

Damien hizo un gesto de resignación.

—Yo llevo una temporada apartado de la sociedad, pero me parece que eres muy optimista. Somos unos Northfield, Robbie, y aunque fuéramos los hombres más aburridos de Inglaterra, seguiríamos siendo un buen partido.

Robert opinaba lo mismo.

—Es probable. Al menos la señorita Marston es encantadora —admitió, porque estaba pensando en ella en concreto. Y aunque era desaconsejable, añadió—: Y preciosa.

¿Y de dónde demonios había salido ese comentario? Era desconcertante pensar que atesoraba en el cerebro la idea de volver a ver a la joven dama.

Su hermano arqueó las cejas.

—¿La señorita Marston? ¿La hija de sir Benedict Marston?

—Sí —se limitó a responder Robert. No le había hablado de sus diferencias con el hombre en cuestión.

—He hablado con él en alguna ocasión. —Damien adoptó una expresión neutral como siempre que hablaba de su profesión—. Tiene muy buena relación con el ministro de la Guerra, y con el primer ministro, el conde de Liverpool. Es raro que no la relacionara enseguida, cuando Brianna la mencionó anoche.

—Rebecca es muy amiga de Brianna.

—¿Rebecca? Vaya. ¿Le tienes la confianza suficiente para llamarla por su nombre de pila?

Robert pensó en un jardín iluminado por la luna y en sus labios acariciando la comisura suave y tentadora de una boca rosada.

—No, esa es una libertad que no me tomaría en su presencia. Apenas nos conocemos.

Salvo que recordaba la maleable rotundidad de sus senos pegados al torso y la fragancia de su aroma delicado e inolvidable...

—Bien, quizá yo tolere su presencia a cambio de la oportunidad de hablar con su padre. A Wellington le vendrá bien toda la ayuda que podamos conseguir del regimiento de la guardia real y Marston tiene influencia. Me satisface saber que es más o menos bonita, para que mi interés parezca sincero.

¿Más o menos? Una corriente de indignación recorrió la espina dorsal de Robert por algún motivo insondable. Insondable porque Damien, siempre razonable y templado, casi nunca irritaba a nadie.

—De hecho es bastante atractiva, y se rumorea que su padre ha rechazado bastantes peticiones de mano. En cuanto la conozcas entenderás por qué. No es una de esas señoritas de cara lánguida que sonríen con afectación y que se sienten orgullosas de no tener más que pájaros en la cabeza —contestó con frialdad.

Damien adoptó una actitud jovial.

—Eso es una gran noticia. Puede que esta fiesta no resulte tan tediosa como creía.

—¿Pretendes mostrar interés por ella para conseguir audiencia con su padre?

—No pienso ser tan vil. —Su hermano parecía perplejo ante

aquel tono irritado—. Solo me refería a que imagino que como estará acompañada de sus padres casi todo el tiempo, si intento que la señorita Marston se fije en mí, conseguiré que ellos también.

Eso tenía sentido. Por qué le importaba a Robert era un misterio.

Un breve diálogo en una conversación informal y una rápida carrera hacia los arbustos para ayudarla a escapar de un patán aburrido como Watts no la convertían más que en una mera conocida.

—Adelante, cortéjala. —Levantó los hombros con un deliberado gesto de desinterés.

—Yo no he dicho que fuera a...

—Damien, diantre, haz lo que te plazca.

¿De verdad había interrumpido a su hermano mayor con esa vehemencia? Maldición, aquel episodio con Brianna en el piso de abajo le había descolocado.

Se dirigió a la puerta.

—Perdona. Odio este tipo de cosas. Me ponen los nervios de punta. Vamos a tomar un buen coñac antes de que todo empiece, ¿quieres?

Si esa última hora era una indicación de lo que iba a ocurrir en los próximos cinco días, Rebecca tendría suerte si conseguía superarlos sin volverse loca.

Estaba sentada en el borde de un sofá tapizado y sostenía una taza de té con una mano temblorosa. Estaba segura de que si se acercaba la exquisita porcelana a la boca, derramaría el té sobre el regazo, así que en lugar de eso simuló que no tenía sed.

En resumen, fingió que tomaba el té, cosa que una respetable dama inglesa no debía hacer jamás, pero estaba bastante harta de las reglas del decoro. Esas mismas normas que la habían obligado a escuchar a Damien Northfield, que era casi tan apuesto como su despreocupado hermano menor, pero que carecía por completo de su gallardía y de su sonrisa maliciosa, y a su padre, cada vez más absorto en una conversación sobre la guerra en la península Ibérica. En el extremo opuesto de la sala, Robert charlaba con Loretta Newman, una viuda atractiva y bastante joven todavía.

Claro, pensó Rebecca indignada, tenía que ser una rubia a la moda, menuda y con esas otras cosas que le gustaban a un caballero. Mientras ella le miraba, Robert se inclinó para acercarse un milímetro más de lo correcto y susurró algo al oído de su interlocutora. La señora Newman rió y pestañeó de un modo tan juguetón que provocó que Rebecca tuviera ganas de machacarle los dientes. No sabía de qué estaban hablando, pero llevaban quince minutos allí de pie, en aquel acogedor rincón y...

—¿Señorita Marston?

Ella apartó la mirada con disgusto. Damien Northfield la observaba con perfecta ecuanimidad desde una butaca próxima.

—Lo... lo siento. ¿Decía algo? —tartamudeó.

«Dios del cielo, no permitas que me pille mirando a su hermano.» La agudeza que había en esos ojos revelaba una inteligencia notable.

—Me preguntaba —dijo con seriedad cortés— si ha disfrutado usted de Londres este año.

Al menos esa pregunta no era difícil.

—Casi lo mismo que el año anterior —respondió ella con sinceridad. Se había fijado en que él tenía los ojos bonitos, aunque no de un llamativo azul celeste, sino oscuros. Tenía las facciones características de los Northfield, pero sin el pecaminoso encanto de Robert, ni la introspección de Colton, sino con un aire muy personal, vigilante y sereno.

En los labios de Damien se dibujó una peculiar sonrisa.

—Ya veo.

Al oír la ambigüedad con la que Rebecca había respondido, su padre frunció el ceño. Ella se negó a adoptar una pose de disculpa, y en cambio se dedicó al hermano mayor de Robert, segura de que podía hacerlo mejor.

—Me refiero a que es una especie de torbellino.

Por lo visto no podía hacerlo mucho mejor.

A lord Damien no pareció importarle.

—Yo opino lo mismo —dijo en un tono afable—. Aun en el caso de que no hubiera guerra, me temo que soy un poco demasiado solitario para pasar mucho tiempo en Londres. Robert es más bien lo contrario. —Dirigió la mirada hacia el lugar donde su hermano seguía coqueteando con la atractiva señora Newman.

—Parece sentirse muy cómodo en sociedad. —Era un comentario banal y Rebecca deseó con vehemencia poder beberse el té para tener algo que hacer con las manos, pero la verdad es que temía hacer el ridículo.

—Él mencionó que ustedes dos se conocen.

Ese comentario captó toda su atención. ¿Qué había mencionado exactamente? ¿Que ambos chocaron en el umbral? ¿Su huida a través de los jardines? ¿Ese amago de beso en el que ella no podía dejar de pensar? Confiaba que Robert no le hubiera detallado toda la historia a su hermano, y rezaba por que si lo había hecho, a Damien no se le ocurriera repetirla delante de su padre. Seguro que como agregado de Wellington, tendría más tacto que eso.

Todo habría ido bien si no se hubiera ruborizado. Horrorizada, notó una súbita oleada de sangre y calor que invadió su rostro.

—Fuimos presentados —dijo con una rapidez algo excesiva, sin atreverse a levantar la vista hacia su padre.

—Sí, bien, me lo imagino. Usted es muy amiga de mi cuñada, según tengo entendido. —La expresión de Damien era anodina.

Tacto, en efecto. Lo dijo como si fuera de lo más natural que ella conociera a un calavera de ese calibre, sobre todo uno a quien su padre despreciaba. Rebecca asintió, agradeciéndole esa última aclaración.

—Brianna y yo somos amigas desde niñas. Nuestras familias tienen propiedades vecinas y nos conocemos de toda la vida.

—Hace muy poco que la conozco, pero parece una persona encantadora.

—Lo es. —Al menos Rebecca pudo responder con total convicción a eso.

Vio con alivio que él se dirigía a su padre y le hacía una pregunta sobre la inminente sesión parlamentaria, y de nuevo pudo dedicarse a su taza de té, que seguía llena, y que ahora estaba tibia. No vigilar era una tortura, pero al menos durante unos minutos no osó siquiera mirar de reojo hacia el lugar donde Robert y la bonita viuda seguían de pie.

Cuando se atrevió a echar un vistazo, vio con tristeza que ambos habían desaparecido.

Sintió un espasmo en la boca del estómago.

Una cosa era sentir una pasión imposible por un conocido libertino, y otra muy distinta ser testigo de sus indiscreciones. Oh, ella ya le había visto antes bailar, charlar y sonreír en salones de baile abarrotados, pero siempre había mucha gente deambulando alrededor y nunca le había visto marcharse con ninguna de sus zalameras admiradoras. Cuando un hombre y una mujer desaparecían juntos durante una recepción en una casa… bueno, ella leía las columnas de sociedad y todo el mundo sabía lo que pasaba.

¿Habían subido al piso donde estaban los dormitorios?

Era posible.

Eso le dolió, aunque no tenía derecho a sentirse ofendida o traicionada. Simplemente… le dolió.

Consiguió dejar a un lado la taza de té en el plato sin que temblara apenas. Si no huía de esa sala era capaz de gritar. Cuando se puso de pie, lógicamente su padre y lord Damien se levantaron también.

—Perdóneme —murmuró Rebecca—. Hace un día tan bonito que me apetece pasear por los jardines de la propiedad. Brianna los alaba tan a menudo que he de verlos por mí misma.

Las cejas de Damien se arquearon un milímetro, y Rebecca vio con espanto que le ofrecía el brazo.

—Por favor, permita que la acompañe.

«¡No! Se parece tanto a él… ese denso cabello castaño y su perfil…»

Lo que deseaba en realidad era estar sola y recobrar la compostura. Sin embargo, si rechazaba el ofrecimiento de Damien de acompañarla, su padre se molestaría muchísimo y ella quedaría como una maleducada. De modo que posó los dedos en su manga y forzó una sonrisa.

—Me encantaría.

Salieron juntos de la sala por unas puertas cristaleras abiertas al crepúsculo. Damien la condujo por la inmensa terraza curva hacia la parte de atrás de la casa, donde se extendían unos jardines de trazado perfecto. «Unos quince acres», le dijo con su aire tímido, mientras paseaban. Si a ella le hubieran interesado de verdad las flores y los setos recortados, habría disfrutado con su compañía. Pero no en aquel momento, teniendo en cuenta que su madre aspiraba a que viera a lord Damien como un posible candidato a marido.

Era de lo más incómodo.

Él escogió un sendero y Rebecca caminó a su lado, confiando en aparentar serenidad. Para que no pensara que era una completa idiota y sin la menor pizca de cortesía, murmuró con educación:

—¿Está disfrutando de esta interrupción de sus deberes en España, milord?

Él, con una leve sonrisa burlona en los labios, pareció reflexionar.

—Si dijera que no, sería un insensato, ¿verdad? ¿A quién le gustaría cambiar este lugar maravilloso, la oportunidad de ver a mi familia y amigos, y tener tiempo para descansar, por los rigores de la guerra?

Rebecca no sabía cómo responder. A menos que se equivocara, había captado cierta inquietud en el tono, pero no le conocía lo bastante como para juzgarlo.

—Yo soy insensato, a veces —añadió sucinto.

Ella parpadeó.

—¿Eso significa que preferiría estar de vuelta en España?

—Disfruto con mis obligaciones —reconoció él—. Es un placer luchar contra Bonaparte y su corrupta ambición. Estar de visita en casa es agradable, pero aunque parezca raro, estoy ansioso por volver a la guerra.

—Me parece admirable. —Ella devoraba en secreto las crónicas de los periódicos sobre el intento de liberar Europa de las garras inexorables del emperador—. Todo el mundo, desde el propio duque de Wellington hasta el soldado de menor rango, corren muchos riesgos en favor de Europa y del mundo.

—Disfruto con los retos.

Rebecca se dio cuenta de que decía la verdad y levantó la cara para sonreírle. Fue la primera sonrisa genuina que había podido ofrecer desde que había llegado a Rolthven.

—Ya veo que sí.

—También aprecio a mi familia, no me malinterprete, pero yo no soy Colton con sus propiedades y sus responsabilidades. Ni tampoco Robbie con su actitud de *joie de vivre* ante la vida. No es que mi hermano pequeño sea superficial en absoluto. No creo que mucha gente lo sepa, pero tiene una aguda inteligencia para los números. De todo tipo, de las inversiones financieras a los juegos de cartas. Nunca se enfrente a él en el bridge, señorita Marston, porque le prometo que perderá.

¿Por qué estaban hablando de Robert otra vez?

¿O era solo que a ella le afectaba el tema? Era bastante natural que él mencionara a su hermano menor.

—Si me arrastran a un enfrentamiento de ese tipo —murmuró Rebecca—, haré caso de su advertencia.

—También es un violonchelista brillante, ¿lo sabía?

¿Por qué pensaba Damien que ella sabía algo de un pícaro como su hermano menor?

—Por supuesto que no —replicó ella con excesiva brusquedad—. No somos más que meros conocidos.

—Me preguntaba tan solo —dijo Damien con su tranquila ironía— si Brianna se lo había mencionado. Robbie no habla de ello, claro, pues la música no es un pasatiempo muy masculino, pero tiene verdadero talento. Repito que es a causa de su naturaleza matemática. Es capaz de echarle un vistazo a una composición musical, y captar el compás y la métrica sin necesidad de pararse a pensar como haríamos los demás.

Rebecca tuvo la sensación de que su corazón había dejado

de latir. ¿Robert era músico? Cerró los ojos un segundo. No fue nada, apenas un ligero pálpito, pero sucedió en contra de su voluntad.

El amante de sus sueños era su alma gemela. Visualizó sus dedos largos y esbeltos sosteniendo un arco y luego le imaginó deslizándolos sobre su piel.

De modo que ahora podía añadir una nueva fantasía a su repertorio. Maravilloso. Eso sería su ruina.

—En realidad es brillante. —La inadecuada respuesta era todo menos brillante, de modo que Rebecca evitó otra posible y desconcertante revelación sobre Robert Northfield—. ¿Y usted, milord? ¿Cuáles son sus talentos?

Damien adoptó una expresión enigmática.

—No sé si es un talento, pero soy capaz de pensar como el enemigo. Estoy seguro de que las jóvenes distinguidas no necesitan preocuparse de este tipo de asuntos, pero ello contribuye a desbaratar los planes franceses de vez en cuando.

Sobre el camino se habían extendido sombras enormes, y el crujido de sus pasos sobre la grava se mezclaba con los pájaros que trinaban en los árboles ornamentales y los enormes olmos que había más allá, en el parque cubierto de césped. Rebecca inspiró y exhaló con delicadeza.

—Estoy convencida de que Inglaterra necesita ese talento. No se confunda, a algunas jovencitas distinguidas también les preocupa la guerra, milord.

—¿Ah, sí? —Él bajó la mirada y ella creyó ver un destello de ironía en sus ojos ante la rotundidad de su afirmación—. Deduzco que usted es una de ellas. Perdone entonces que haya subestimado su interés por nuestra guerra con Bonaparte.

—No hay nada que perdonar. —Ella ensayó una mueca—. Mi madre cree que mi interés por la política es impropio de una dama.

Eso era quedarse corta. Hablar de la guerra pertenecía a la misma categoría que reconocer que una componía música.

—Usted es femenina en todos los sentidos, milady —dijo él con galantería.

—Gracias.

Damien se dirigió a un lugar donde había una original construcción junto a un estanque reluciente. Tenía un aspecto precioso y apacible bajo la luz del crepúsculo.

—¿Vamos por aquí? Es un lugar muy agradable para sentarse, y no estaremos rodeados de carritos del té ni por el zumbido de docenas de conversaciones.

—Si así lo desea… —Rebecca inclinó la cabeza, sin estar segura de querer sentarse, pero incapaz de negarse sin parecer grosera. Descubrió que los pequeños escalones conducían a un cenador en verdad exquisito, con pequeños divanes y almohadones de terciopelo de colores brillantes. Había mesitas desperdigadas por todas partes e incluso una vitrina surtida de bebidas, con copas de vidrio y una serie de licoreras alineadas de forma artística en un rincón. Rebecca escogió una butaca con vistas al estanque, se acomodó en ella, y se alisó las faldas con gesto distraído. Damien Northfield apoyó el hombro en uno de los pilares de estilo helénico y le dirigió una mirada muy desconcertante.

Luego, para acabar de desconcertarla del todo, le dijo:

—¿Mejor ahora? Antes parecía bastante triste.

Ahí se desvaneció su esperanza de que él no se hubiera dado cuenta.

Abrió la boca para negarlo, pero Damien se adelantó con otro comentario perspicaz.

—No tengo intención de entrometerme, se lo aseguro. Si prefiere no decir una palabra, consideraré el asunto olvidado.

Mentir, aceptar la oferta que él le hacía, era tentador, pero en ese momento se sentía bastante derrotada. Entre sus padres, la conocida aversión de Robert por las damitas casaderas y ahora la coqueta señora Newman, habían superado claramente su estrategia. No había contado con la deliciosa viuda. Tal vez necesitaba el libro de lady Rothburg. Por sí misma no tenía ni idea de cómo proceder. Ni si debía intentarlo siquiera. El manifiesto rechazo de su padre hacia Robert era un verdadero obstáculo. Rebecca se limitó a menear la cabeza.

—Espero que nadie notará que no presté atención a la conversación. Por favor, disculpe que estuviera distraída.

—Después de pasar unos años en España, ser observador se ha convertido en parte de mi naturaleza. —Damien inclinó la cabeza apenas un centímetro, como si le estudiara la cara—. Robert la mencionó a usted antes.

Bien, eso era ir directo al grano.

De manera que la había pillado observando a su hermano. Quizá todavía podía salir de aquel apuro. Confió en que él solo pudiera leer la mente de los enemigos. Una calidez reveladora impregnó su rostro por segunda vez. A pesar del rubor, cierto vestigio de orgullo le permitió aparentar confusión.

—¿Se refiere usted a lord Robert?

—En efecto —respondió él con franqueza—. El que me dijo que era usted preciosa y encantadora. Ese que usted estuvo mirando a hurtadillas a la hora del té, sin consumir por otro lado ni una gota de su taza, ni dar el menor bocado.

¿Robert Northfield pensaba que era preciosa? ¿Y encantadora? No estaba segura de qué la complacía más, pero le pareció que quizá lo primero tenía más peso para los varones. No se le ocurría absolutamente nada que decir.

Damien continuó con toda naturalidad:

—Imagino que no es asunto mío en absoluto, pero tengo la impresión de que ustedes dos se conocen, pero pretenden fingir que no. Admito que me pica la curiosidad.

Era cierto que cuando Rebecca entró en el salón flanqueada por su padre y su madre, Brianna le había presentado de inmediato a su cuñado, y Rebecca había balbuceado algo del todo innecesario sobre que creía que ya se habían visto una vez. Fue una actuación bastante poco convincente, si es que alguien había prestado atención. Era obvio que a Robert le había divertido. Ella lo vio en sus ojos celestes, antes de que él se inclinara brevemente ante su mano.

—No creo que conocidos sea la palabra adecuada. Nos presentaron de modo fugaz durante la temporada pasada, y hace poco nos volvimos a encontrar. Eso es todo.

—Yo estaría dispuesto a creerla, si no se ruborizara usted cada vez que sale su nombre en la conversación.

Eso le permitía refugiarse en la indignación, pero, por molesto que fuera, él tenía toda la razón. Rebecca, segura de que en ese momento estaba congestionada, irguió la espalda:

—Es usted muy directo, caballero.

—Solo a veces —admitió él, arqueando un poco las cejas—. También soy taimado. Depende de lo que requiera la situación. Quizá le convenga recordarlo.

—¿Qué significa eso? —Rebecca le miró, confusa.

—Significa que mi hermano menor, cuya reputación haría enrojecer incluso a un experimentado libertino, por fin muestra interés por una dama soltera que parece corresponderle. Yo no sería un hermano cabal si eso no me pareciera gracioso. Y no sería en absoluto buen hermano si no disfrutara con la idea de que él pueda caer derrotado.

«Los hombres son unas criaturas muy raras», pensó ella con cierta irritación.

—Quizá soy más obtusa de lo que creía, pero me temo que no consigo seguirle, lord Damien.

—Lo que quiero decir es que si decide atrapar a su adversario, tiene usted un aliado, señorita Marston.

—¿Mi adversario?

—¿No se ha enterado usted —dijo él con evidente ironía— de que los jóvenes solteros licenciosos se resisten bastante a la idea del matrimonio? Calculo que Robert peleará más que la mayoría. Tiene dinero, es decir que no necesita su dote. Goza de libertad infinita y ha demostrado cierta propensión a disfrutar de ella. Esto será un desafío.

—No hay ningún «esto». —Con las manos enlazadas con energía sobre el regazo, Rebecca dejó de negar aquello que había revelado de forma tan evidente—. Tenga usted razón o no sobre el posible interés de su hermano, existe el problema insuperable del desagrado que Robert inspira en mi padre. No sé qué pasó, y visto que no muestra aversión ni hacia el duque ni hacia usted, debe de ser algo personal.

—¿Robert y su padre? —Damien se irguió y frunció las cejas—. ¿Y no tiene usted idea del porqué?

Ella negó con la cabeza y añadió, impotente:

—Además, Robert y la señora Newman...

—Eso no es nada —señaló él cuando a ella se le quebró la voz—, y en cuanto al otro problema, confieso que lo encuentro bastante interesante. Deje que vea si puedo reunir más información. Ese es el secreto de toda campaña victoriosa.

9

¿Qué define el placer? ¿El disfrute físico, un momento de serenidad, gozar ante algo bello? Un episodio sexual puede incluir las tres cosas si está bien orquestado.

Del capítulo titulado
«Después es tan importante como antes»

*L*a velada había ido bastante bien, pensó Brianna, mientras se retiraba los alfileres del pelo, sintiéndose exhausta pero esperanzada ante los días siguientes. Hubo un momento desafortunado cuando uno de los lacayos dejó caer toda la bandeja de pescado en escabeche sobre una valiosa alfombra. Y cosa extraña, eso la hizo sonreír mientras se miraba al espejo y depositaba los prendedores en un pequeño cuenco de vidrio.

El pobre muchacho se había quedado horrorizado por mostrarse tan torpe frente a su patrón, pero Colton se limitó a indicar a los demás sirvientes con un gesto que ayudaran al chico a limpiarlo todo lo mejor posible, y siguió conversando con lord Emerson como si no hubiera pasado nada. Era bastante probable que tuvieran que deshacerse de la alfombra, pero había quedado claro que Colton creía que en la vida pasaban esas cosas, y que estaba dispuesto a pagar una nueva.

Ese era uno de los aspectos que a ella le gustaban tanto de su marido. Se tomaba muy en serio sus responsabilidades, y eso incluía al servicio. Aunque Brianna dudaba que él se diera cuenta, los criados le miraban con una mezcla de temor y afecto. Él no era uno de esos aristócratas altivos que actuaban como si estuvieran por encima de todos los demás, aunque desde luego podría hacerlo si quisiera. En algunos aspectos era inabordable, pero eso era solo a causa de su carácter reservado; no porque se esforzara a conciencia para mantenerse al margen. Colton daba las gracias a los criados de forma habitual, con la misma educación con la que trataba a sus amigos de la nobleza.

Echó un vistazo al reloj de la repisa. Era tarde. Los invitados habían ido llegando a lo largo de todo el día, por la tarde se sirvió un té protocolario, seguido de una cena elaborada, después de la cual lord Knightly había entretenido a los presentes con varios pasajes de *Hamlet*. Todo ello con la pompa y la ceremonia correspondientes, pero para su sorpresa había resultado realmente entretenido y todo el mundo pareció divertirse, incluso Colton.

¿Acudiría a visitarla?

Puede que estuviese demasiado cansado. Al fin y al cabo se había levantado temprano, y había pasado varias horas en su estudio antes de que la familia se reuniera a comer, y...

La puerta se abrió con un chasquido.

Su marido entró en la habitación vestido con un batín de seda azul oscuro. Los pocos candiles que Brianna había encendido no iluminaban demasiado aquel espacio tan grande, de manera que vio que Colton dirigía la mirada primero a la cama vacía, y luego hacia donde estaba ella, sentada en penumbra. Se dio la vuelta y sonrió, confiando en que él no hubiera notado el ligero temblor de la mano con la que sujetaba el cepillo del pelo.

Hasta ese punto le afectaba su mera presencia. Hasta hacerla temblar.

—Ahora mismo estaba pensando si te vería o no esta noche, excelencia.

—¿Verme? —Él levantó una ceja—. Supongo que es una forma de expresarlo. —Se acercó y le puso las manos sobre los hombros—. Yo tenía la esperanza de que desearas verme en tu dormitorio, madame.

—Siempre —respondió Brianna con sentimiento.

El rostro de su esposo se iluminó con una de sus raras sonrisas.

—Es halagador ser tan bien recibido.

—Yo nunca te rechazaría. —Ella notó que había respondido con cierta vacilación.

Hubo un breve silencio en el que él se limitó a mirarla, con una expresión difícil de interpretar bajo el parpadeo de la luz tenue. Luego le preguntó en voz baja:

—¿Porque me deseas o porque crees que es tu deber ceder ante mis derechos conyugales?

El hecho de que él se planteara la pregunta ya era un gran paso. «Deber» era una de las palabras favoritas de Colton, y no era ningún secreto que se tomaba sus obligaciones con mucho interés. Brianna se puso de pie, le colocó una mano sobre el torso, y notó bajo la palma el fuerte latido de su corazón a través de la seda de su ropa.

—¿Dudas de que te deseo? —Arqueó una ceja—. Me parece que soy yo quien de vez en cuando se viste de forma provocativa para llamar tu atención.

—Lo recuerdo. —Su respuesta fue más un gruñido que una frase coherente—. Igual que el resto de los hombres te vieron aquella noche en la ópera, por desgracia. No fue solo mi atención la que captaste.

—¿Estás celoso?

—No lo sé. Cuando te tengo cerca, no quiero perder el tiempo intentando definir mis sentimientos. Es como si la capacidad de raciocinio y mi hermosa esposa no coexistieran en la misma esfera. —Sin advertencia previa la levantó en brazos—. ¿Podemos dejar esta conversación analítica para algún otro momento? Ahora mismo me gustaría un tipo de comunicación más física.

Brianna se limitó a reír, mientras él recorría con grandes zancadas la habitación, la depositaba en la cama y sus manos desataban con prisas el lazo de la bata. Cuando se despojó de la prenda, ella vio que estaba muy excitado, con una erección alta, y en la punta henchida e iluminada por la luz brillaba una gota de entrega sexual.

Reteniéndole la mirada con manifiesta intención, ella alargó la mano y tiró del lazo que cubría el corpiño de su camisón. Mordiéndose el labio inferior, apartó la tela despacio para mostrar los senos. Los sentía tensos y anhelantes, y entre sus piernas ya se estaba gestando esa calidez singular que reconoció como deseo.

—Estoy muy ansiosa por comunicar —susurró. Sintió el impulso de bajar los párpados y de observar a su marido a través de las pestañas entornadas.

—Entonces estamos de acuerdo. —Con un movimiento ágil, Colton se acomodó sobre ella. Le acarició los labios con la boca una vez, después jugueteó con el hueco de su garganta y le hizo el amor a su cuello. La mordisqueó y la sedujo, mientras ella se arqueaba bajo la placentera presión de aquel cuerpo mucho más grande que el suyo, y sus pezones encogidos rozaban aquel torso poderoso. Él le hizo cosquillas con la respiración en aquel punto sensible justo bajo la oreja y Brianna jadeó.

Sí, la dinámica estaba cambiando, pensó abrumada cuando él la despojó del camisón y su boca siguió el avance de sus manos, disfrutando de sus pechos, succionando sus pezones con intensidad y rozándole apenas los músculos tensos del abdomen, antes de acariciarle el vello púbico. Cuando sus manos insistentes le separaron los muslos, se dio cuenta de que Colton iba a volver a hacerle esa cosa gloriosa con la boca.

Esa cosa gloriosa y escandalosa.

Sus manos se convirtieron en puños agarrados a la ropa de la cama y se abrió más que dispuesta, ansiosa por acoger esas sensaciones tumultuosas, esa experiencia salvaje y perversa. Sus dedos estilizados le separaron el sexo, haciéndola sentir vulnerable y sin embargo excitada. Por alguna razón, la imagen de su cabeza entre sus piernas era la cosa más erótica y estimulante que había visto jamás.

Y el placer, oh Dios, ese éxtasis exquisito cuando empezó a seducirla y a incitarla justo en el punto apropiado…

Transcurrió tan solo un intervalo de tiempo sorprendentemente breve, antes de que ella empezara a temblar presa de un delirio desenfrenado, de un clímax tan vivo e intenso, que le agarró el cabello con las manos y se estremeció sin control, anhelando de algún modo apartarle y acercarle aún más al mismo tiempo. Decirle que parara, si pudiese hablar, cosa que era imposible, y sin embargo exigiéndole que siguiera con aquella tortura erótica.

Era el paraíso. Y cuando Colton volvió a ponerse encima y penetró su cuerpo todavía tembloroso, sucedió de nuevo. Quiso protestar ante aquel exceso de sensaciones. Era demasiado, demasiado pronto, demasiado irresistible. Él empezó a moverse con sacudidas prolongadas, y ella consiguió de algún modo recuperarse lo bastante como para responder, aunque se le colgó de los hombros como una mujer ahogada, una descripción que tal vez resultaba apropiada.

Ahogada en pasión.

Ahogada en una marea de sensaciones.

Ahogada en amor.

¿Por qué siempre que Colton le hacía el amor a su preciosa esposa estaba convencido de que esa vez era más tempestuosa y placentera que la anterior?

Aquella no era una excepción.

Liberó su ardor líquido, al mismo tiempo que ella alcanzaba su tercer clímax, con tal salvajismo, de un modo tan primitivo y tan convulso, que dejó de respirar y arqueó el cuello de modo que todos los tendones se le marcaron, y todo su organismo quedó preso de esa fuerza. Cuando ella contrajo sus músculos interiores y le retuvo, un orgasmo feroz le consumió el cuerpo. Tal vez incluso el alma.

Por todos los demonios, pensó cuando la primera ráfaga de conciencia regresó a su cerebro, Brianna debía de tener una especie de poder místico. Él era un hombre experimentado. Las mujeres se habían arrojado en sus brazos desde el momento en que fue lo suficientemente mayor para comprender cómo funcionaba la interacción entre hombres y mujeres, y aunque siempre había sido selectivo y discreto, se consideraba bastante versado en asuntos sexuales.

Con Brianna era distinto.

Muy distinto.

Incluso en su noche de bodas, cuando ella se mostró tímida y nerviosa, él había sido capaz de obtener una respuesta de su cuerpo inexperto. Esa sensualidad inesperada había sido una bendición para su matrimonio, y él, como varón con un apetito sexual saludable, agradecía que su esposa disfrutara de sus atenciones en el lecho.

Había algo más, también. Aunque le resultaba difícil, estaba empezando a admitirlo ante sí mismo. El deseo sexual era parte natural de la vida. Muchos hombres considerarían atractiva a alguien como Brianna...

Y ese perturbador pensamiento hizo que juntara las cejas en un gesto ceñudo que por suerte ella no podía ver, porque él seguía con la cara enterrada en su cabello extendido. Le importaba un comino lo que deseara la mayoría de los hombres, era suya.

Solo suya.

—Mmm. —Brianna le acarició la espalda con sus dedos delicados.

Él emitió un gruñido poco elegante de asentimiento y, para no aplastarla, rodó hacia un lado acunándola entre sus brazos. Colton no podía imaginar nada que le gustara más que ese aroma de sexo mezclado con su exquisito perfume. Su curvilíneo cuerpo húmedo y tentador apoyado lánguidamente en él, y su cabello largo y sedoso extendido sobre su torso.

—Me parece que hoy ha ido bien —murmuró ella—. ¿Tú disfrutaste?

Él acababa de disfrutar de forma inmensa, y aunque no le entusiasmaba tener la casa atiborrada de invitados, en ese momento se sentía bastante comprensivo.

—Fue bastante agradable. Al menos toda la gente que invitaste es aceptable.

—Qué gran elogio. —Fue una respuesta seca.

—La verdad es que lo es —replicó él—. Yo suelo odiar este tipo de reuniones.

—Cuando lo planeé temí que te sucediera eso.

—Acertaste. —Él le apartó un rizo dorado del hombro con una caricia y una calidez peculiar, que no tenía nada que ver con el clímax que acababa de inflamarle las entrañas—. ¿Tan bien me conoces?

—En un sentido bíblico, excelencia.

Colton se echó a reír. Se le escapó sin pensar:

—Te das cuenta —susurró, besándole la barbilla—, que para ser una duquesa respetable eres bastante impertinente.

—Mientras mi naturaleza sincera no te repela, no discutiré dicha afirmación.

—¿Tú? ¿Brianna Northfield? ¿No discutir? Me resulta difícil creerlo.

—Colton…

Ella protestó entre risas, pero a él le encantó el brillo que había en sus ojos, y aceptó con deleite un apretón cariñoso en el brazo.

—Pero, a pesar de ese tratamiento irreverente ocasional hacia tu augusto esposo, no hay nada en ti que me repela —continuó él, acariciándole la comisura de los labios, atónito al descubrir que empezaba a excitarse otra vez. Algo que, tras una entrega tan fulminante, dejaba constancia del atractivo y la belleza seductora de Brianna.

—Espero que siempre sea así.

La imperceptible nota de melancolía que había en su voz hizo que él se detuviera.

—¿Por qué no iba a ser así?

La abrazaba tan fuerte, que notó con claridad que ella se encogía de hombros.

—Los hombres se cansan de sus esposas. De hecho hay pocos que las deseen de veras ni siquiera al principio.

Tenía toda la razón y él frunció el ceño, molesto.

—Yo te deseo. Deberías recordar lo que acaba de pasar entre nosotros.

—Sería difícil olvidarlo. —Ella le acarició la mejilla, fue apenas un leve roce con los dedos.

Su esposa tenía un aire inocente combinado con un encanto cortesano, pensó mientras deslizaba la mano sobre la curva de su flexible cadera. Un cabello dorado y ojos de un azul intenso con enormes pestañas, por no hablar de su boca, tan exuberante y acogedora. Varios de los invitados varones habían alabado su belleza en el transcurso de la tarde y la noche. Colton no había pensado demasiado en ello porque no podía estar más de acuerdo, pero ahora, ya que por lo visto hablaban sobre la fidelidad, tenía su propia opinión sobre el tema.

—Tú me perteneces. —Las palabras surgieron con un matiz demasiado cortante.

Brianna reaccionó echando atrás la cabeza y mirándole con desconcierto.

—¿Qué?

Él vaciló, sin saber qué había impulsado esa afirmación arrogante. Por supuesto que ella le pertenecía, era su esposa. Él le había dado su apellido y su protección. El problema era que eso no tenía importancia para ciertas personas de su clase. Era práctica común que una vez que la esposa había dado a luz a un heredero, buscara diversión en otra parte si lo deseaba, siempre que fuera discreta.

Brianna no. Él no lo permitiría. La idea de que algún otro hombre la tocara, bien, no se molestó en analizar la primitiva intensidad de su reacción ante esa imagen.

Colton optó por besarla en lugar de explicarse a sí mismo. O tal vez el beso fue una explicación, pues devoró su boca con voracidad y la estrechó entre sus brazos, con el miembro erecto pegado a su cadera. Esta vez, cuando rodó, la tendió sobre la espalda y se acomodó entre sus piernas, la penetró despacio, con un control medido en vez de una fuerza impetuosa, escuchando el cambio de respiración que se producía en ella a medida que él

se acercaba más y más al abismo. La elegante suavidad atercio-
pelada del cuerpo de Brianna le envolvía y todos sus sentidos
estaban absortos en la mujer que tenía debajo. En su imagen,
en su sonido, en su sabor, en su tacto y en su fragancia, tan em-
briagadores y excitantes como un licor.

Después, cuando ya se habían estremecido al mismo tiempo,
cuando sus cuerpos resbaladizos dejaron de temblar y estaban
tumbados en tal maraña que él no sabía dónde terminaba uno y
empezaba el otro, ella le acarició el cabello.

—¿Puedo pedirte una cosa?

La palabra «generoso» no alcanzaba a definir su estado de
ánimo tras esa segunda liberación, que había pulverizado sus es-
quemas mentales. Colton, que no recordaba haberse sentido
nunca tan satisfecho, sonrió con abandono.

—Por supuesto. Déjame adivinarlo, ¿un collar de diamantes?

—A mí no me gustan las joyas, ya lo sabes. Casi nunca las
llevo, a menos que deba hacerlo.

¿Lo sabía? Al pensar en ello, se dio cuenta con una ligera
irritación de que era verdad. Casi nunca la veía llevar joyas caras como tantas mujeres de clase alta, para quienes cada chu-
chería valiosa era como un trofeo. ¿De verdad era tan poco observador?

«Sí —respondió una voz de reproche en su cabeza—. Tienes
tendencia a estar absorto en tu propia vida. Ahora, tal como ella
ha señalado, la compartes con alguien más. Tal vez te convendría recordarlo.»

—Era una broma —dijo, recostándose en las almohadas—.
No te compraré más joyas si no lo deseas. De todas formas, la
cámara de seguridad de la familia Northfield ya está llena hasta
los topes de todo tipo de alhajas, y ya sabes que están a tu disposición.

Junto a él, con la sábana arrugada a la altura de la cintura, sus
voluptuosos senos desnudos y su deslumbrante cabellera tendida sobre la cama, Brianna le sonrió medio dormida.

—Esto es mucho más fácil que regalar diamantes, y no te
costará nada.

Él la vio bajar los párpados, con una sonrisa indulgente en el rostro.

—¿Qué es?

—Quédate.

—¿Disculpa?

No hubo respuesta. Se había quedado dormida. No es que le sorprendiera, pues él también estaba exhausto, y Brianna se había levantado temprano para preparar la llegada de los invitados. Aun con la ayuda de los criados, los consejos de su abuela y la eficiencia de la señora Finnegan, Colton sabía que ella había trabajado mucho para asegurarse de que todos los detalles estuvieran listos, antes de que el primer carruaje enfilara el sendero.

«Quédate.» ¿Qué demonios significaba eso?

10

Si él cambia de comportamiento, anotad la fecha y analizad la causa. Puede que le hayáis impresionado.

Del capítulo titulado «Causa y efecto»

*S*us padres no eran las personas más sutiles con las que el Señor había bendecido la tierra, decidió Rebecca, con ganas de meterse bajo la mesa de la cena.

Era doloroso y obvio, y tenía la irritante sensación de que todos los presentes sabían que la estaban llevando a rastras ante las narices de Damien Northfield, como si fuera una vaca premiada, exhibida ante un granjero rico.

Para empeorar las cosas, también parecía evidente para todo el mundo que la señora Newman le había echado el ojo a Robert. Quién sabe si se trataba de una tentativa en toda regla de atrapar al soltero más reticente de Inglaterra, o el simple deseo de un interludio placentero, pero si la mujer pensaba que actuaba de manera discreta acerca de sus intenciones, estaba muy equivocada.

Al fin y al cabo, ¿qué era una reunión campestre sin la seducción correspondiente?, pensó Rebecca con tristeza, mientras cogía la copa de vino. En aquel momento, la encantadora Loretta se inclinaba provocativa ante su presa, mostrando el escote para sacar el máximo partido de su postura, pues el escaso fruncido del corpiño no conseguía ocultar la curva superior de sus senos en su totalidad.

—Tal vez debería modificar su expresión.

La afable sugerencia la sobresaltó, y el vino salpicó con cierto peligro el borde de su copa. Damien, sentado a su lado gracias a las maniobras de su madre, se le acercó como si le dijera algo privado.

—Él está hablando con ella, pero la mira a usted. Hacía años que no me divertía tanto.

¿Robert la estaba mirando? No sabía si era así, pero lo cierto es que ella se estaba esforzando muchísimo en cambio para no mirarle.

—¿Mi expresión? —preguntó con la voz tomada.

—Se diría que tiene ganas de arrancarle el corazón a ella y eso, durante la cena, resultaría excesivo y fuera de lugar.

—Veo que se lo está usted pasando muy bien, milord.

Damien rió por lo bajo y desvió la vista hacia el plato de pescado.

«Maldito sea.» Rebecca disfrutó maldiciendo en silencio, y ahogó un quejido ante aquella perspicaz observación. Su madre, que probablemente había visto aquel aparente intercambio íntimo desde el otro lado de la mesa, sonreía radiante.

«Dios bendito, qué pesadilla.»

Rebecca se dedicó al bacalao al horno con fingido entusiasmo, pese a que no tenía ni pizca de apetito. Consiguió engullir unos cuantos bocados y fingió estar centrada en la comida, cuando en realidad estaba pendiente de la sonrisa de Robert, legendaria y contagiosa. La luz del candelabro conseguía un efecto malicioso en la estructura de su rostro, que enfatizaba la elegancia de sus pómulos y el trazo seductor de su boca.

«Para —se conminó a sí misma— antes de ponerte en ridículo y de que los demás empiecen a darse cuenta.»

¿Qué aconsejaría lady Rothburg en esta situación? ¿El mismo aleteo de las pestañas y ese coqueto comportamiento que la señora Newman desplegaba al otro lado de la mesa? Seguro que había un método mejor, pero Rebecca no tenía ni idea de cuál era. Quizá podía pedirle el libro a Brianna esa misma noche. O bien optaba por esa medida radical, o abandonaba, acataba la voluntad paterna y elegía marido.

Rebecca abordó el rosbif con puré de patatas con sombría determinación, aunque tenía el estómago un poco revuelto. Con la llegada de los postres le invadió una sensación de alivio. En cuanto retiraran los platos de la cena y sirviesen el oporto a los hombres, las mujeres se reunirían a chismorrear un poco. Ella, por otro lado, podía aducir un dolor de cabeza y huir a su dormitorio.

Era un plan perfecto, pues realmente sentía un martilleo en las sienes.

Hasta que se frustró por completo.

Cuando intentó excusarse, su madre le lanzó una mirada capaz de pulverizar una montaña y convertirla en un montón de escombros.

—A lo mejor lo que necesitas es un poco de aire fresco. Sal a la terraza, querida. Puede que lord Damien te acompañe.

Para Rebecca era impensable soportar durante cuatro días que les emparejaran con tanto descaro. Carraspeó:

—Estoy segura de que él espera con tanta ansia el oporto como el resto de los caballeros. Yo estoy a gusto sola.

—Estoy segura de que insistirá.

«Bueno —pensó enfadada—, ahora no tiene más remedio.» Damien inclinó la cabeza.

—Estaría encantado, por supuesto. Pero antes le prometí a la señora Newman que esta noche le enseñaría un peculiar mapa de Manchuria de la biblioteca. ¿Tal vez Robert podría acompañar a la señorita Marston en mi lugar?

Una expresión de horror cruzó el rostro de su madre. Rebecca reprimió una sonora carcajada. En efecto, una cosa era empujarla a salir del brazo de uno de los solteros más codiciados de la reunión, y otra muy distinta enviarla alegremente a pasear con un conocido libertino, aunque ambos fueran hermanos.

—Yo... yo, bueno...

—Por supuesto, será un placer —intervino Robert con finura y quizá con la intención de ayudar a Damien a huir de esa maniobra evidente, o puede que le pareciera divertido burlarse de su madre, o... Rebecca no sabía si creerlo, ¿podría ser que su hermano tuviera razón, y que Robert estuviera interesado de veras?—. A mí también me apetece un poco de aire fresco. ¿Vamos? —musitó él.

Y así, sin más, Rebecca se vio de su brazo, y esa proximidad hizo que su corazón empezara a palpitar. Aunque por suerte no repitió la actuación de su último encuentro, y no chocó contra él cuando ambos salieron del comedor.

Fue un comienzo mucho mejor que la última vez que estuvieron juntos a solas. Aparte de que tampoco tenían al voraz lord Watts pisándoles los talones, pensó, sin saber si debía estar agradecida a Damien o no. Estaba claro que el que ella estuviera enamorada de su hermano menor, a él le divertía lo suficiente como para interferir, o tal vez solo intentaba no ser víctima de la estrategia casamentera de su madre.

¿De verdad Robert la había estado observando durante la cena?

Rebecca bajó las pestañas y observó con disimulo al hombre alto que tenía al lado. No le salían las palabras, como la última vez. Si existiera la posibilidad de que él la considerara la mitad de atractiva que ella le consideraba a él... bien, tenía que saber si eso era cierto.

Estaba desesperada por saber si era cierto.

«Necesito ese libro endemoniado...»

—Fuera hace frío. ¿Quiere usted un chal?

Al oír la pregunta dio un salto, sin ningún motivo.

—Mmm, no... no, gracias. Ahí dentro hacía bastante calor. Este fresco es una delicia.

—Tiene usted las mejillas un poco sonrojadas.

Por supuesto que las tenía. Tal como Damien había señalado, se ruborizaba siempre en presencia de Robert. Era irritante no poder controlarlo y, ahora, incluso él lo había notado. Menuda tortura.

—Estoy bastante bien, se lo aseguro. —Aquello sonó más expeditivo de lo que pretendía.

—Por supuesto. —Robert la siguió fuera. El traje de noche a la medida y esa sutil sonrisa en los labios le daban un auténtico aspecto de granuja elegante—. Y, dígame, señorita Marston, ¿está disfrutando de la fiesta hasta ahora? He notado que mi cuñada le hizo el favor de no incluir al persistente lord Watts en la lista de invitados.

—Eso es porque Brianna sabe que la habría estrangulado si le hubiera invitado —dijo con vehemencia—. Mis padres le consideran muy buen partido. Pero mi opinión es algo distinta.

Soplaba un aire fresco de otoño y a ella le pareció maravilloso sentirlo sobre los hombros desnudos. Durante del día se habían formado algunas nubes, y la bruma oscurecía la luna. Cerca de allí, un pájaro cantaba en un tono sordo y lastimero. Se oía el eco de sus pisadas sobre la piedra pulida y, salvo por su presencia, la enorme terraza estaba desierta.

Estaban solos.

Bueno, por el momento. Su madre no toleraría esa situación durante mucho rato, y Rebecca no quería ni pensar lo que su padre era capaz de hacer.

Robert levantó una ceja con aire travieso.

—Y ahora se diría que están a favor de Damien.

Se había dado cuenta de eso, también. «Bueno, tal vez no deberías sentir tal oleada de felicidad», apuntó una voz en su interior. Lo más probable era que no significara nada. Sin duda todos los invitados habían notado que sus padres la estaban arrojando en brazos de su hermano.

—Sí —murmuró Rebecca—. Pobre hombre.

Robert se echó a reír.

Aquel sonido contenía una nota irresistible que ella deseó poder traducir a música. Cuando esbozaba esa sonrisa fascinante y característica, su cara también poseía algo especial, que conseguía que a ella le temblaran las rodillas. Puede que ambos hermanos fueran igualmente apuestos, pero lo que a Rebecca le atraía de Robert era su carisma. Era una energía, una fuerza real, y aunque no fuera en absoluto experta en temas de seducción, suponía que si su éxito con las mujeres se debía a algo, era a ese innegable tirón.

—Sobrevivirá. Uno tiende a olvidar que mi hermano mayor aconseja a algunos de los hombres más ilustres de nuestro tiempo —comentó Robert mientras se dirigían hacia la balaustrada. Apoyó la cadera en ella y se volvió para mirarla—. Damien no parece astuto, pero lo es. ¿Vio la habilidad con que actuó ahí dentro? Un rescate rápido, gracias a una pequeña pero inventiva maniobra.

Rebecca no pudo evitar una sonrisa.

—Imagino que con «rescate» se refiere usted a escapar de las técnicas más que obvias de mi madre.

—De hecho, yo pensaba más en mí mismo y en la insistente señora Newman. ¿Cree de verdad que a ella le interesa un mapa de Manchuria? Personalmente lo dudo. No creo que la geografía esté entre sus aficiones. Más bien parece pendiente de la última moda en sombreros que de cordilleras de países lejanos.

—Yo creía que a usted le gustaba ella. —Probablemente Rebecca no debería haber dicho eso, pero se le escapó de todas formas. Enseguida rectificó—: Al menos me dio esa impresión.

—¿De veras? —Robert respondió con sequedad. Volvió la vista hacia los jardines y se encogió de hombros—. No pretendo parecer descortés. Es una joven bastante agradable.

Rebecca se sintió muy aliviada, pues eso no sonaba al comentario de un amante. Seguro que él no se mostraría tan distante si ambos hubieran desaparecido antes para un romántico encuentro clandestino. Puede que Robert tuviese fama de cultivar aventuras pasajeras, pero ella no había oído comentar nunca que huyera dejando atrás una estela de corazones rotos. Si fuera tan cruel no le apreciaría todo el mundo, de manera que si al encoger de modo fugaz esos hombros enormes traducía algo, el leve coqueteo no había desembocado en una seducción.

Aunque ella no tenía derecho a sentirse aliviada, se dijo.

No tenía ningún derecho en absoluto sobre el hombre que estaba de pie a su lado.

—Ya entiendo. —No fue un comentario muy brillante, pero dudaba de que «brillante» sirviera para describirla cuando estaba con él.

—¿Ah sí? —preguntó él en voz baja y mirándola de un modo que Rebecca sintió el corazón en la garganta.

Robert tenía ese poder, se dijo con dureza. Seducía con una mirada, con una sonrisa, con una caricia. Eso no significaba que Damien estuviera en lo cierto.

Pero le daba esperanzas de que tal vez lo estuviese.

—Eso creo. Nos coartamos a nosotros mismos con todas esas normas de urbanidad —murmuró su acompañante—, y ello puede inducir a que alguien crea que existe un interés, cuando en realidad, solo estamos siendo educados.

Robert apenas oía lo que ella decía.

Azabache. Ese era el color de su cabello. Llevaba toda la velada intentando definirlo. Denso, oscuro, reluciente. Contrastaba con la pureza de su tez blanca de un modo que atraía las miradas, y sus ojos color cobalto completaban esa tentadora imagen. Robert maldijo para sí. Estaba seguro de que Damien creía que le ayudaba distrayendo a la señora Newman.

No le ayudaba en lo más mínimo, porque eso colocaba la tentación ante sus narices.

Robert era consciente de que había estado pendiente de la encantadora Rebecca, como un maldito estúpido, desde que había llegado la noche anterior, rigurosamente escoltada por sus padres. Esa atracción sin precedentes por una dama joven y soltera le ponía nervioso. Y se sentía atraído. De no haber sido por Rebecca, es probable que hubiera considerado la oferta tácita de la señora Newman, y habría pasado una noche muy placentera en su lecho.

Era desconcertante, pero por lo visto su fascinación actual excluía el interés pasajero por otra mujer, cosa que en un momento como este no ayudaba. Ella seguía allí y levantó la vista hacia él. La luz tamizada se deslizó a través de su rostro, tenía la boca apenas entreabierta y Robert tuvo que evitar a conciencia el impulso de inclinarse hacia su dulce aroma. Por suerte para él, la madre de Rebecca había reaccionado de forma muy evidente, por lo que dudaba que ese breve paseo se prolongara mucho más antes de que enviaran a alguien a rescatar a la doncella hermosa e inocente de sus viles garras.

—Al menos no parece que Brianna haya decidido ocuparnos cada minuto del día con actividades que la educación nos impida declinar. —Ella le obsequió con una sonrisa tímida.

Esa forma leve y tímida de curvar la boca hizo que Robert se diera cuenta de lo poco que sabía sobre jóvenes ingenuas. Llevaba toda la vida esforzándose en no saber nada. No tenía hermanas, cuando se enredó con Elise no era más que un muchacho y a partir de ahí fue como si su camino ya estuviera decidido. No necesariamente en una dirección equivocada, o eso había pensado hasta el presente. Pero ahora se daba cuenta de que a causa de sus decisiones pasadas se había cerrado algunas puertas. «Respetabilidad» era una palabra que siempre le había divertido. Colton ya era bastante respetable por todos ellos.

Era una desgracia que los labios y la cautivadora sonrisa de Rebecca acapararan toda su atención en ese momento. Habría sido mejor si no la hubiera probado en ese amago de cata breve.

Y, maldita sea, deseaba más. ¿Cómo sería el hombre que iniciara a la deliciosa Rebecca en el disfrute de los placeres sexuales? Vaya, esa fantasía era nueva. Las vírgenes nunca, jamás le habían interesado; no cuando había tantas amantes experimentadas y dispuestas al tipo de relación pasajera que él prefería. Pero ella tenía algo, además de un cuerpo esbelto y unos pechos obviamente espectaculares. Tal vez un aura de sensualidad inconsciente que le indicaba que, con el tutor adecuado, sería una compañera de cama muy satisfactoria.

Compañera de cama de otro, concluyó con rudeza, preguntándose qué diablos le pasaba. De su marido.

Robert levantó una ceja e intentó responder al comentario de Rebecca con naturalidad.

—Esa es una de las ventajas de ser familia. Yo me negaría si

Brianna intentara obligarme a jugar a las charadas, o algún otro entretenimiento insulso de ese tipo. Por lo que sé, aparte de una actuación musical mañana por la noche, no vamos a sufrir ninguna de esas habituales afrentas a nuestra sensibilidad. Creo que una de las Campbell va a destrozar la obra de Haydn o de algún otro compositor que debe estar encantado de estar muerto y no tener que oír tal sacrilegio.

Algo aleteó en la expresión de Rebecca, que acto seguido dijo en voz baja:

—La verdad es que tocaré yo.

Robert se sintió al instante como un idiota. Por todos los demonios, se suponía que era encantador en grado sumo, y no un bufón que insultaba a jovencitas, bastante fascinantes y, preciosas en este caso. Brianna no debía haberle dicho quién sería la intérprete, porque dado su estado de enamoramiento aparente, si hubiera mencionado a Rebecca lo habría recordado. Alguien debía haber hecho un comentario sobre las hermanas Campbell y él se había confundido.

—Mis disculpas. —Se pasó la mano por el pelo y suspiró—. Por favor, perdóneme si puede. He asistido a demasiadas audiciones que me han provocado dolor de oídos y que maldijera al hombre que inventó el pianoforte. Aun así, y aunque no era mi intención insultarla, eso no es excusa. Supongo que tampoco debí calumniar a una de las señoritas Campbell sin haberla oído tocar.

En lugar de darse la vuelta y marcharse muy digna y ofendida, Rebecca Marston se echó a reír de un modo encantador y espontáneo.

—No sé si se da cuenta, milord, de que acaba de lanzarme un desafío —dijo con aire de picardía—. Por lo visto yo debo cambiar su opinión sobre las damiselas y sus dotes musicales. ¿Me permite aceptar el reto?

Aquella inesperada reacción le dejó descolocado. Y, maldición, estaba otra vez mirando esa boca tentadora.

—Creo que la ofendida es usted, así que ¿cómo iba a negarme?

—Toque conmigo.

Él se la quedó mirando, atónito ante aquella delicada afirmación. «¿Toque conmigo?» «Dios, sí —susurró una caprichosa voz interior en su cerebro—. Me encantaría. Tocar esos pechos rotundos y firmes que sé que anidan bajo su recatado vestido, enlazar los dedos en esa cabellera sedosa, besarla hasta quedar sin aliento, separar sus muslos y hundir mi miembro duro hasta el fondo, hasta el corazón del paraíso…»

Una voz muy distinta, fría y práctica en este caso, le recordó que jugar con vírgenes no era buena idea. Tontear con una virgen con un padre poderoso y protector que le despreciaba era una de las peores ideas que podía metérsele en la cabeza a un hombre. Por otro lado, estaba seguro de que lo que ella estaba sugiriendo no iba en absoluto en la misma dirección que esos pensamientos tan impuros.

—¿Podría ser un poco más específica, señorita Marston?

—Su hermano dice que es usted un gran violonchelista. Resulta que yo he traído una pieza musical para pianoforte y chelo. ¿Qué le parece un dúo?

El tipo de dúo que él tenía en mente no tenía nada que ver con teclas y cuerdas.

Si hubieran estado en Londres podría haberse negado con educación, con la excusa de que no tenía el instrumento a mano. Pero resultaba que su violonchelo estaba allí, en Rolthven, y aunque ninguno de sus hermanos lo sabía, su abuela seguro que sí. Acababa de insultar a Rebecca y, como caballero, no podía agravar tal pecado con una mentira. No era demasiado partidario de tocar en público, pero se trataba de un grupo bastante reducido. Además, en los enormes ojos de Rebecca había cierta ingenuidad que le impulsaba a complacerla.

Eso tendría que analizarlo más tarde.

—Hace bastante que no toco, pero supongo que podría acceder.

—Excelente. Me encargaré de que mañana por la mañana le entreguen la partitura para que pueda ensayar un par de veces. —En su mejilla apareció un hoyuelo burlón—. No queremos insultar al compositor cometiendo un sacrilegio musical, ¿verdad?

Él reaccionó con una carcajada espontánea.

—Imagino que me costará librarme de ese desafortunado comentario, ¿verdad?

Prefería a las mujeres con sentido del humor. Por un lado eran compañeras de cama más divertidas y tenían tendencia a no ser tan consentidas y altivas.

Maldición, tenía que mantener sus pensamientos alejados del dormitorio cuando tratara con la señorita Marston.

—Sí, puesto que procede de alguien que se toma la música en serio —le dijo ella—. Como yo misma, me temo.

Fascinante. Como él, aunque no era algo que compartiera con mucha gente. Para Robert era un tema privado que la belleza de la cadencia y el sonido fueran como un bálsamo para su alma cansada.

—¿Ah, sí?

—Sí, desde luego. —La rotundidad del tono era inapelable y Robert tuvo la sensación de que quería decir algo más, pero se quedó callada.

El aire olía a otoño, decidió obligándose a centrarse en algo que no fuera la joven que tenía al lado. Como a hojas descompuestas rodeadas de tierra húmeda, con un toque de humo de chimenea. El aroma del campo otoñal. Londres casi siempre estaba impregnado de olores mucho menos sugerentes. Cuando él era más joven, esperaba con impaciencia dejar Rolthven para ir a la ciudad, pero en aquel momento ese pacífico escenario le parecía más atractivo que antes. Tal vez parte de esa inquietud propia de un muchacho estaba desapareciendo con la edad.

¿Podía ser que estuviera madurando y convirtiéndose en un hombre menos impaciente, más asentado, incluso hasta el extremo de sentir un interés sincero por una dama joven y soltera?

No. Desechó esa idea de inmediato cuando bailaron ante sus ojos, y le obligaron a reflexionar, imágenes de caminitos en primavera, catedrales llenas de invitados a la boda y niños sonrientes y rellenitos. La señorita Marston traía consigo todas esas cosas y él no estaba tan preparado como para abandonar su despreocupado estilo de vida.

Aparte de que recordaba con claridad el gesto de terror en el rostro de lady Marston, cuando Damien había orquestado un rápido cambio de escolta para su hija. Tal vez ella estaba al tanto de la desavenencia entre Robert y su marido, o puede que fuera tan solo por su reputación en general, pero en cualquier caso era así. El cortejo de Robert, si es que consideraba esa locura alguna vez, no sería bien recibido.

—¿Cuánto cree que falta para que su madre se invente una excusa para unirse a nosotros? —preguntó con un cinismo burlón y realista en el fondo, pero sin dejar de admirar el perfil nítido de Rebecca.

—Me sorprende que no esté aquí ya —dijo ella meneando la cabeza—. Aunque se nos ve muy bien, y sospecho que nos está vigilando.

A él le gustaba la honestidad. Tal vez fuera precisamente eso lo que le atraía de ella. La belleza sumada a una refrescante carencia de doblez. Era genuina. No vana, ni afectada, ni superficial.

—Quizá deberíamos aliviar su ansiedad. La acompañaré dentro antes de que su madre sufra una apoplejía. —Abarcó la gran extensión de piedra de la terraza con la mirada y una sonrisa dibujada en los labios—. Aunque en realidad este no es un lugar cómodo para seducirla, tengo la sensación de que a ella le preocupa que lo intente de todos modos.

«Tal vez lady Marston debería preocuparse…»

Rebecca reprimió una carcajada.

—Seguro que a un conquistador de su reputación no le disuaden los suelos de piedra.

Podría hacerse, por supuesto. Él contaba con cierta experiencia en utilizar lugares muy poco idóneos, pero no pensaba decirlo en voz alta.

—¿Yo tengo una reputación? —preguntó con toda la intención, y le ofreció el brazo.

—No suelo hacer mucho caso de los rumores —adujo ella, contradiciendo su afirmación anterior.

«Todo el mundo les hace un poco de caso», pensó él.

Les interrumpió el sonido de una voz con un matiz gélido inconfundible.

—Rebecca, tengo entendido que no te encuentras bien. Tal vez sí que deberías retirarte a tus aposentos.

Ella dio un respingo. No muy exagerado, pero Robert notó un agarrón repentino a través de la manga de la chaqueta.

Se dio la vuelta y obsequió al padre de la dama con una sonrisa fría.

—Estaba a punto de acompañarla de nuevo al salón.

—No es necesario. —Sir Benedict, de pie bajo el umbral, presentaba un rostro impasible—. Yo mismo la acompañaré.

Rebecca vaciló un momento. Se diría que la incomodaba y la desconcertaba a la vez esa tensión súbita, aunque muy palpable, y entonces susurró:

—Buenas noches, lord Robert.

—Buenas noches. —Él la vio marchar entre el grácil remolino de unas faldas de seda, y captó una última mirada desdeñosa de su padre antes de hacer pasar a su hija al interior.

Acababa de recibir una advertencia.

—Si albergas algún tipo de absurda inclinación romántica hacia Robert Northfield, debes dejarla de lado.

Cada una de esas palabras cortantes fue como un pequeño latigazo. Rebecca reprimió tanto la indignación de que la trataran como a una niña de forma evidente delante de otra persona, Robert nada menos, como cierta sensación de confusión. Tampoco era muy digno que casi te arrastraran escaleras arriba, hacia el dormitorio.

—No fue más que un simple paseo por la terraza. Madre puede decirte que ni siquiera me lo pidió él. Lo sugirió su hermano.

—No creas —le dijo él con idéntica frialdad— que no me he dado cuenta de cómo reaccionas ante ese joven.

Aquello la dejó sin palabras. Si pudiera negarlo lo haría, pero no podía, de modo que se limitó a tratar de no tropezar con la falda, mientras intentaba acompasar el paso a las grandes zancadas que daba su padre.

—Es del todo inapropiado.

La imperturbabilidad del rostro paterno no invitaba a hacer preguntas. Con todo, Rebecca se atrevió con una, pues era obvio que no tenía ni la menor idea de lo que estaba pasando.

—Él te desagrada. ¿Por qué?

—Sí, me desagrada —confirmó sir Benedict—, y no te diré por qué.

—El duque te complace. Aceptaste su hospitalidad. Y es obvio que lord Damien cuenta con tu aprobación, ya que tu entusiasmo por que acepte su compañía me está poniendo en ridículo.

—Ninguno de ellos tiene nada que ver con esto. Robert Northfield es un hombre independiente y este asunto no te concierne en absoluto.

—¿Cómo que no? —preguntó ella con aire incrédulo—. Cuando me lanzas un ultimátum por una simple conversación, a la vista de todos.

Les habían asignado unas habitaciones en el ala izquierda. El pasillo, inmenso y elegante, estaba repleto de puertas de madera tallada y lámparas encendidas sobre mesitas pulidas. Con el rostro pétreo, su padre la siguió hasta su puerta y la abrió.

—Nos veremos por la mañana, querida.

11

Cuando empiece la caza, recordad que vosotras sois el premio. Si renunciáis al poder, él lo recuperará encantado. Si decidís conservarlo, como os recomiendo de corazón, hacedlo de la forma más sutil y placentera posible.

Del capítulo titulado
«Cosas que toda mujer debe saber»

*U*na cacería extravagante no se correspondía a la idea que Colton tenía de cómo pasar una mañana agradable, ni tampoco lo consideraba muy digno. Pero aceptó porque Brianna se lo había pedido de tal modo que negarse le pareció una descortesía. Los demás invitados parecían haber abrazado con entusiasmo el espíritu del juego y, para ser sincero, probablemente era más entretenido que estar sentado en el estudio con su secretario.

«Sobre todo en momentos como este», pensó, mientras paseaba junto a su esposa y echaba una ojeada a sus contorneados tobillos, mientras ella se inclinaba hacia delante y extraía con aire triunfante un premio de debajo de un arbusto decorativo. Brianna se irguió y se dio la vuelta con la mano extendida.

—Mira. Me parece que esta es bastante bonita.

—Es una piedra —dijo él con delicadeza.

—Pero es bastante bonita, ¿no crees?

—Debo admitir que no suelo sentarme a reflexionar sobre sus propiedades estéticas.

Brianna lo miró burlona.

—¿Su excelencia no desea ganar esta competición? Yo creía que alguien con tu eminente posición mostraría un poco más de espíritu competitivo. Se supone que hemos de encontrar la piedra más peculiar. Si esta no te convence, quedémonosla hasta que encontremos otra que te parezca mejor.

Aunque el juego le parecía absurdo, no podía dejar de admirar la forma en que los rayos del sol iluminaban el cabello rubio de Brianna. Esa mañana tenía un aspecto fresco y saludable, con su sencillo vestido de muselina crema ribeteado de satén verde claro. Las mangas, ligeramente abombadas, resaltaban la esbeltez de sus brazos, y llevaba el cabello recogido en un par de trenzas sujetas con una cinta a juego. Brianna, la personificación de la juventud y la belleza femeninas, encajaba con la atmósfera bucólica del jardín y el parque, saludable, joven, vivaz y... ¿fértil?

Colton se preguntó si sería demasiado pronto para preguntarle sobre el tema, pero estaba casi seguro de que el período se le había retrasado varias semanas por lo menos. No es que él llevara la cuenta, pero era muy consciente de cuando no podía compartir su cama. Había pasado cierto tiempo desde que ella había admitido que no era el momento adecuado para que le hiciera el amor. No llevaban suficiente tiempo casados para que él supiera si eso era normal en ella o no, pero no había duda de que el aspecto sexual de su relación era de lo más satisfactorio, y que ejercía sus derechos a menudo. No le sorprendería lo más mínimo que ya estuviera embarazada.

Un hijo.

Le gustaba la idea. Y no solo porque tener un heredero fuera su maldita responsabilidad, cosa que le sorprendía, porque él siempre había considerado el concepto «hijos» como algo abstracto. Sí, uno se casaba y, de acuerdo con el curso natural de los acontecimientos, concebía hijos. Pero Brianna fecundada con una criatura suya, con el hijo de ambos... Esa idea le conmovía de forma inesperada.

—¿Pasa algo malo, Colton? —Su esposa ladeó la cabeza y entre sus delicadas cejas apareció apenas una arruga—. Tienes una expresión de lo más rara. Ya sé que este tipo de juegos no te gustan mucho, pero...

—Los juegos en general no suelen ser plato de mi gusto, pero no me importa. —Sonrió—. Y opino que esta piedra es bonita. Es cuarzo, creo.

—¿Ah, sí? —Ella se miró la mano muy contenta—. Bastante bonita, si se me permite decirlo.

—Deslumbrante —reconoció él, mirándola a ella y no a la endemoniada roca.

Su preciosa esposa se ruborizó al captar la inferencia y el sentido de aquella mirada.

—No piensas participar en esta búsqueda, ¿verdad?

—Yo llevaré la piedra, ¿qué te parece?

Ella levantó desafiante una de sus cejas doradas.

—¿Y la oruga?

—¿Cómo dices?

—Tienes la lista en el bolsillo. Creo que hemos de encontrar una. Preferiría que la cogieras tú.

—¿La lista o la oruga?

—La oruga, claro. Deja de burlarte de mí. ¿Qué más hemos de encontrar?

¿Burlarse de ella? Bueno, tal vez lo hacía. Qué raro. Él no era burlón. Perplejo y obediente, Colton sacó el trozo de pergamino y lo examinó.

—«Una flor roja. Un palo especial...» ¿Qué demonios es un palo especial, en cualquier caso?

—¿Cómo voy a saberlo yo? Tu abuela hizo la lista y las frases son suyas. —Brianna se echó a reír—. Lo que sí sé es que hace un día excelente, que brilla el sol, y que nuestros invitados están gateando por ahí para encontrar los objetos seleccionados y ganar. ¿Seguimos, ahora que hemos resuelto el tema de la piedra? No creo que nos favorezca llegar los últimos a todo correr.

La palabra «correr», pronunciada por su seductora esposa, adquiría un significado enteramente nuevo. Pero la implicación sexual era de lo más inapropiada en ese momento, y estaba claro que ella no tenía ni idea de haber sugerido una imagen erótica. Colton cogió el pedazo de cuarzo, se lo metió en el bolsillo de la chaqueta y la siguió a través del jardín. Consiguieron encontrar todo lo que aparecía en la lista, inclusive una infeliz y brillante oruga verde, que él tuvo que sostener en la mano y evitar que se arrastrara por todo su cuerpo. Cuando por fin volvieron a la terraza, su abuela estaba allí sentada en toda su gloria, presidiendo la cacería con el bastón, y con una expresión de entusiasmo que Colton no le había visto en años.

Robert, a quien habían emparejado con una de las hermanas Campbell, que Colton no era capaz de distinguir, también sostenía una especie de gusano. Su aire de resignación sugería que a él también le parecía ridículo el juego.

Sin embargo, por su abuela y por esa expresión de satisfacción, Colton habría recogido una docena de criaturas como esa y hubiera cargado con ellas por ahí.

Damien se unió a ellos, refunfuñando por lo bajo.

—¿Hasta qué punto sería una grosería que nos retiráramos a tu estudio para tomar un coñac, Colton?

—No son ni las doce del mediodía.

—¿Y? ¿Acaso no llevas un insecto a cuestas? ¿Cuán a menudo sucede eso antes de mediodía? Nunca, por cierto. Yo, sin ir más lejos, necesito una copa.

Su hermano tenía razón.

—De hecho no creo que pueda calificarse de insecto. ¿No han de tener seis patas? Está claro que este tiene muchas más —dijo Colton muy serio.

—Ahora no es el momento de discutir sobre nimiedades. —Estaba claro que el espécimen de Damien, lleno de manchas y pelos, era mucho más pequeño y menos vistoso.

Al final huyeron a su refugio y se tomaron su coñac. Colton prescindió de Mills con un gesto ausente, indicándole que terminara lo que habían estado tratando y volviese a la mañana siguiente. Captó la atónita expresión de su secretario cuando comprendió que pensaba tomarse el resto de la tarde libre.

Quizá dedicaba un tiempo algo excesivo a los negocios. No era necesario que se ocupara de todos ellos en persona. En su interior vivía aún el joven inseguro que poseía un ducado y era responsable de toda su familia, y Colton no sabía cómo librarse de esa necesidad compulsiva de ocuparse de todos y cada uno de los detalles. Quizá si su padre hubiera enfermado y se hubiese ido apagando poco a poco, habría estado más preparado. Pero un día estaba allí, saludable y feliz, y al siguiente se había ido.

Eso había trastocado el mundo de Colton.

Bebió un buen trago de coñac y volvió a centrarse en la conversación en curso. Tanta introspección profunda le perturbaba.

—... tenía que conseguir la mejor flor roja del demonio. —Robert seguía quejándose de su pareja en el juego—. Os juro que examinó todas las rosas de la propiedad. De todos modos, al final ganaron lord Emerson y su compañera.

—Pero la abuela lo pasó muy bien nombrando a los ganadores —comentó Damien—. Aunque me parece que la decisión tuvo mucho más que ver con su papel de casamentera, que con el color y el aroma como ella dijo. Se diría que cuando Emerson y la mayor de las Campbell están juntos, adquieren esa particular áurea soñadora que me hace desear volver directo a España a todo correr.

—Lo cual es bastante difícil —apuntó con una enorme sonrisa el conde de Bonham, que se había unido a ellos—, con el océano de por medio y todo eso.

—Pues ahogarme en el intento —replicó Damien, sentado con comodidad evidente en su butaca y levantando la mano con gesto de ironía—. Ah, no, yo no necesito que me den conferencias sobre las ventajas de tener las piernas atadas de por vida a una mujer, ni sobre el placer de la estabilidad conyugal. Las francesas ya son suficiente desafío.

—¿Placer? —Bonham sonrió—. Bueno, el término es adecuado en ciertas circunstancias. El dormitorio es el lugar que me viene a la mente.

—Uno puede experimentar la misma felicidad sin estar atado a una mujer para toda la eternidad —señaló Robert.

Su hermano menor debía saberlo, pensó Colton. Si hubo alguna vez un hombre que ejemplificaba la felicidad que podían ofrecer las más celebradas bellezas de Inglaterra, ese era Robert.

—Creo que todos hemos notado que tú suscribes esa filosofía, Robbie.

—¿Quién sabe? —dijo Damien—. Puede que todo eso cambie, y pronto incluso.

Colton sentía cada vez un interés mayor. ¿Es que se estaba perdiendo algo? Cuando Damien usaba ese tono de voz, es decir ningún tono, lo prudente era estar atento. Su hermano casi nunca hablaba por hablar. Y además, en la cara de Robert apareció un destello fugaz que podía interpretarse como consternación.

—¿Tú sabes algo que yo no sé? —espetó Colton con enorme curiosidad, pues no sucedía muy a menudo que a su hermanito le desconcertara algo.

—No, no sabe nada. —Robert dejó la copa y se levantó—. Opino que Damien está tan acostumbrado a ejercer de espía, que cree que debe dejar caer comentarios crípticos, solo para no perder la costumbre. En todo caso, caballeros, por favor discúlpenme. Me han obligado a participar en la audición de esta noche, y debo asegurarme de que no he olvidado cómo usar el arco.

—¿Accediste a tocar? —Esta pequeña reunión campestre era cada vez más interesante, minuto a minuto. Todo el mundo sabía que a Robert no le gustaba airear su amor por la música.

—Tu esposa me lo pidió, por consiguiente no pude negarme. Creo que Brianna está esforzándose al máximo para que esto sea un éxito sonado —levantó una ceja—, y acabamos de comentar lo difícil que me resulta negarle algo a una dama preciosa.

En cuanto Robert se marchó, Colton se volvió hacia Damien. Bonham también parecía intrigado.

—¿Qué diablos está pasando?

Su hermano rió con su mesura habitual.

—Digamos que tengo una teoría interesante, y dejémoslo ahí, ¿de acuerdo?

A Brianna le desagradaban las reuniones con el día entero organizado de antemano, de modo que dejó las tardes libres a sus invitados, ofreciéndoles la posibilidad de dar largos paseos por la propiedad, cabalgar por el campo, relajarse en la enorme biblioteca, o ir de excursión a las aldeas cercanas si deseaban hacer algunas compras. Ella nunca habría sugerido una búsqueda como la de esa mañana, pero la abuela de Colton había insistido y ahora Brianna estaba encantada de haber aceptado. Para empezar, todo el mundo se había apuntado con alegría y desenfado, y ella consiguió pasar cierto tiempo con su marido durante el día, lo cual era inusual.

Arabella, Rebecca y ella habían buscado refugio en su salita. Al menos no estaba decorada a base de innumerables florituras de encaje. Más bien tenía el aire de un elegante salón estilo Luis XIV, con mobiliario francés antiguo y las paredes tapizadas de seda. La gama de tonos, amarillo y crema, era relajante, y ella había decidido adoptarla en su dormitorio. Pero estaba convencida de que Colton insistiría en volver a Londres en cuanto los demás se fueran, y aunque la señora Finnegan podía sin duda supervisar los cambios, ella pensó con un suspiro que le habría encantado ocuparse en persona.

—La verdad es que estamos teniendo un tiempo mucho mejor de lo previsto, Bri. —Arabella, radiante con su vestido de espigas de muselina, sostenía su copa de jerez con gesto refinado—. Todos lo han comentado.

—Es una suerte, estoy de acuerdo —asintió ella—. Qué deprimente habría sido si todos nos hubiésemos visto obligados a estar siempre dentro.

—Y está claro que entre lord Emerson y Belinda Campbell ha surgido un interés mutuo. Eso es un gran éxito para toda anfitriona. —Rebecca sonrió. Sus palabras eran irónicas, pero el gesto de sus hombros indicaba cierta tensión.

Brianna imaginaba a la perfección a qué se debía.

—La verdad, Beck, es que jamás se me habría ocurrido que

tu madre decidiría que Damien y tú hacéis buena pareja. No es que no sea un buen partido, pero es obvio que la situación te incomoda. Haré todo lo posible para que no te emparejen con él a todas horas.

—Él me agrada, el problema no es ese. —Rebecca hizo una mueca—. Pero es muy molesto que te coloquen ante sus narices a todas horas.

—Además —dijo Arabella con una mirada compasiva—, ¿no va a regresar a España? Sería horrible que os cogierais cariño y él tuviera que volver a la guerra.

—No creo que mis padres piensen en otra cosa que no sea su fortuna y un futuro título nobiliario. —Rebecca dirigió la vista hacia la ventana. En su adorable rostro había una expresión melancólica—. A medida que pasan los días, toman menos en cuenta mis sentimientos.

A Brianna le vino a la mente la confesión que Rebecca le había hecho días atrás en Londres, en la sala de música de los Marston.

«… Estoy enamorada… él no es apropiado…»

Y dijo por un impulso:

—¿No podríamos ayudarte Bella y yo de algún modo? Pareces tan triste a ratos. Opino que deberías contarle a ella lo que me dijiste. Entre nosotras tres nunca ha habido secretos. Puede que hablar de ello mejore las cosas.

—¿Contarme el qué? —Arabella frunció el ceño, desconcertada.

Rebecca se dio la vuelta y le sonrió con resignación.

—Sufro un trastorno terrible. Debe de ser una enfermedad, ¿verdad?, estar enamorada precisamente del hombre equivocado.

—¿Estar enamorada? —Arabella, atónita, repitió esas palabras como si jamás hubiera oído tal concepto—. Oh, querida. Eso es maravilloso… o no, supongo. ¿Por qué es el hombre equivocado?

—Según ella, sus padres jamás lo aprobarían —intervino Brianna.

—¿Por qué no? A menos que sea un mozo de establo... ay, no lo es ¿o sí? —Arabella parecía tan confusa como Brianna cuando supo por primera vez del problema.

Rebecca negó con la cabeza.

—Ambas sois maravillosas, en todos los sentidos, pero no puedo decíroslo.

Brianna y Arabella intercambiaron una mirada. Si Rebecca no se hubiera secado con un gesto furtivo una lágrima solitaria del rabillo del ojo, Brianna tal vez habría olvidado el asunto. En lugar de eso, dijo con empeño:

—Siempre hemos respetado tu intimidad, Beck, ya lo sabes. Tal vez la situación no es tan horrible como crees. Confía en nosotras.

—No es un problema de confianza, ni mucho menos, pero es complicado. —Suspiró y se apartó un mechón de cabello del cuello con la mano—. Complicado y sencillo a la vez. Mis padres exigen que me case esta temporada, y nadie puede culparles. En su favor hay que decir que no tienen ni idea de lo que pasa realmente. Solo piensan que en este asunto soy muy tozuda. Supongo que debería haberle dicho que sí al marqués el año pasado. Él habría sido... aceptable.

Aceptable. Brianna pensó en sus sentimientos hacia Colton. ¿Quién quería un marido aceptable, sobre todo cuando amaba con pasión a otro?

—Y ese hombre misterioso, ¿siente también algún interés por ti?

—Creo que es posible que el interés sea recíproco, pero el sentido común me dice que no pasará de ahí. Debo ser una especie de capricho pasajero, si es que soy algo.

—Tal vez lady Rothburg pueda ayudarte, como ya te dije —apuntó Brianna.

Arabella se echó a reír, sin dar crédito.

—Cielo santo, Bri, no me digas que aún conservas ese escandaloso libro.

—Claro que lo tengo —Brianna sonrió con obstinación—, y te aseguro que es fascinante. Lo he leído de principio a fin.

—Y yo te aseguro que una mujer respetable no debería mirarlo siquiera.

—Resulta que, de vez en cuando, es divertido no ser respetable. —Brianna pensó que ahora su marido era mucho más ardiente. Ya no reprimía la pasión. La última vez que había acudido a su lecho, ella no había hecho nada para provocarle, y él no solo había olvidado el ritual de bajar las luces, sino que la había cogido en brazos y casi la había arrojado sobre la cama como si fuera incapaz de esperar.

Eso era exactamente lo que ella quería. Esa sublime conciencia de su propia sexualidad como mujer, no solo como esposa. Como una mujer que podía y quería complacerle.

Y disfrutar ella también, como estaba empezando a descubrir. La experiencia mejoraba no solo para Colton. Miró de reojo a Arabella, también recién casada.

—Sabes, a lo mejor tú también te beneficiarías del libro. Es bastante instructivo. Ojalá lo hubiera leído antes de... bueno, ya sabes, antes.

Las mejillas de Arabella se tiñeron de rosa ante esa alusión a la noche de bodas.

—¿Me habría ayudado? Quiero decir, no es que fuera algo terrible ni nada por el estilo. Andrew fue muy comprensivo y gentil, pero yo tenía unos nervios espantosos. Ahora va bien.

—Esa es la cuestión. —Brianna tenía la sensación de que ella también se estaba ruborizando—. Puede ir mucho, muchísimo mejor que bien —miró a Rebecca—, y en el libro no habla solo de temas íntimos, Beck. Lady R dedica un capítulo entero a cómo hacer que un hombre que se muestra reacio dé la talla. En realidad yo, como mujer casada, no necesitaba leerlo, pero es tan fascinante que no pude evitarlo. Lady R tiene experiencia personal sobre cómo llamar la atención de cualquier caballero que una desee. Afirma que obtuvo un éxito total en sus objetivos usando determinadas técnicas.

—La verdad es que después de todo, confiaba en que me prestaras el libro. —En la voz de Rebecca había un leve temblor—. Tal vez si lo intento... mis padres se horrorizarían, pero he llegado a la conclusión de que si no hago algo pronto, me veré obligada a aceptar la proposición del hombre que elijan ellos y no yo.

—Yo creo que es una idea excelente. Como ambas sabéis, tengo mucha fe en los métodos de lady R. —Brianna se levantó—. El libro está en mi habitación. Voy a buscarlo.

Entró en su alcoba, cogió la llavecita dorada del tocador y sacó de la parte inferior del armario una vistosa cajita antigua que había pertenecido a su abuela, a quien le habría escandalizado sobremanera su contenido actual. El volumen descansaba sobre un terciopelo descolorido, como una joya valiosa, al menos así era como Brianna veía esa posesión prohibida. Tenía una sencilla cubierta de piel con letras escarlata en relieve y las páginas muy gastadas. Brianna se había preguntado más de una vez sobre la anterior propietaria o propietarias. Tenía la certeza de que lady Rothburg había ayudado a muchas mujeres antes que ella. De no ser así, seguro que el ejemplar habría sido destruido en lugar de abrirse camino hasta aquella pequeña librería polvorienta.

Brianna volvió y le entregó el libro.

—Prueba con el capítulo titulado «Nunca olvides que tú sabes mejor que él lo que quiere».

Rebecca irguió la columna y observó la cubierta.

—Ojalá supiera lo que quiere él. Sé muy bien lo que no quiere mi padre, pero he estado pensando… la verdad es que no he pensado en otra cosa últimamente. —Su rostro adoptó un aire decidido—. He llegado a la conclusión de que lo que yo quiero ha de tener algún valor. Al fin y al cabo, son mi vida y mi felicidad las que están en juego.

Brianna comprendía muy bien ese sentimiento. Por eso ella había adquirido el libro en un principio.

—Puede que sus consejos sean poco convencionales, te lo advierto Beck, pero confía en que lady R te ayudará.

12

Cuanto más se esfuerce él en seduciros, más debéis creer en su sinceridad.

Del capítulo titulado
«Si eso no es amor, ¿qué es?»

Aprimera hora de la tarde hacía calor en el salón barroco. O quizá, admitió Robert para sí, estaba nervioso. No mucho, pero lo suficiente para que le molestara la corbata, aunque se la había ajustado dos veces. Tocar para un grupo, aun para el reducido número de invitados de Brianna, no era algo que aceptara muy a menudo. En ocasiones tocaba para la familia y lo había hecho, a petición de su abuela, en la íntima y discreta boda de su madre con su conde italiano. Lázaro había escogido a Vivaldi, por supuesto, y eso complació a Robert, pues el maestro italiano era uno de sus favoritos. Y después, cuando su madre, con aquel traje nupcial que la hacía parecer tan joven y encantadora, se le acercó con lágrimas en los ojos y le abrazó emocionada, incluso a él se le empañó la vista. Porque la quería y era conmovedor verla feliz de nuevo tras la devastadora muerte de su padre.

—Imaginad al conquistador más famoso de Londres, un verdadero imán para el escándalo, famoso por su afición a las damas encantadoras y a los juegos de azar, interpretando un dúo con una señorita joven y virginal durante una fiesta campestre, solo para complacer a su cuñada.

El cáustico comentario hizo que Robert mirara de reojo a su hermano, que se había acercado para colocarse a su lado.

—Nadie lo creería, así que estoy bastante convencido de que mi fama seguirá intacta.

Damien tenía una expresión inocente, pero eso no era nada nuevo.

—A mí mismo me cuesta creerlo. Dime, ¿hay algo en ese par de ojos color de aguamarina que motive que te hayas vuelto tan pródigo con tu talento? Brianna me dijo que estaba encantada de que Rebecca hubiera podido convencerte para que tocaras. Oí perfectamente que le hacías creer a Colton que su esposa te lo había pedido. De hecho, mentiste como un bellaco, y eso no es propio de ti. Ni tampoco tocar en público. Te lo pregunto, ya que la deliciosa señorita Marston es un denominador común en ambas situaciones.

Eso se acercaba demasiado a un territorio incómodo, y Robert lanzó una mirada torva a su hermano.

—¿No te basta con utilizar el ingenio para combatir a Bonaparte? Estoy convencido de que mi vida privada no puede compararse con intrigas de esa categoría.

—Por desgracia, Bonaparte está muy lejos. Tú, en cambio, estás aquí. —Damien hizo un ruidito con los dientes, parecido a una carcajada.

El problema era que en ese par de ojos aguamarina había algo que impulsaba a Robert a hacer cosas irracionales, tales como corretear por los jardines a la luz de la luna. Diantre.

Olvidó esas cuitas mientras los invitados ocupaban sus asientos, dispuestos en una esquina del gran salón, alrededor del estrado donde estaba el pianoforte. Tenía que interpretar esa pieza endemoniada porque le había dado su palabra a Rebecca, pero se alegraba de que le hubiera aconsejado que la ensayara antes. Era una composición desconocida y por eso mismo intrigante.

La partitura que uno de los lacayos le había entregado por la mañana estaba escrita a mano. Sin duda era una transcripción en la que no se había anotado el nombre del compositor cuando se copió. Se lo comentaría a ella en cuanto terminara la breve audición. Las notas tenían una cualidad, perturbadora diría, que le había sorprendido, pues eran suaves y sin embargo potentes, líricas y conmovedoras. Robert estaba convencido de que no la había oído nunca y eso que tenía un repertorio amplio, así que era extraño. El estilo era único, preciso, brillante.

—Ella tiene un encanto extraordinario esta noche, ¿no te parece? —Fue una simple pregunta, una observación.

—Sí. —Robert deseó que su voz sonara natural, pero tuvo la sensación de que no lo lograba.

Rebecca entró en la estancia con sus padres, por supuesto. Al verla, él se quedó paralizado y se hizo a un lado un momento, incapaz de moverse. Iba peinada con un ligero recogido, de modo que unos cuantos tirabuzones estratégicos bailaban sobre la silueta de su cuello ingrávido. La tela del vestido era como un tul plateado y el escote, a la moda, quedaba justo a la altura de su opulento busto. Caminaba discreta entre su padre y su madre, y esta última le dijo algo a lo que respondió con un leve gesto de asentimiento. Luego fue hacia el estrado, se sentó al piano y recorrió la sala con la mirada hasta que le localizó, allí de pie junto a Damien.

Era un poco difícil pasar desapercibido con un violonchelo a cuestas, aun estando inmóvil en el umbral. Robert inclinó la cabeza, no para indicarle que la había visto entrar, sino a modo de homenaje a su espectacular belleza de esa noche.

Aunque eso no hacía falta que Rebecca lo supiera, ¿verdad?

Ella le respondió con una sonrisa indecisa que le impulsó a maldecir en voz alta, algo que los invitados que abarrotaban el salón de su cuñada no considerarían de buena educación probablemente. Y pensando en su propio bien, Robert concluyó que estaba empezando a sentir una admiración excesiva por esa sonrisa, como un pretendiente arrobado que fuera a escribir un libro entero lleno de odas y demás ripios a la curva exquisita de esos labios.

Había llegado el momento de acabar con eso.

Cruzó el salón y entre el público se hizo el silencio. En algunos casos, supuso Robert, fue porque se disponían a escuchar con educación, pero la mayoría se habían quedado atónitos al ver que iba a tocar. Miró a su alrededor para asegurarse de que las damas ya estaban sentadas y ocupó la silla que le habían asignado.

Diablos, estaba lo bastante cerca de ella como para aspirar la estela de su perfume.

Colocó de inmediato en el atril la partitura que le había enviado, probó el arco del violonchelo, y miró a Rebecca para indicarle que estaba preparado. Ella levantó sus delicadas manos e inspiró.

Y empezó a tocar.

Al cabo de dos compases él se dio cuenta de la magnitud de su anterior insulto. Rebecca tocaba con la sutileza de un ángel, y la belleza de las notas hizo que la reducida audiencia desapareciera por completo en un segundo plano. Robert esperó con el arco levantado el momento de entrar, y cuando brotó de las cuerdas de su instrumento el primer acorde, suave y melodioso, tuvo que admitir que se sintió transportado a un lugar donde nadie más escuchaba, nadie más respiraba el mismo aire, nadie más existía, salvo la mujer que estaba a su lado y la música que ambos compartían.

No se había dado cuenta de que la pieza estaba llegando a su fin hasta que una última nota vibrante enmudeció. Robert dejó de observar la partitura que tenía delante y volvió la cabeza para ver a Rebecca, inclinada todavía sobre el teclado, muy quieta, con la expresión de alguien que estuviera soñando. Entonces el público estalló en rotundos aplausos y elogios, y todo terminó.

Ahora podía huir, y ello debería llenarle de alegría.

No fue así. Prefería seguir sentado y volver a tocar.

Pero solo habían acordado una pieza, de modo que se levantó, se inclinó cortés ante la mano de Rebecca, y como la verdad es que no se le ocurría nada que decir, abandonó el estrado y fue a ocupar su lugar entre el público.

Por desgracia la butaca libre estaba al lado de la menor de las señoritas Campbell, que aplaudió y sonrió radiante cuando Robert se sentó.

—Excelente, lord Robert. No tenía ni idea de que tocara usted tan bien —cloqueó—, de hecho no tenía ni idea de que supiera tocar.

«Que Dios me proteja de féminas con la risa floja.» Robert sonrió y se dispuso a escuchar cuando Rebecca inició otra pieza.

Tampoco reconoció esa sonata. Ni la siguiente. Hacia el final, ella interpretó algo de Mozart y Scarlatti, pero la mayor parte de la actuación constó de obras que no había oído nunca. Toda su actuación fue brillante.

Al acabar, ella se levantó y se ruborizó ante la entusiasta respuesta, y llegó el momento de que todo el mundo pasara al comedor. Robert se vio obligado a acompañar a la señorita Campbell, que se quedó de pie mirándole expectante.

Entonces, para empeorar aún más las cosas, vio que le habían sentado en aquella mesa inmensa junto a la madre de Rebecca. Debería parecerle gracioso que lady Marston disimulara tan mal el desagrado que él le producía, pero por alguna razón le molestó muchísimo. Ella elogió a regañadientes su actuación, y el asombro que había en su voz reflejó con toda seguridad lo que Robert tendría que oír en cuanto volviera a Londres.

Cuando él comentó el extraordinario talento de Rebecca, ella hizo un gesto desdeñoso.

—No es más que un pasatiempo, por supuesto. Todas las jóvenes bien educadas deben tener cierta destreza musical.

—¿Cierta destreza? —se le escapó sin pensar, como una protesta velada. Tal vez fue la copa de vino que acababa de apurar de un solo trago—. Madame, su hija tiene tanto talento como belleza. El compositor lloraría de felicidad si oyera una ejecución tan elocuente de su obra.

Habría sido mejor que no mostrara tanta vehemencia, pero la indiferencia de aquella mujer le molestaba. Entonces la madre de Rebecca le dedicó una mirada fría y suspicaz, como si de pronto le viera no solo como un joven de reputación dudosa, sino como un auténtico peligro potencial. Robert tuvo que plantearse qué le habría contado exactamente su marido.

—Gracias, milord. Transmitiré a mi hija sus alabanzas a sus dotes con el piano —murmuró ella.

En otras palabras, él no debía decírselo a Rebecca en persona. «¿Qué diantre esperabas?», se dijo. Aun en el caso de que sir Benedict tuviera una relación cordial con él, la mitad de los buenos partidos de Londres habían pedido la mano de Rebecca y habían sido rechazados. Era obvio que sus padres eran selectivos, y debían serlo. La señorita Marston poseía todo lo que un hombre deseaba en una esposa. Belleza, porte, talento. Y además estaba esa sonrisa seductora, inconsciente...

Si un hombre deseaba una esposa.

Pero eso no tenía importancia. No era su caso. No en ese momento, no a su edad, no cuando era dueño de su vida.

Él no lo deseaba.

¿O sí?

Robert había desplegado un atractivo demasiado pecaminoso, demasiado cercano ante aquel grupo de personas tan reducido, demasiado él.

Rebecca seguía oyendo el sonido cadencioso de su música, interpretada por primera vez por otra persona, veía los dedos largos de Robert acariciando con sensibilidad las cuerdas del violonchelo, la expresión de intensa concentración de su rostro, el recorrido de su arco.

Otra persona interpretando su música. No una cualquiera: Robert. Por muy difícil que fuera su condición de enamorada, al menos conservaría siempre la dicha secreta de haberle oído interpretar sus notas, de saber que había compartido con ella algo tan personal, tan íntimo. En cierto modo, Rebecca se sentía como si fueran amantes.

Porque estaba claro que él amaba la música. Lo llevaba escrito en la cara, en sus cautivadores ojos azules, en su postura y en el estilo bellísimo con el que había tocado.

¿Y si lo hubiera captado desde la primera vez que le vio? Tal vez esa comunión insólita y enternecedora era lo que la había atraído del notorio Robert Northfield desde el principio.

Antes de la audición había estado prendada. De su atractivo físico, de su sonrisa perturbadora, de ese aire de seguridad y sensualidad varonil.

Pero ahora, a través de la música... su segunda pasión... estaba en verdad perdida.

Rebecca tenía el libro en la mano, sin abrir todavía. Vestida con el camisón y la bata y sentada a los pies la cama, se dispuso a leer bajo la luz tenue del candil. Acarició con cautela la delicada cubierta de piel de *Los consejos de lady Rothburg*, la abrió y eligió un pasaje al azar de la mitad del libro. Quizá esta era la única posibilidad que tenía de vivir un verdadero romance.

...no es tan delicado, sino más bien sumamente sensible. Tomad las bolsas de sus testículos en la mano con delicadeza, y acariciad con suavidad la piel que hay detrás con un roce del dedo. Os prometo una reacción de lo más satisfactoria a esa caricia...

Rebecca reprimió un jadeo y cerró el libro de golpe. La había sobresaltado alguien que llamaba a la puerta de su dormitorio. Levantó la vista hacia el recargado reloj sobre la repisa de la chimenea, y escondió a toda prisa el ejemplar bajo la almohada, preguntándose quién deambularía por los pasillos a esas horas. Su doncella ya se había retirado, así que se ató el cinturón de la bata y fue a abrir.

A Dios gracias se trataba de Brianna, ataviada aún con su elegante traje de noche.

—Confiaba en que todavía estuvieras despierta.

—Sí, estaba leyendo. —Rebecca rió con cierta timidez y se tranquilizó. A ella jamás se le habría ocurrido tocar los genitales de un hombre... y estatuas griegas aparte, ni siquiera había visto nunca un hombre desnudo... y Dios del cielo, ¿el resto del libro era igual?

—Ya veo. —Brianna hizo una mueca irónica—. Eso explica el aire de culpabilidad, supongo. ¿Puedo entrar un momento? Te prometo que no me quedaré mucho rato.

—Claro que puedes. —Rebecca, siempre encantada de la compañía de su amiga, se apartó para invitarla a entrar. De niñas eran inseparables y a menudo iban a pasar temporadas a casa de la otra, sobre todo en verano. A veces la institutriz les daba clase a las dos juntas, lo cual fue una gran ventaja para Rebecca, pues la señorita de Brianna venía de una familia de melómanos, y le había enseñado no solo a tocar, sino también algo de teoría musical y aspectos más técnicos. Rebecca había suplicado un profesor de música para ella sola, en cuanto la señorita Langford ya no pudo enseñarle nada más. Sus padres se mostraron encantados de proporcionarle uno, y satisficieron su amor por algo que ellos consideraban que toda damisela bien educada debía conocer. No se alarmaron hasta que Rebecca empezó a dedicar más y más horas cada día, no solo a interpretar música, sino a componer.

Las jovencitas debían ser capaces de interpretar una melodía bonita, pero solo los hombres componían música. Esa era la opinión de sus padres. La consideraban una tarea intelectual, poco apropiada para las capas más altas de la sociedad. Los compositores eran como los pintores y escultores. Puede que su oficio fuera de índole artístico, pero exclusivo de la clase trabajadora.

Brianna entró y se sentó en la cama. Parecía esa cría traviesa que Rebecca recordaba de la infancia, con esa expresión en la cara que significaba que se había salido con la suya en algo que tal vez sus padres no aprobarían.

—Bueno, ¿cómo estás? Ha sido un éxito. A todo el mundo le encantó tu actuación de esta noche. Estuvieron hablando de ello durante toda la cena, y más de uno me ha dicho que te pidiera que vuelvas a tocar para nosotros.

—¿Ahora viene cuando dices «ya te lo dije»? Supongo que estás en tu derecho. De no haber sido por ti, Bella y tú seguiríais siendo mi público cautivo. —Rebecca se inclinó y le dio a su amiga un abrazo fugaz y rotundo—. Gracias.

—No me lo agradezcas a mí. ¿Cuántas anfitrionas pueden decir que la brillante Rebecca Marston actuó durante su reunión campestre con un éxito estupendo? —Brianna sonrió—. Es un auténtico golpe maestro. Soy yo quien está en deuda contigo. Por otro lado, ¿cómo diantre conseguiste que Robert aceptara acompañarte? Es un acontecimiento digno de aparecer en los libros de historia. Imagino que en cuanto la noticia llegue a Londres, os agobiarán con peticiones a los dos.

A los dos. Como si fueran una pareja. No era más que una ilusión, pero a Rebecca le gustó cómo sonaba.

Se sentó junto a Brianna y se echó a reír.

—Utilicé un método de eficacia probada. La culpabilidad. Él hizo el comentario, que yo comparto en secreto, de que no debería permitirse que las jovencitas profanen la música en público. Cuando le expliqué que la intérprete era yo, se quedó horrorizado al ver que había metido la pata. Y yo, sin el menor escrúpulo, le obligué a que aceptara tocar en dúo como castigo.

—Bueno, a mí me pareció espectacular. —Brianna le acarició una mano—. Perfecto. Colton dice que Robert prefiere mantener en secreto sus dotes musicales, así que te agradezco ese pequeño chantaje.

—Robert es muy buen músico.

—Sin duda. No es algo que una espere de un hombre con su… bien, digamos que su reputación se debe más a dotes relacionadas con otro tipo de disciplinas —dijo Brianna con franqueza—. Robert tiene más talento de lo que parece a primera vista, como ha demostrado esta noche. Es amigo de sus hermanos y se nota que quiere mucho a su abuela. Bromea con ella a todas horas y ella le mima a su manera, con ese aire digno.

Lo último que Rebecca necesitaba era que alguien exaltara las virtudes de Robert. Volvió al tema de su música.

—Me encantaría volver a actuar, pero es probable que tenga que prometerles a mis padres que me ceñiré a Mozart y a Bach. No sé si él se dio cuenta de cuántas piezas había compuesto yo, pero mi padre sabía que algunas eran mías. Noté cierta mirada de desaprobación durante la cena.

Era fastidioso que, a punto de cumplir veintiún años, aún tuviera que responder ante él de casi todas las decisiones que tomaba en la vida, pero así eran las cosas para todas las jovencitas de su clase social. Del padre al marido, siempre a merced de un varón dominante. Ni siquiera Brianna, con el prestigio de ser la esposa de un acaudalado par del reino, tenía verdadera independencia. Aunque ella confiaba en lo que su marido le había dicho recientemente, sin ningún motivo aparente, sobre que dejaría de controlar sus gastos y que podía utilizar su asignación como quisiera.

—Yo no quiero ser causa de ningún conflicto, así que toca lo te apetezca. —Brianna se levantó y bostezó—. Ay, querida, estoy muy cansada estos días. Debe de ser el aire del campo. Esta tarde, después de charlar contigo y con Bella hice una siesta. Me sorprendió mucho porque solo pretendía tumbarme a descansar un poco. No sé por qué, pero nunca he sido capaz de dormir durante el día. Creo que será mejor que te dé las buenas noches.

—Imagino que tu marido estará encantado con tu compañía. —Rebecca sonrió.

—Eso espero. —Brianna le devolvió la sonrisa con un destello risueño en los ojos—. La verdad es que me esfuerzo para que siga siendo así.

—Si el duque se enterara de que compraste ese libro…

—No lo sabrá. ¿Por qué iba a enterarse? Y además, ¿no es maravilloso?

Rebecca, que solo había tenido la oportunidad de leer ese párrafo escandaloso, contestó con una evasiva:

—Yo solo digo que no lo aprobaría.

—Colton a veces es un poco impetuoso, pero me niego a preocuparme por las consecuencias de haberlo comprado —le dijo Brianna—. Nos veremos mañana.

En cuanto salió, Rebecca cerró la puerta con llave y recuperó el libro. Se apoyó en las almohadas, abrió con cautela el pequeño ejemplar, y fue directa al capítulo que le había sugerido Brianna.

Mis queridas lectoras, ¿dudáis del interés del hombre a quien habéis decidido obsequiar con vuestras atenciones? Si es así, este fragmento os resultará muy instructivo. Hay varias formas de medir el interés de un hombre concreto por vuestros encantos, siempre que una sea consciente de ellos. Detectar una mirada desde el otro extremo de la sala, un examen pormenorizado del busto, determinada calidez en sus ojos. Se trata de matices sutiles, por supuesto, pero es posible realizar una comprobación más práctica.

Para este experimento necesitaréis tres elementos esenciales. El primero es el intelecto. El segundo la feminidad. El tercero, y más obvio, un momento de privacidad con el objeto de vuestro interés.

En resumen, necesitáis un plan para estar tan cautivadoras como sea posible y para aseguraros un lugar clandestino donde llevar a cabo la prueba de su posible afecto hacia vuestra persona.

Es necesario también decidir de antemano vuestro grado de determinación. ¿Qué es lo que queréis de ese caballero? ¿Deseáis simplemente convertiros en su amante? ¿Ser su querida, que os cubra de regalos y que satisfaga vuestros caprichos? ¿O tenéis pensada una relación más estable?

Esto último, dependiendo del varón en cuestión, es más difícil, pero casi nunca imposible.

Cielos. Rebecca confiaba en que esa mujer tuviera razón. Pasó la página y el mero crujido del pergamino provocó que echara un vistazo a la habitación con expresión culpable. Puede que Colton desaprobara que Brianna hubiera comprado el libro, pero Rebecca sabía que sus padres sufrirían un desmayo mortal si descubrieran que lo tenía. No habría forma de justificarlo. Ninguna en absoluto. Se indignarían y con razón, considerando el par de frases que había leído antes. Al menos este capítulo parecía menos escandaloso.

De vosotras dependen las circunstancias que os aseguren una atención exclusiva por su parte, pero debéis estar a solas con él. De ese modo, la situación irá en vuestro favor. Si él aprovecha el momento e intenta seduciros, habréis conseguido el objetivo muy fácilmente. Si no lo hace, debéis ser creativas y convencerle de que lo desea. No seáis tímidas a la hora de utilizar vuestros encantos para controlar la situación. Al fin y al cabo, cuando un hombre conoce a una mujer lo primero en lo que se fija es en su aspecto. Eso no significa que debáis ser bellas para atraer su atención, pero la sinceridad me obliga a recordaros que lo que os atrae es el hecho básico de que es hombre y vosotras, mujer. Es una cuestión de lógica.

Los hombres desean a las mujeres. Oh, sí, las mujeres también desean a los hombres, pero nosotras adoptamos una actitud mucho más sutil. Donde ellos persiguen nosotras fingimos. Donde ellos agarran nosotras acariciamos. Ellos necesitan, nosotras queremos.

Se trata de una danza natural y muy bella, y la civilización propia de nuestra época no hace más que añadirle misterio. Enmascaramos nuestros movimientos seductores con la educación y con un protocolo sin sentido que en realidad no engañan a nadie. Es algo básico, algo inevitable, y para las mujeres de nuestro tiempo todo ello no nos aporta más que ventajas. Los hombres nos adoran, y en nuestras manos está decidir hasta qué punto incrementar dicha consideración. En cuanto sepáis que un hombre está interesado, no esperéis que actúe él. Tomad el mando al instante. Al fin y al cabo, ya sabéis lo que quiere.

¿Mujeres de nuestro tiempo?

Rebecca dejó el libro, bastante sorprendida. Ella siempre había considerado que su posición en la vida le otorgaba muy poca libertad, pero tal vez la autora tuviera razón. Robert sabía muy bien que no podía perder el tiempo con ella de un modo frívolo. De manera que debía encontrar la forma de convencerle de que un enlace de carácter permanente sería una ventaja para ambos. Si no hacía algo, acabaría casada con otro hombre.

Rebecca había estado esperando que él diera el primer paso, pero ¿por qué tenía que ser así?

Por lo visto necesitaba estar a solas con él y limitarse a ver qué pasaba. Aquella noche en el jardín Robert tan solo la había ayudado a huir de lord Watts, pero la otra noche después de cenar, en la terraza, ella había notado algo distinto en él. Cierta tensión bajo su habitual encanto natural, sobre todo cuando estaban de pie junto a la balaustrada, hablando.

«... determinada calidez en sus ojos...»

Tal vez ella había visto justo esa calidez.

Rebecca estaba empezando a permitirse la esperanza de que fuera cierto. Después de la audición que ambos habían ofrecido esa noche, él la había evitado. Ella había esperado con ansia que él hubiera ido en su busca más tarde, y le comentara algo sobre la música y el dúo. Todo el mundo lo había hecho... menos él. Eso era muy inusual en un hombre que solía ser de una educación exquisita.

Seguro que era buena señal que no confiara lo suficiente en sí mismo como para hablar con ella delante de los demás. ¿Qué pasaría si estuvieran solos?

Puede que lady R, como la llamaba Brianna, fuera un genio.

13

En mi opinión, las mujeres aman con más intensidad y los hombres con mayor vehemencia. ¿Cuál es la diferencia? No sé cómo definirla.

Del capítulo titulado «El misterio de todo ello»

*E*ra un mal momento para ponerse enferma, pensó Brianna tendida en la cama con tristeza, al ver que la luz del sol entraba a raudales en toda la habitación. Incluso el aroma de las flores frescas del jarrón que había junto al lecho era empalagoso y abrumador. Claro que la reunión estaba a punto de terminar y que los invitados se marcharían a la mañana siguiente, pero ese día era el cumpleaños de Colton y ella planeaba darle su regalo sorpresa aquella noche. No era la velada apropiada para tener molestias de estómago.

Esta sensación de mareo no era propicia para el romance.

—Solo un té caliente y una tostada —le dijo a su doncella con una sonrisa desvaída, mientras se incorporaba y apoyaba la espalda en las almohadas—. Y me gustaría bañarme.

—Por supuesto, excelencia. —La muchacha hizo una reverencia y salió a toda prisa.

Al cabo de una hora ya estaba mucho mejor y se sintió aliviada. La tostada le había sentado bien, aunque lo dudó por un momento, hasta que el té le alivió las náuseas. Tenía pensado prescindir del paseo a caballo junto al río, y del picnic que había organizado con todo detalle, pero al final se puso el traje de montar. La fiesta era para su marido, y ya que había organizado todo aquello en su honor, estaba decidida no solo a disfrutar del día, sino a asegurarse de que todo saliera como había pensado.

En especial esa noche.

Si se atrevía.

Lady Rothburg había sido una fuente de sabiduría hasta el momento, así que aunque seguir sus consejos pudiera parecer perverso, tenía la intención de ofrecerle a Colton cualquier cosa que le hiciese disfrutar.

Brianna se ajustó el sombrero, observó su imagen en el espejo con aire de aprobación, pues el azul oscuro del traje de montar hacía juego con sus ojos, y bajó la escalera. Le sorprendió ver a Colton en los establos charlando con uno de los mozos y con su enorme caballo cepillado, ensillado y listo.

Cuando se acercó él se dio la vuelta. Tenía el cabello castaño un tanto alborotado por la brisa y le lanzó una mirada con sus ojos azul celeste. ¿De aprobación? No estaba segura. Nunca era fácil interpretar la expresión imponente e impasible de su marido.

Brianna siempre lo consideró atractivo, pero esa mañana estaba impresionante. Iba vestido para montar a caballo como un propietario rural. Sin corbata, con el cuello de la camisa blanca desabrochado, una chaqueta azul oscuro que combinaba muy bien con el conjunto que lucía ella, y unos pantalones de paño ajustados, metidos dentro de unas botas muy gastadas, pero aun así relucientes. Ella, ruborizada por algún motivo, le dijo con voz entrecortada:

—Buenos días.

—Buenos días. —Él contempló su atuendo—. Estás preciosa querida, como siempre.

Ahí estaba otra vez, la misma mirada que le había dedicado varias veces últimamente. Para ella era un misterio, como si la juzgara de un modo que no conseguía descifrar.

—Gracias —murmuró—, reconozco que no esperaba que nos acompañaras.

Él respondió con un amago de sonrisa.

—Salir a cabalgar en una mañana espléndida como esta es mucho mejor que perseguir orugas errantes e indignadas y recoger palos. Además, es mi cumpleaños y me pareció que tal vez mi esposa me reprendería si me quedaba en el estudio todo el día.

Desconcertada por el tono conciliador de aquella afirmación, Brianna se mordió el labio inferior. La mayoría de los invitados ya estaban montados en sus caballos. Ella se dio la vuelta para pedir que le trajeran a su yegua, y vio con cierta sorpresa que uno de los mozos del establo le traía un caballo algo mayor y más reposado.

—Tengo entendido que esta mañana no te encontrabas bien. Hera es un poco impetuosa y pedí un animal más tranquilo —comentó Colton en un tono banal.

Brianna pestañeó, extrañada de que supiera que había estado indispuesta. No le había dicho nada a la doncella, aparte de pedirle un desayuno lo más ligero posible. Cómo demonios iba a saber Colton lo que comía, a menos que la cocinera o la camarera corrieran a informarle después de cada comida, algo absurdo. Seguro que su marido no era tan controlador.

Él le tendió la mano y la miró, expectante.

—¿Brianna?

—Sí. —Ella le tendió la mano cubierta con el guante, y dejó que la guiara y la ayudara a subir a la silla de montar. Cogió las riendas y bajó la mirada hacia su marido, un tanto confusa todavía. Colton solía ser solícito, y siempre muy educado, pero el brillo que había en sus ojos y el hecho de que se sumara al paseo la desconcertaban.

—¿Seguro que te encuentras bien para esto?

—¿Para montar? —Ella sonrió y movió la cabeza—. Claro. Por Dios, Colton, ¿por qué estás tan preocupado?

—Yo siempre me preocupo por ti, querida. —La agilidad con la que saltó sobre la silla de montar hizo que Brianna recordara el cuerpo musculoso que ocultaban esos pantalones ajustados—. ¿Vamos?

Les condujo a través del jardín y por varios caminos rurales y pintorescos. Atlético y relajado sobre su montura, conversaba con lord Emerson, pero estaba pendiente de ella en todo momento.

¿Cómo lo sabía? No estaba segura, pero lo sentía. La observó incluso mientras cabalgaba junto a Arabella.

Al notar que él estaba atento a sus palabras, Brianna dijo en voz baja:

—Rebecca no ha querido acompañarnos porque quería ensayar para esta noche. O eso dijo. Me parece que está en la sala de música, pero no tocando, sino leyendo.

Arabella ocultó una carcajada con el guante.

—Bri, eres una mala influencia.

—O buena. Tú y yo hemos tenido la suerte de casarnos con los hombres que escogimos.

—Es verdad —su amiga la miró de reojo—, y ambos están bastante guapos esta mañana, si se me permite decirlo. ¿Esperabas al duque?

—No —admitió Brianna—. Estaba segura de que después de haber sacrificado la mañana de ayer estaría demasiado ocupado. Ni siquiera le hablé del picnic.

—Pues por lo que se ve, él mismo se invitó. —En la mirada de Arabella había cierta malicia—. Solo por el placer de acompañarnos. Puede que, después de todo, esté disfrutando de los festejos.

Brianna así lo esperaba, pero con Colton siempre era difícil saber esas cosas.

Solo eran ocho, pues la mayoría de los invitados habían decidido dormir hasta tarde o aprovechar la inusual calidez otoñal para dar un paseo. A Brianna no le molestó que avanzaran a un ritmo tan pausado, pero le extrañó. Colton solía tener mucha prisa por volver a sus omnipresentes obligaciones. La verdad es que se sentía un tanto avergonzada por no haberle invitado personalmente al picnic. Ni se le había ocurrido que pudiera aceptar y creía que si le había convencido para que participara en el juego del día anterior fue porque su abuela estaba entusiasmada.

Pero él se había presentado por voluntad propia. Eso solo ya bastó para animarla, y cuando llegaron al claro del bosque donde iban a comer su enigmático marido se instaló a su lado sobre una manta, relajado y aparentemente contento.

¿Colton? ¿Contento lejos de su estudio y en un almuerzo campestre con un grupo de gente?

Eso era en verdad inusual, pero ella estaba muy contenta.

Los dos lacayos que se habían adelantado con las mantelerías y la comida les sirvieron lonchas de pollo frío, pasteles de carne, distintos tipos de queso, peras jugosas y manzanas crujientes, bajo un roble enorme. El vino blanco y el champán frío aportaron un toque festivo a la comida informal, y Brianna agradeció que siguiera haciendo buen tiempo durante tantos días seguidos, algo inusual en Inglaterra. Además de Colton y Brianna, se habían sumado a la fiesta lord Emerson y la mayor de las hermanas Campbell, también estaban Damien, la señora Newman, y Arabella y su apuesto marido, el conde de Bonham. Brianna descubrió que como había desayunado muy poco estaba hambrienta. Cuando pidió el segundo pastel de carne, Colton arqueó un milímetro las cejas, pero le pasó la bandeja, solícito.

—Están deliciosos —comentó ella a la defensiva, pero se echó a reír—. Lo ves, esto demuestra que ya estoy mucho mejor.

—Eso parece. —Él dio un sorbo de vino, y con aquellos ojos celestes semiocultos por unas pestañas demasiado largas para desperdiciarlas en un hombre, y media sonrisa dibujada en los labios, contempló cómo ella relamía sin demasiada elegancia las migas que tenía en los dedos. Hacía bastante calor y Colton, como la mayoría de los hombres, se había quitado la chaqueta, y la camisa blanca de lino de manga larga, los pantalones y las botas le daban un aire informal que aumentaba esa actitud relajada tan poco habitual en él.

Parecía feliz, concluyó Brianna, viendo las motas de luz solar que se deslizaban sobre el perfil nítido que formaban la nariz y el mentón. No, quizá eso era ir demasiado lejos, pero desde luego parecía contento y más cómodo de lo que ella le había visto jamás, salvo después de hacer el amor. Brianna dudó si comerse otra manzana, decidió que no y dijo:

—No esperaba que todo estuviera tan delicioso. Puede que sea el aire fresco lo que hace que sea todo tan bueno.

—Puede. —Colton se inclinó hacia delante y le acarició la comisura de la boca con uno de sus largos dedos, un gesto de intimidad insólito en presencia de terceros—. Una miga rebelde, querida. No podemos permitir que todos sepan de tu pasión por el pastel de cerdo.

—Yo también he comido demasiado —dijo Belinda Campbell. Era una joven bonita con unos brillantes ojos azules y una figura curvilínea—. Creo que me conviene dar un paseo.

Lord Emerson, que apenas podía dejar de mirarla, se puso de pie y le tendió la mano.

—Una sugerencia excelente. ¿Vamos?

Arabella le dio un codazo en las costillas a su marido y este reaccionó con un ligero gruñido.

—Bajemos hasta el arroyo. Hace un día espléndido y el invierno se acerca. Odio pasar meses sin salir y me niego a desaprovechar esta oportunidad.

—Entonces tendremos que pasear, no vaya a ser que en el ínterin acabes haciéndome daño. —Lord Bonham se masajeó el torso de forma exagerada.

Damien y la señora Newman decidieron volver cabalgando a la casa y en cuestión de minutos Brianna y Colton se quedaron relativamente solos. Aunque fuera imposible de creer, ella se dio cuenta de que volvía a tener sueño. Tal vez era por toda esa comida, tal vez por el vino, aunque no había bebido en exceso ni mucho menos.

—Me parece que me acuesto demasiado tarde, o puede que sea porque los festejos se están acabando y ya no me preocupo tanto por cualquier menudencia —murmuró—. Hoy me he despertado tarde y aun así juro que soy capaz de quedarme dormida en cualquier momento.

—Si tienes ganas de hacer la siesta no lo dudes. Hazla aquí. —Colton se incorporó con un movimiento ágil, cambió de posición y apoyó la espalda en el árbol—. ¿Puedo ofrecerte un sitio cómodo para dormir, milady? Mi hombro está disponible como almohada.

Brianna miró aquellos brazos extendidos sin dar crédito. Su austero marido no era partidario de las muestras públicas de afecto, y aunque los jardines de Rolthven no eran lo mismo que una calle abarrotada de Londres, tampoco estaban en la intimidad de sus aposentos.

Pero, aunque Colton actuara de modo extraño, ¿cómo iba a rechazar aquel gesto galante? Se deslizó para colocarse en su regazo. La verdad es que aquel hombre musculoso era una almohada muy agradable, se acurrucó contra él y su marido la acunó en sus brazos. Colton olía muy bien, era un olor de madera algo picante que armonizaba con aquel escenario de vegetación y árboles. La brisa soplaba sobre sus cabezas y ella dejó caer los párpados, preguntándose si se merecía aquella felicidad. Un día precioso, el abrazo firme de su marido y la caricia del aire fresco y otoñal.

El paraíso.

Colton se estaba reformando, pensó somnolienta.

Y se quedó dormida al instante.

—Espero no perturbar tu rutina habitual.

A modo de respuesta, la abuela de Colton emitió una especie de bufido impropio de una dama, aunque él nunca lo hubiera descrito en esos términos.

—Por favor, Colton, eres tú quien está siempre dedicado a asuntos de Estado y compromisos políticos, y a otras cosas que exigen tu constante atención. Sospecho que es a ti a quien perturba esta entrevista, y no al contrario.

Así era. La cabalgada matutina y el almuerzo campestre le habían robado horas de trabajo, pero la verdad es que en aquel momento estaba demasiado preocupado. Escogió una butaca que no le pareció demasiado frágil para su peso y altura, de la refinada salita de su abuela, decorada con femeninos tonos pastel.

Un retrato de su abuelo firmado por Gainsborough, en el que se apreciaban los rasgos de la familia, presidía la chimenea.

—Y dime, ¿qué te trae por aquí? —La anciana entornó sus ojos azul cielo, apoyó el bastón en la rodilla e hizo un gesto vago con la mano—. No es que me moleste, no vayas a pensar, pero me sorprende.

Rayos y centellas, esto le resultaba un tanto incómodo, pero no se le había ocurrido a quién más recurrir.

—Me gustaría hablar contigo.

—Eso ya lo imagino. —Sus ojos tenían un brillo suspicaz—. Soy vieja, pero mi cerebro todavía funciona.

Sí, funcionaba. Ella era una de las personas más inteligentes que conocía. También era una mujer. Y había tenido tres hijos. Colton tenía dos tías, una en Sussex y otra en Berkshire.

—Es sobre Brianna —dijo sin saber bien cómo abordar esa conversación, y con su abuela, nada menos.

—Una joven encantadora —afirmó ella con rotundidad—. Al principio me preocupó que fuera una de esas muchachitas consentidas con la cabeza vacía y sin un ápice de sentido común, pero es más bien lo contrario. Su belleza no supera a su intelecto. Buena elección.

Bien, lo mismo pensaba él, pero no había ido allí para que reafirmaran su criterio para elegir esposa.

—Gracias, estoy de acuerdo. No obstante…

Cuando se quedó sin habla, su distinguida abuela, con la tez arrugada, el cabello cano recogido y una mano venosa apoyada en el bastón, le observó impasible.

—¿No obstante? —repitió.

¿Cómo hacía esto un hombre? Carraspeó.

—No obstante me preocupa su salud.

—¿La de Brianna? Tiene un aspecto magnífico.

—De pronto duerme bastante y esta mañana tenía el estómago revuelto. Y también he notado algún que otro síntoma. Supongo que estoy aquí porque necesito una opinión experimentada sobre si mis sospechas son correctas o no —dijo él con cautela.

—¿Un hijo? —En los ojos de su abuela apareció un resplandor suspicaz—. ¿Tan pronto? Bien hecho.

Dios, el motivo por el que le incomodaba tanto hablar de esto era un misterio. Era un hombre casado y naturalmente su abuela sabía que tenía relaciones íntimas con su esposa, pero aun así no le resultaba fácil tener aquella conversación.

—Tiene un retraso, de eso estoy seguro. Hace bastante que... en fin...

—Que no te mantiene alejado de su lecho.

—Sí. —Le alivió no tener que entrar en detalles. Puede que fuese un duque, y que ese mismo día cumpliera veintinueve años, pero estaba claro que no era lo bastante mundano como para tener esa maldita charla—. Lo que quiero saber es si crees que tengo razón y ella está embarazada. Podría llamar a un médico, pero por lo visto Brianna no cree que haya ningún problema, y me parecería una impertinencia. En mi opinión no tiene información suficiente para darse cuenta de lo que implican la fatiga y las náuseas.

—Son unos síntomas muy prometedores. ¿Tiene los pechos más grandes, más sensibles?

Colton se negaba a comentar ese tipo de cosas.

—La verdad es que no llevo un gráfico sobre el tema.

—Podrías comprobarlo. Estoy segura de que no te supondrá un gran esfuerzo.

Colton levantó la mirada de pronto y al ver aquella mueca maliciosa, replicó con sequedad:

—Con el debido respeto, no me satisface que te diviertas a costa de mis problemas. He venido para que me aconsejes, no para entretenerte.

Ella cloqueó y golpeó la alfombra con el bastón.

—Perdona, pero no es muy habitual verte confuso. Siempre eres un modelo de compostura. No pude evitar ese último comentario, pero reconozco que no ha sido muy solidario por mi parte. Deja que te diga algo a modo de disculpa: si Brianna espera un hijo, y parece que sí, todo eso es perfectamente normal. Todos llegamos a este mundo del mismo modo. Tú la amas y es comprensible que estés preocupado, pero no te inquietes. De ser así, ella no tardará en llegar a esa conclusión por sí misma, y no la prives de la alegría de decírtelo.

«Tú la amas.»

Él abrió la boca para negarlo. Para explicar que se había casado con Brianna porque la deseaba, porque era refinada e inteligente y porque procedía de una familia impecable.

Ciertamente no fue porque se hubiera enamorado de ella.

¿O sí?

¿La amaba? Le sobrevino una abrumadora sensación de ignorancia. Por supuesto que amaba a su madre, a sus hermanos, a su abuela, pero eso era bastante distinto del amor romántico. Colton carecía de experiencias vitales con las que comparar sus sentimientos y en cualquier caso, ¿por qué un hombre debía analizar sus emociones a todas horas?

No dijo nada.

Su abuela seguía hablando.

—... debes comprender que para una mujer es muy especial poder comunicarle a su marido que ha concebido un hijo suyo. Opino que debes limitarte a esperar a que tu esposa se dé cuenta de que está embarazada y, cuando te dé la noticia, mostrarte encantado como corresponde.

—Estoy encantado —protestó él—. No necesito fingir.

—Es mejor que le ocultes tu preocupación. Ella ya estará bastante nerviosa y no hace falta que la agobies.

Él no había agobiado a nadie en su vida. Irritado, pero consciente de que se trataba de su abuela, se limitó a decir:

—No tengo intención de tratarla como a una inválida.

Aunque había disfrutado abrazando a Brianna cuando se quedó dormida después del almuerzo al aire libre; sosteniendo su peso liviano en el hombro y sintiendo la caricia de su respiración en el cuello mientras ella dormitaba. Cuando los demás regresaron del paseo, se tapó los labios con el dedo para asegurarse de que nadie la despertara, y siguió abrazándola hasta que por fin ella empezó a moverse, más de una hora después de que el resto del grupo volviera a caballo a casa.

De modo que quizá se había agobiado un poco.

Su abuela arqueó apenas una ceja canosa y siguió con el sermón:

—No lo hagas. Brianna es joven y saludable y la fatiga desaparecerá, lo mismo que las náuseas matutinas. Hazme caso. Yo he pasado por eso más de una vez.

—¿Puede montar? La acompañé con la intención de vigilarla. Seguro que en su estado una caída sería peligrosa. —Antes nunca le había preocupado su ignorancia sobre mujeres embarazadas, pero ahora prácticamente le paralizaba. No sabía cómo actuar y le molestaba sentirse perdido. Acostumbrado a tomar decisiones de peso en cuestiones de todo tipo, desde financieras hasta políticas, ahora Colton se sentía a ciegas con respecto a Brianna.

—Bueno, no debe galopar por el campo ni saltar vallas, pero un paseo agradable y tranquilo no le hará daño, hasta que se sienta demasiado incómoda para montar. Cuando llegue el momento de dejarlo ya lo sabrá.

—¿Cómo? Estoy convencido de que no tiene ni idea de que está en estado.

—Mi querido muchacho, ¿cómo crees que crían los animales? Los seres humanos todavía conservan sus instintos, aunque lo ocultemos bajo una pátina de comportamiento civilizado. Créeme, ella sabrá cómo cuidarse para estar segura de que el niño nazca sano, y lo que tú debes hacer es estar a su lado para ofrecerle tu apoyo. Déjale muy claro que si necesita cualquier cosa de ti, solo tiene que pedirla, y todo irá bien.

Todo irá bien. Eso confiaba. Por supuesto que todos los hombres deseaban un heredero, pero no había previsto sentir tanta aprensión. El parto tenía sus riesgos, y un miedo que nunca había imaginado atemperaba su alegría.

«¿Y si la pierdo?»

Su sagaz abuela pareció comprender sus pensamientos.

—Alégrate del milagro, Colton. Es natural sentir cierta preocupación, pero la mayoría de las mujeres no tienen ningún problema. Hay algunas cosas que ni siquiera la riqueza y los títulos pueden controlar. Es una lástima desperdiciar la felicidad de un día como hoy preocupándose por el mañana.

Maldición, ella tenía razón, desde luego.

Se levantó y le besó la mano.

—Gracias. Tus consejos tienen un valor incalculable.

La anciana le sujetó con sus dedos frágiles, leves y quebradizos como las garras de un pájaro, pero en sus ojos había un brillo tenaz.

—Me hace muy feliz que tengas a Brianna. Ahora lo único que debemos hacer es ocuparnos de que Robert se comprometa con esa joven y dedicarnos a Damien, aunque dudo que él coopere demasiado. Entonces podré marcharme en paz.

—Yo no tengo el menor interés en que te vayas a ninguna parte y qué demo… —Aunque estaba perplejo, se detuvo justo a tiempo—. Quiero decir… ¿de qué hablas? ¿La joven de Robert?

—La señorita Marston. Está bastante enamorado.

¿La señorita Marston? ¿La señorita Rebecca Marston, que iba acompañada de un padre manifiestamente protector y de una reputación sin mácula? Eso era imposible. Su hermano menor independiente y calavera, no.

—Me parece que estás equivocada —dijo con tino.

—¿No les viste anoche?

Él frunció el ceño.

—Sí, les vi. Tocaron muy bien juntos, pero sinceramente…

—Estoy de acuerdo —le interrumpió ella con una sonrisa—. Juntos daban una imagen preciosa, por supuesto. No sé cómo la señorita Marston logró convencerle, pero eso demuestra que tiene cierta influencia sobre él, ¿no crees?

—¿La señorita Marston le convenció de que tocara el violonchelo? —Colton meditó un momento—. Él me dijo que accedió porque Brianna se lo pidió.

Su abuela se echó a reír con ganas.

—Pues te mintió, porque yo le pregunté a tu esposa cómo había conseguido convencerle, y ella me dijo claramente que fue esa bonita amiga suya quien le convenció para que tocara delante de todo el mundo.

Faltar a la verdad no era en absoluto el estilo de Robert, y en ese momento Colton recordó que Damien había hecho algunas insinuaciones interesantes.

¿Un romance ante sus narices que implicaba nada menos que a su hermano menor, y no se había dado cuenta?

Por lo visto, necesitaba pasar más tiempo fuera del estudio.

14

Cuando vosotras y vuestros amantes estéis familiarizados con los deseos y necesidades mutuos, habrá llegado el momento de sorprenderles, de confundirles, y de hacer que sean conscientes de que solo conocen una parte de sus mujeres. Puede que cada vez que intentéis algo nuevo descubráis su deseo oculto más profundo, o satisfagáis una fantasía concreta. Porque los hombres las tienen, quizá más que las mujeres.

Del capítulo titulado
«Utilizar los secretos en vuestro provecho»

El destino debía estar divirtiéndose a su costa, pensó Robert abatido. Había hecho aquel comentario cínico sobre las señoritas torpes con el pianoforte y ahora estaba allí, escuchando una de las interpretaciones más sublimes posibles, a cargo de una jovencita muy hermosa y con un talento enorme.

No podía apartar la vista de Rebecca, inclinada sobre el teclado con el rostro sereno. Como estaba entre el público, tenía una excusa perfecta para estudiar la elegante postura de su cuerpo torneado, el perfil simétrico de su nariz, y la tersura de su cabello negro y brillante.

«Maldición.»

«Extraordinario» era la palabra que había utilizado en la

conversación con su madre. Al oír a Rebecca por segunda vez había caído en la cuenta de que eso era quedarse corto. El suyo era un don muy inusual, una habilidad única que cautivaba tanto al auditorio que se diría que todo el mundo en la sala, incluido el más ignorante y negado para la música, había dejado de respirar. Nadie tosía, ni carraspeaba, ni se movía en la butaca siquiera.

Hasta ese punto era buena.

Robert se obligó a recordar cuál era la situación real. Rebecca acabaría casándose con algún hombre muy afortunado y aunque tal vez si él lo permitía, tocaría de vez en cuando para un público reducido como el presente, el mundo nunca tendría el placer de apreciar su genialidad.

Era una maldita lástima, en opinión de Robert, pero lo cierto es que a él nadie le había preguntado su opinión sobre el tema.

Había reconocido todas las obras que Rebecca había interpretado durante la velada salvo las dos últimas. Para estas no había utilizado partituras, y su expresión pasó de serena a contemplativa, y sus manos gráciles se desplazaron sobre las teclas como si acariciaran a un amante.

Tenía que aniquilar de inmediato esa imagen tan sugerente y esa comparación, se dijo con vehemencia, cuando se puso de pie al terminar los aplausos, y se dio la vuelta sin mirar, para ofrecerle el brazo a la mujer que estaba a su lado.

Resultó que era la señora Newman, que le lanzó una mirada provocativa con los párpados entornados y le apoyó una mano en la manga.

—Ha sido bastante agradable, ¿verdad?

—Genial —dijo él con sinceridad.

—Parecía usted absorto en la interpretación.

Robert hablaba pero sabía que estaba observando a lord Knightly. Ese maldito tipo escoltaba a Rebecca, y le decía algo que la hacía reír. Se controló, atendió a lo que la mujer que llevaba del brazo acababa de decir y fingió una sonrisa, confiando aparentar indiferencia mientras pasaban al comedor.

—Me parece que todos lo estábamos.

—No tan pendientes como usted. —Ella pronunció esas palabras con delicadeza, pero le escudriñó con la mirada—. Parecía un niño frente al escaparate de una tienda de golosinas.

Robert estaba tan poco habituado a ocultar el interés —no, hasta la fecha nunca había tenido que ocultar que le interesaba una mujer—, que por lo visto no lo hacía demasiado bien.

—La señorita Marston posee una belleza poco común. Estoy convencido de que todos los hombres de la sala lo apreciaron.

Estaba convencido. Y eso le molestaba.

—Quizá sí. —Loretta Newman alzó las cejas apenas para observarle, y al llegar a la mesa, con una perspicacia mayor de la que Robert esperaba y que le sorprendió le dijo—: Va a tener usted que tomar una decisión. Me interesará ver cuál.

¿Para qué molestarse en intentar negarlo?

—A mí me interesará también —musitó, mientras le colocaba la silla.

La cena consistió en un surtido de platos aún más espléndido de lo habitual en los cumpleaños de Colton. Fue un banquete sofisticado y sin remilgos, y si Robert hubiera estado de humor para apreciarlo, habría disfrutado más. Al final comió con moderación, bebió más vino del debido y esperó con impaciencia a que todo aquello terminara. Una vez que las señoras se retiraron y se sirvió el oporto, se relajó un poco. La angustia de tener a Rebecca sentada al otro lado de la mesa, y justo enfrente por desgracia, hizo que el banquete le pareciera interminable.

Casi no participó en la conversación general, y estuvo bebiendo oporto con una avidez peligrosa. Tal vez la velada terminaría más pronto si conseguía aturdirse. Sí, puede que al día siguiente por la mañana no estuviera en forma, pero qué demonios, ahora mismo tampoco era todo sonrisas y parabienes.

Cuando llegó el momento de pasar a la salita y reunirse con las señoras, se excusó.

—Me parece que me iré a leer un rato.

—¿Leer? —preguntó Damien con una carcajada escéptica. Incluso Colton parecía extrañado. Lord Bonham levantó una ceja sorprendido.

—Por todos los diablos, a juzgar por vuestra reacción se diría que nunca habíais oído hablar de ese pasatiempo —masculló Robert—. Estoy cansado y me apetece retirarme con un buen libro. ¿Hay algo malo?

—Nada en absoluto. —Damien sonrió—. A lo mejor encuentras algo romántico en las estanterías. Algo oscuro, melodramático y gótico, acorde con la expresión fúnebre de tu cara.

A favor de Robert hay que decir que se abstuvo de incrustar el puño en la mandíbula de su hermano. En lugar de eso, giró sobre sus talones y salió dando zancadas del comedor. Por suerte, el padre de Rebecca ya había abandonado la sala y no presenció el rifirrafe. Robert tenía la sensación de que si tanto Damien como Loretta habían notado que estaba pendiente de Rebecca, quizá su padre también. Desde que sir Benedict y él habían llegado al acuerdo tácito de evitarse, no se había producido el menor comentario, pero la otra noche en la terraza, Robert había captado a la perfección el mensaje de que Rebecca era territorio prohibido.

Damien le siguió. Entró en la biblioteca unos minutos después, y al ver que Robert iba directo a la botella de coñac y no hacia las estanterías, su mirada adoptó un aire mordaz.

—Emborracharse no resolverá tu dilema.

—¿Yo tengo un dilema? —Robert vertió una dosis generosa en una copa de cristal—. Y si lo tuviera, ¿sería asunto tuyo?

Su hermano mayor cerró la puerta.

—No, supongo que no. —Damien se acercó a examinar un ejemplar y pasó el dedo sobre el lomo polvoriento—. Quizá deberías leer alguna tragedia griega. O una obra de Shakespeare. La verdad es que actúas como el personaje del enamorado infortunado de un drama.

—Ya las he leído casi todas, gracias. Creo que tú también fuiste a Eton. Y me temo que no tengo ni idea de qué estás hablando.

—Sí, allí solían incrustarnos a los clásicos en nuestros obtusos cerebros, ¿verdad?

Robert soltó un gruñido neutral. Estaba un tanto bebido,

eso era cierto. Dos buenos coñacs deberían ayudarle a poner la distancia apropiada.

—Robbie, ¿por qué no la cortejas? —Damien se dio la vuelta, meneó la cabeza y se cruzó de brazos—. Seguro que has oído hablar del cortejo. Flores, visitas a media tarde, un paseo a caballo por Hyde Park con una acompañante, tal vez un delicado poema con floridas alabanzas al exquisito color de sus ojos…

—¿Te importaría decirme a quién diantre te refieres?

Damien le lanzó una mirada de aparente conmiseración.

—Tomarla conmigo no solucionará nada y ambos sabemos de quién hablo, maldita sea.

Cierto. Robert emitió un suspiró entrecortado, y se pasó la mano libre por la cara, mientras con la otra agarraba la copa de coñac como si fuera una cuerda de salvamento.

—Yo no deseo cortejar a nadie —dijo apesadumbrado.

—Aunque eso nos lo dirá la historia, de momento te creo. —Damien escogió una butaca confortable cerca de la chimenea y se sentó. Cruzó las piernas a la altura del tobillo y frunció el ceño—. No lo deseas. Bien. Al menos estás dispuesto a admitir que lo has pensado. Es un buen comienzo. Siéntate y hablemos de ello.

—¿Hay algún motivo por el que debamos hacerlo? —No obstante Robert se dejó caer en la butaca con una expresión malhumorada y dolida—. Por si no te has dado cuenta, a los padres de Rebecca les daría un soponcio si yo mostrara el menor atisbo de interés. A su padre sobre todo.

—Ah, eres capaz de decir su nombre en voz alta y de confesar tu fascinación. Eso es un gran adelanto.

Si las miradas matasen, Damien se estaría retorciendo de dolor, pero aparentemente ese método no funcionaba.

—Quién hubiera dicho que serías tan latoso ahora como cuando tenías diez años —espetó Robert.

—Tenía once y he mejorado la técnica con la edad.

—Hay algunas cosas que no pueden mejorarse.

Damien se echó a reír.

—Eso lo reconozco. Así, dime, ¿qué problema hay entre sir Benedict y tú? Al fin y al cabo, aunque tu reputación no sea precisamente inmaculada, eres un Northfield; eres el hermano menor de un duque y tienes fortuna propia. Ella podría haber hecho una elección mucho peor. Serías una pareja muy influyente.

—Yo no quiero una pareja —replicó Robert airado, con la mandíbula tensa.

—Pero sí que la quieres a ella. Ahí radica el mencionado dilema. —Damien levantó la palma de la mano—. Asumamos, en teoría, que desearas cortejar honradamente a la bella Rebecca. Eso implicaría, por supuesto, obtener el permiso de su padre.

—No lo concedería, créeme. —Robert contempló taciturno las puntas de sus botas y luego suspiró—. Hace unos años, yo estaba en un establecimiento muy poco respetable, lleno de tipos ansiosos por beber y jugar. El sobrino de sir Benedict también se encontraba allí. Es joven, estaba borracho, y para empezar no es demasiado prudente. Aquella noche perdió una fortuna, literalmente. Varios de nosotros le aconsejamos que se retirara de la partida porque ya no era capaz de actuar con sentido común, pero él se puso a la defensiva y se negó. Cuanto más se hundía, más convencido estaba de que remontaría. Me temo que no fue así. Terminó aquella desastrosa velada en brazos de una prostituta, que según dicen le contagió la sífilis. —Robert levantó la vista con una mueca cínica—. Sir Benedict, como es natural, administra la herencia de su sobrino, que aquella noche disminuyó de forma significativa. El joven, que se llama Bennie como su tío, naturalmente no recordaba en absoluto quién participó en la partida, excepto yo y Herbert Haversham. Ambos recibimos unas cartas virulentas en las que se nos acusaba de haber hecho trampas y conducir al joven al libertinaje, y aunque yo me tomé la molestia de contestar y explicar la verdad, me devolvieron la carta sin abrir.

—Ya veo —murmuró Damien.

—Hasta cierto punto, no culpo al padre de Rebecca, puesto que se enfrentaba a la disyuntiva de creerse el cuento que se inventó Bennie, o afrontar el hecho de que su sobrino no solo se había puesto en ridículo, sino que además había despilfarrado parte de su legado. Era mucho más sencillo culparnos a nosotros. Ni Herbert ni yo nos quedamos con el dinero que le ganamos aquella noche, sino que se lo devolvimos antes de irnos, con un consejo que cayó en unos oídos sordos y confundidos por la bebida. Lo único que hizo Bennie fue perderlo de inmediato en otra partida. A veces me he preguntado si se acordó de nosotros dos, porque fuimos los únicos que le devolvimos el dinero.

—Podría ser. Así... creo que veo las cosas claras. Ahora, aparte de tu reputación de calavera, se te considera una influencia depravada y una persona poco honorable por si fuera poco. ¿Es correcto? —Damien mostraba una de sus facetas firmes e inescrutables.

—Creo que sí. Ese hombre apenas es capaz de saludar cuando nos vemos las caras. —Le vino a la mente el tormentoso gesto de sir Benedict cuando vio a Robert con su preciosa hija—. Decir que no tiene buena opinión de mí es quedarse corto, pero aunque yo nunca he dicho que sea un ángel, en este asunto soy totalmente inocente.

—Estoy de acuerdo. Entonces, ¿cuál es el plan?

—¿De qué demonios estás hablando, Damien? Yo no tengo ningún plan.

—Para conseguir al objeto de tu deseo. —Su hermano ladeó la ceja con descaro—. Reconozco que no será fácil. Vas a tener que modificar tu comportamiento de un modo considerable. A esta joven no podrás seducirla hasta tu lecho, sin más. La verdad es que, de hecho, tengo la impresión de que en realidad, sí serías capaz de seducirla hasta el lecho. Pero si bien no eres perfecto, no creo que la despojaras de su honor, del mismo modo que no le hiciste trampas a un borracho para quedarte con su dinero.

—Todas estas alabanzas me parecen impropias de ti —masculló Robert con sarcasmo.

Su hermano no le hizo el menor caso y siguió hablando

como si reflexionara sobre uno de sus complicados temas tácticos.

—De modo que por una vez tendrás que servirte de algo que no sea tu cara bonita y esa fachada de encanto superficial. Por suerte, ambos tenéis una cosa muy importante en común, aparte de la atracción física mutua.

El problema era que Robert temía que Damien tuviera toda la razón. Tenía experiencia suficiente para saber cuándo interesaba a una mujer y Rebecca carecía de la experiencia necesaria para ocultarlo. La había pillado más de una vez mirándole y había visto cómo volvía la cabeza de inmediato con un leve rubor en las mejillas.

Eso debería divertirle, pero no era así. Sobre todo porque la única razón por la que la había descubierto mirándole era porque él había estado mirándola a ella.

—Aparte de mis reservas personales, es algo imposible y ambos lo sabemos.

—En absoluto. —Damien sonrió—. Es un desafío, eso está claro, ¿pero imposible? Nada es imposible. Comparado con la toma de Badajoz, esto no es más que una escaramuza. Pese a que debo admitir que esta mancha negra en tu historial no es ideal para que autoricen el cortejo.

En caso de que Robert quisiera cortejar a alguien.

—No tenemos nada en común —objetó—. Ella es una joven soltera e ingenua, y yo ni siquiera recuerdo el significado de la palabra inocente.

—Rebecca y tú compartís un profundo amor por la música. —Damien se frotó el mentón—. Algo que me produce mucha envidia. Piensa en cuántas veladas podrías pasar hablando de ello y tocando juntos…

—No vamos a pasar ninguna velada. —Robert gruñó sin querer, como si fuera un niño malcriado. Se esforzó en moderar el tono y dijo de forma más razonable—: Mira, esta desafortunada atracción pasará. Es como tener un resfriado. Tampoco es algo que uno desee, pero cumple su curso, y tú sigues con tu vida.

—¿Este resfriado se parece a algún otro que hayas tenido?

No se parecía, pero también es verdad que nunca se había interesado por alguien como Rebecca. Todas las otras veces se había limitado a jugar a la pasión, y con ella, en realidad, aunque nunca se lo había planteado de esa forma. Sin promesas, sin expectativas respecto a las habituales y efímeras implicadas. Esas relaciones eran simples. Esta no.

—No veo qué sentido tiene seguir hablando de esto —afirmó con rotundidad.

—Yo sí. —Su hermano se levantó—. Tú espera aquí. Enseguida vuelvo.

Rebecca levantó la vista, sorprendida. La oferta de Damien Northfield era de lo más inesperado.

—Solo un pequeño paseo —dijo él con su afable actitud—. Puede venir su madre, si así lo desea. Anteanoche no pude acompañarla y me gustaría tener otra oportunidad, si fuera posible.

—Un breve paseo a solas sería muy apropiado, por supuesto. —Su madre sonrió encantada y les indicó con la mano que salieran.

Claro. Ella disfrutaba viéndoles salir a los dos solos. Tenía muy metida en la cabeza la idea de un romance en ciernes, pero la verdadera pregunta era por qué Damien la potenciaba. Hasta el momento los intentos de emparejarles parecían divertirle y poco más. Claro que tal vez no le parecería tan gracioso si no hubiera adivinado que ella estaba enamorada de su hermano, y que él estaba a salvo.

Al final, Rebecca inclinó la cabeza con un gesto de aquiescencia, más por curiosidad que por otra cosa. En cualquier caso necesitaba pedirle un favor, así que este sería un buen momento.

Damien tenía algo en mente. Empezaba a darse cuenta de que Damien siempre tenía algo en mente. En el momento en el que pusieron el pie fuera de la salita, ella contuvo la respiración antes de pedirle algo que esperaba que aceptara, pero él se dio la vuelta y le puso la punta de los dedos sobre los labios con mucha delicadeza.

—No haga preguntas. Aún no. Venga conmigo.

Perpleja, Rebecca se dejó guiar por la terraza hacia una esquina de la casa.

—Lord Damien… —empezó a decir mientras avanzaban. Era de noche, las luces de la casa destacaban en la oscuridad, y el aire olía a lluvia por primera vez desde que habían llegado.

—Aquí. —Él se detuvo y se dio la vuelta—. Ese arbusto es un inconveniente, pero no un obstáculo insalvable. Yo la haré pasar por encima.

—¿Qué? —Rebecca se lo quedó mirando, sin saber muy bien qué diantre pretendía. La brisa nocturna la acarició al pasar y le alborotó el cabello.

—Yo la ayudaré.

Se dio cuenta de que él señalaba un ventanal que estaba abierto pese a que la noche era fría. Los cortinajes interiores volaban a merced de las ráfagas del aire.

—Milord, no entiendo qué pretende.

Él miró a su alrededor y la luz barrió sus cinceladas facciones de una forma muy favorecedora.

—Señorita Marston, permita que la convenza de que entre por esta ventana. Después yo me quedaré aquí con actitud despreocupada durante un rato, antes de pedirle que se reúna de nuevo conmigo. Esto es todo lo que tengo que decir sobre el asunto hasta que la devuelva sana y salva a la salita. Lo que pase desde ahora hasta ese momento depende de usted por entero.

—Yo…

—Está perdiendo tiempo. Hable con él.

La cogió del brazo y la empujó hacia la ventana, él mismo penetró a través del arbusto, y luego se dio la vuelta, la cogió por la cintura y la levantó para que pudiera sentarse sobre el alféizar. Puesto que parecía muy decidido, Rebecca, obediente, pasó las piernas por encima y volvió a colocarse las faldas en su sitio con recato, antes de deslizarse al interior de la estancia.

Y le vio.

Robert, apoltronado en una butaca junto a la chimenea, sostenía una copa de coñac y la miró como si fuera una especie de aparición. Musitó una imprecación que ella apenas oyó, y depositó la copa sobre una mesita barnizada con un rotundo clic. Se puso de pie.

—¿Este es el tipo de cosas con las que debe enfrentarse Bonaparte? En verdad que compadezco al pequeño corso.

La habitación estaba envuelta en penumbra. Y vacía, salvo por ellos dos. En resumen, que estaban solos, y esa era exactamente la ayuda que en un principio Rebecca había planeado pedirle a Damien. Se sintió abrumada por el pánico y la euforia a la vez. Estaba muy bien que lady Rothburg le hubiera indicado cómo utilizar sus artimañas para tentar a Robert, pero enfrentarse a la inmediatez de esa tarea sobrecogedora era algo muy distinto. Él además fruncía el ceño, lo cual no podía ser buena señal.

—Fuimos… fuimos a dar un paseo —balbuceó Rebecca, con la deficiente elocuencia que sufría siempre que él estaba presente—. Su hermano insistió en auparme para que entrara por la ventana.

—Bien, yo insisto en auparla para que salga. —Robert avanzó hacia ella, con su atractivo rostro tenso e inapelable—. De todos los entrometidos, impertinentes, intrusos… en fin me faltan las palabras. Damien es peor que esas tías solteras bienintencionadas.

Damien era como una hada madrina buena, con un estilo enteramente varonil, por supuesto… y Rebecca necesitaba echar mano de su ingenio para aprovechar al máximo su regalo.

Fue como si el tiempo se detuviera, la escena cristalizara y todo se aclarara de una vez. Era esta. Su oportunidad. La oportunidad de ambos, de hecho.

«Tú sabes mejor que él lo que quiere…»

Robert no estaría enfadado si no le hubieran cogido a contra pie. Si sus sentimientos no estuvieran implicados en este asunto, se limitaría a pasar un buen rato, preguntándose por qué su hermano mayor había empujado a una joven a través de la ventana de la biblioteca. Por otro lado, lo que Robert acababa de decir significaba que entendía por qué Damien se estaba entrometiendo, de lo cual se derivaba que habían hablado de ello.

Hablado de ella.

Una oleada de esperanza la dejó inmóvil. El corazón empezó a latirle contra el pecho con repentina lentitud.

—Esta tarde le eché en falta. —Su voz fue apenas un suspiro.

Eso hizo que Robert se detuviera a unos pocos centímetros de distancia, como si algo le hubiese golpeado. El parpadeo de una emoción indescifrable apareció en su cara. Al cabo de un minuto murmuró:

—¿Me echó en falta?

—Me refiero a que me gustaría que volviera a tocar conmigo. Tiene usted un estilo muy notable —dijo en voz casi imperceptible.

Él emitió un sonido sordo, entre la tos y el gemido.

«Actuad como una cortesana. Incluso la mujer más inexperta puede hacerlo, y nada atrae más a un hombre que una mujer que le desea del mismo modo que él la desea a ella.»

Lady Rothburg propugnaba el descaro, pero era más fácil decirlo que hacerlo.

—¿A usted le gustaría estar conmigo? —Rebecca no pudo evitar cierta timidez en la voz, pero por primera vez desde hacía más de un año, cuando le había visto en el otro extremo de aquel salón atiborrado, se dio cuenta, no, supo, que tal vez las cosas no eran tan desesperadas como creía.

Bien, eso era cierto siempre que consiguiera olvidarse de su padre durante un instante breve y liberador.

—Esto no es buena idea, Rebecca. —Robert meneó la cabeza, pero parecía crispado.

—¿Esto?

Él hizo un gesto de indefensión con la mano, que no era en absoluto propio de un sofisticado calavera, sino de un joven cualquiera, un tanto frustrado.

—Usted aquí. Nosotros aquí. Esto.

Ella dio un paso hacia él. Tenía una peculiar sensación en las rodillas, como si hubieran decidido dejar de funcionar.

—¿Por qué no?

—Porque tendría implicaciones importantes y usted no necesita este tipo de ataduras, no conmigo. —Suspiró, pasó la mano por su densa cabellera y consiguió despeinar unos cuantos mechones, como ella siempre ansió hacer en secreto.

—¿Y si yo deseara esa atadura? —Eso era descarado sin medida. Lady Rothburg lo aprobaría, sin duda.

—No diga eso. —La afirmación habría sido más efectiva si Robert no hubiera retrocedido un paso, como si la distancia enfatizara sus palabras—. Mi hermano está confundido, y parece haber llegado a la conclusión de que nosotros sentimos un interés mutuo. No hace falta que nos comportemos de acuerdo con eso.

Rebecca no dijo nada y se limitó a seguir mirándole. La batalla que él parecía librar hizo que ese argumento sonara destinado a sí mismo más que otra cosa.

—Si las cosas fueran distintas —siguió diciendo con un destello en sus ojos celestes—, entonces reconozco que quizá él tuviera razón, al menos en lo que a mí se refiere. Pienso que es usted una muchacha muy hermosa y con un talento exquisito.

—No soy una muchacha —dijo ella con mucho tino y no de forma combativa, pero con la voluntad de que la viera solo como una mujer—. Tengo casi veintiún años. Edad suficiente para saber lo que quiero —añadió en voz baja.

Robert parecía mudo. Al cabo de un momento carraspeó.

—Por supuesto. Discúlpeme si la he ofendido.

—Usted no me ofende. Solo quería dejar clara mi postura. ¿Lo he conseguido?

—Con creces —exhaló de forma audible, como si se sintiera frustrado—. No me haga esto. Estoy intentando huir de la tentación. Lo cual, por cierto, supone una experiencia nueva. ¿Qué le dijo Damien?

Rebecca sonrió. Le costó cierto esfuerzo aparentar serenidad, pues estaba temblando por dentro, pero hizo todo lo que pudo—. Que debía hablar con usted. Dígame, ¿cómo de distintas han de ser las cosas?

—¿Qué?

—Usted acaba de decir que si las cosas fueran distintas tal vez su hermano tendría razón. ¿Qué puedo hacer yo?

—Nada. —La miró a los ojos, con la boca tensa—. Yo no puedo ofrecerle nada, así que no importa si Damien tiene razón o no. Su padre tiene una opinión equivocada de mí. —Y hablando con cierto empeño, como si intentara convencerse de algo desagradable, continuó—: Pero en cualquier caso, eso no significa nada. En realidad yo no deseo casarme. Tengo veintiséis años y no estoy preparado. Me gusta mi vida tal como es.

Eso fue demasiado para su fugaz sensación de triunfo, y Rebecca sintió un repentino nudo en la garganta.

—Ya veo que usted también sabe dejar muy clara su postura, señor.

—Rebecca, ha tenido que colarse por la ventana para estar sola conmigo unos minutos. ¿Cómo cree que reaccionarían sus padres si yo fuera a visitarla, con el sombrero en la mano? Por otro lado, yo no hago visitas, no en el sentido del que estamos hablando. Usted no es en absoluto como… —apuntó con voz ronca y un brillo en la mirada.

Cuando se detuvo, claramente sin palabras, ella intervino con delicadeza:

—¿Todas las demás mujeres?

Pese a la escasa iluminación que la única lamparita proporcionaba al vasto espacio de la biblioteca, Rebecca habría jurado que a Robert se le oscureció el semblante.

—Yo no lo habría dicho de ese modo, pero sí. No suelo ir tras jovencitas solteras, por los precisos motivos que acabo de exponerle.

Puede que no, pero acababa de hablar de matrimonio, aunque hubiera dicho que no lo deseaba. Y la miraba de un modo muy elocuente, sobre todo ahora que ella había leído el libro. El deseo era una fuerza poderosa, sí, pero entre ellos había algo más. Rebecca no se sentía confusa como él. Ella sabía lo que quería.

—Mis padres no son totalmente inmunes a mis deseos, aunque a medida que pasan los días son cada vez menos comprensivos. Ellos quieren que sea feliz. Seguro que eso va en favor nuestro.

Él se puso tenso.

—Esa implicación de que yo tengo algo que ver con su felicidad es ridícula.

Qué poco sabía Robert. Ya que estaban siendo sinceros, quizá ella debía contárselo todo sin más. ¿Qué podía perder?

—Yo le conocí a usted el día que Brianna conoció a Colton.

Esta vez fue él quien dio un paso hacia ella y bajó la mirada, con los ojos entornados.

—Eso fue hace unos cuantos meses. El año pasado, si mal no recuerdo. Nos presentaron, nada más. Rebecca, no me diga que usted… quiero decir, que todo este tiempo…

—Pues sí —le tembló la voz y se quedó callada. Él estaba tan cerca que captó el aroma a ropa limpia y colonia—. Si no me he casado… es por mis sentimientos hacia usted.

Hubo un silencio. Robert estaba tan cerca que si Rebecca extendía la mano, podía acariciarle.

—Voy a estrangular a mi hermano —espetó finalmente.

Iba a besarla. Luego Robert le retorcería el cuello al entrometido de su hermano.

Pero primero, el beso. Ese que debería haberle robado aquella noche en el jardín, ese por el que ahora mismo vendería su alma al diablo.

Ella también lo sabía. Las mujeres tenían un instinto infalible cuando se trataba de hombres predadores. Robert lo dedujo porque cuando se acercó más y le puso la mano en la cintura, ella abrió mucho los ojos y se le alteró la respiración. Rebecca echó la cabeza hacia atrás y bajó los párpados, justo hasta ese punto que indicaba buena disposición y deseo, aunque ni ella misma lo supiera.

O tal vez sí lo sabía, pese a que Robert habría apostado hasta el último céntimo a que no la habían besado muy a menudo, o nunca.

Deseo. Le alteraba la sangre y le obstruía el cerebro, pues sin duda fue eso lo que le impulsó a un acto tan imprudente como besar a la señorita Marston.

Robert bajó la cabeza igual que había hecho en el jardín semanas antes. Esta vez no se limitó a rozarla, sino que llevó la boca hasta sus labios y presionó con suavidad. Leve, sutil, indeciso.

Un beso muy distinto a todos los que había dado o recibido. Un beso virginal para ella..., aunque él había dejado la inocencia muy atrás. Tal como había imaginado, Rebecca tenía un tacto celestial, el sabor de la pureza, era como tener en los brazos la perfección sublime.

Ella le apoyó las manos en los hombros, con el mismo toque suave y delicado con el que se inclinó sobre el pianoforte, y él reprimió un gemido intenso, imaginando aquella misma mirada soñadora en su rostro. Robert notó el torrente de sangre que invadió la parte inferior de su cuerpo, la urgencia de su erección, y luego la inevitable hinchazón del miembro, pegado a la tela de los pantalones.

No debería estar haciendo esto. Ni persuadirla de que abriera la boca para hundir la lengua hasta el fondo, ni mordisquear sus labios dulces, ni imaginarla en la cama, desnuda y cálida, bajo su cuerpo.

Continuó. Ese sutil intercambio de suspiros, la danza de lengua contra lengua, la tensión de ambos cuerpos que se acercaban más y más… En ese momento la rodeó con un brazo, seguro de que ella notaría su reacción física. Pero en lugar de asustarse como una niña, Rebecca se pegó a él con desatada pasión y le echó los brazos al cuello.

Un golpecito en el cristal de la ventana le obligó a recuperar la cordura.

—Yo creo que el paseo que hemos dado la señorita Marston y yo ha terminado, ¿no os parece? —gritó Damien—. Si tardamos demasiado, su madre va a pensar que en cuanto llegue solicitaré una entrevista con sir Benedict.

Robert apartó la boca con brusquedad, miró a los ojos de la mujer que seguía pegada a él, y se preguntó si era un idiota total o si solo había sido un arrebato de lujuria.

A pesar de las protestas de su cuerpo, la soltó y le hizo una reverencia.

—Su pretendiente la espera.

Ella se quedó allí, con la boca húmeda por sus mimos y el busto agitado por la respiración.

—Nosotros nos vamos mañana.

—Lo sé.

Qué demonios, estaba excitado, y la tempestad que había en su interior se hacía eco de su disconformidad física. Deseó que la reunión campestre terminara inmediatamente y acabar con esa confusión. Solo se sentiría bien si se alejaba de la perturbadora presencia de Rebecca

Estaba convencido.

Casi.

«Maldita sea.»

—¿Y ahora qué? —susurró ella con una expresión de ansiedad e inocencia que él sintió como un cuchillo clavado en el alma—. Tal vez podamos vernos esta noche, más tarde. Cuando todos estén durmiendo.

Esa era una sugerencia insensata, sumada a una situación del todo irracional.

—No. —Quizá fue demasiado tajante. Tal propuesta suscitó una imagen de Rebecca con el cabello suelto, entrando a hurtadillas en su dormitorio—. Eso de ningún modo.

—¿Por qué?

—Para empezar, si su padre nos descubre… y supongo que si Damien ha notado nuestra…

—¿Nuestra? —interrumpió ella con un aire ingenuo y seductor al mismo tiempo, y un innegable triunfo femenino brotó del fondo de sus preciosos ojos, mientras él intentaba dar con la palabra adecuada.

Robert no cooperó aportando la definición de algo que, de hecho, no sabía bien cómo definir, sino que replicó:

—Si Damien se ha dado cuenta, quizá su padre también. No tengo ganas de enfrentarme a él en el campo, al amanecer. Eso la haría sufrir y mancharía su reputación. Yo no deseo hacerle daño a su padre bajo ningún concepto, y la alternativa tampoco es nada agradable. —Y de pronto, añadió—: Puede que me marche a Londres mañana temprano.

Dios, sí, necesitaba alejarse de ella.

Ella le miró sin decir nada, y luego comentó con naturalidad:

—Supongo que Damien tiene razón y que debo irme. Cinco minutos más y mi madre empezará a escoger mi vestido de boda.

«Vestido de boda.»

No habría podido escoger una frase mejor para hacerle volver a la cruda realidad, de eso estaba convencido. Robert inclinó la cabeza y dijo con mucha ironía:

—¿Quién puede culparla? Al fin y al cabo mi hermano es un partido excelente. Una categoría que yo no comparto a ojos de su padre, se lo aseguro.

—Él me advirtió que me mantuviera alejada de usted —admitió ella—. No entiendo…

Él hizo un gesto de indefensión con la mano, más expresivo de lo que pretendía.

—Fue algo que pasó hace varios años. No entraré en detalles, pero basta con decir que se formó una imagen equivocada de mí y que desde entonces me desprecia. Yo no podría cortejarla formalmente, aunque quisiera.

—Robert —musitó ella con un temblor en los labios.

Esa utilización vacilante de su nombre de pila era lo que menos le convenía. Robert, con toda la serenidad de la que fue capaz, añadió:

—Rebecca, váyase.

Aliviado, vio que ella se daba la vuelta y se alejaba.

15

Sé que es un cliché, pero los libertinos reformados son unos maridos excelentes. ¿Por qué? En primer lugar porque han corrido mucho. ¿La segunda razón? Porque saben cómo complacer a una mujer en el lecho. Pensadlo. Al fin y al cabo, por eso se les considera libertinos.

Del capítulo titulado «Cuando lo sabes, lo sabes»

*S*ería un milagro que conservara el coraje. Brianna se ajustó el picardías, confeccionado a medida para la ocasión, e intentó dominar la bandada de mariposas que anidaba en su estómago.

El camisón, se dijo, debía ser provocativo y él era su marido. Estaba autorizado a verla con cualquier atuendo y punto. Aparte de que la había visto con mucha menos ropa.

Pero esto era más que osado y era obvio que estaba pensado para seducir.

El escote le quedaba por debajo de los pechos y eso hacía que el traje que había lucido en la ópera pareciera recatado. Le dejaba los brazos al aire, tenía un corte a ambos lados de la falda y la espalda era tan baja, que estaba segura de que si se daba la vuelta le asomaría el trasero.

Un buen comienzo para una velada que esperaba memorable.

Ir casi desnuda, según lady Rothburg, podía resultar más cautivador que una exposición total. «Cubríos con una tela

217

transparente, ofrecedle un atisbo del paraíso y luego fascinadle hasta que pierda el control.»

«Pensad como una cortesana.»

Tal vez sería capaz, pero necesitaba un poco de ayuda de la famosa seductora. A Brianna jamás se le habría ocurrido intrigar a Colton a base de intentar algo nuevo. No cuando él parecía disfrutar tanto haciéndole el amor como ahora… cuando las cosas habían progresado tanto entre ellos desde aquellos comienzos tan poco prometedores. Al pensar en su noche de bodas, se dio cuenta de lo poco que en realidad su madre le había explicado sobre el acto amoroso. Sus labios esbozaron una sonrisa irónica al recordar la «conversación» de mujer a mujer que ambas mantuvieron.

Colton había hecho todo lo posible para tranquilizarla, incluso apagó las luces antes de desvestirse. Lo cual empeoró las cosas, porque así ella no podía verle… y cuando notó su miembro cálido y erecto pegado al cuerpo, tuvo un ataque de pánico. Pero lo cierto era que estaba muy enamorada de su marido y que deseaba complacerle, y una vez pasó el punzante dolor de la primera embestida, descubrió que le gustaba la sensación de tenerle encima, y dentro.

Ahora lo esperaba con ansia.

Ya no era una recién casada tímida, y pretendía que esta celebración fuera distinta, en un sentido perverso, a todo lo demás que habían hecho.

Esta noche iba a seducirle de la forma más pecaminosa posible, a embrujarle, y si el libro de lady Rothburg decía la verdad, colmaría una secreta fantasía masculina que la mayoría de los hombres se resistía a reconocer. Brianna pretendía que esta fuera la velada más memorable que habían vivido juntos.

Sabía que antes de ella hubo otras mujeres. Cuando conoció a Colton, disfrutó de aquel primer vals fatídico y cayó de cabeza en el acogedor resplandor del amor, no pensó ni un segundo en su pasado. Ahora, algo mayor y claramente más sofisticada, era consciente de que él distaba de ser virgen cuando se casaron. No era Robert, pero tampoco era un santo.

Bien. Ella no quería un santo. Quería un hombre loco de lujuria por ella.

Y amor, si era sincera consigo misma, pero Colton no era dado a hablar de sus sentimientos, de manera que se conformaría con que lo demostrara, hasta que estuviese preparado para reconocer esa emoción más profunda de forma verbal.

Tal vez nunca lo diría. Esa descorazonadora posibilidad existía, pero quizá a ella le bastaba con saber que lo sentía.

Brianna se pasó el cepillo por la melena suelta una vez más, alisó la seda transparente sobre sus caderas y se dio la vuelta para contemplar la alcoba. Los candiles estaban encendidos, en el aire flotaba un ligero perfume, había una botella de champán y dos copas junto a la cama, que estaba abierta mostrando unas acogedoras sábanas de seda color crema. Era perfecto.

Solo necesitaba a su marido.

Fue hacia la puerta que separaba ambos dormitorios, escuchó para comprobar que el ayuda de cámara se había retirado ya, y al no oír voces, la abrió un centímetro. Para estar segura de no ponerse en ridículo por si se equivocaba, atisbó por la rendija.

Y contuvo la respiración. Colton solo llevaba los pantalones y tenía el torso desnudo. Estaba de espaldas, y cuando se inclinó para coger la bata, extendida con sumo cuidado sobre la cama, Brianna distinguió la elasticidad y la firmeza de sus músculos.

Era el momento perfecto. Se estaba desnudando y ella le quería desnudo. Brianna se coló en el dormitorio y avanzó hacia Colton.

—¿Preparándote para acostarte, querido?

Él se giró de golpe, sus cejas se arquearon al constatar su atuendo, y se quedó inmóvil.

Brianna sonrió, confiando que su nerviosismo no fuera evidente.

—¿Podría sugerirte mi dormitorio?

Se diría que él se quedó sin habla durante un momento, y luego dio otro vistazo a aquel escandaloso cuerpo tan ligero de ropa.

—No es que ponga objeciones a lo que veo, Brianna, pero ¿y si mi criado aún estuviera aquí? —preguntó.

—Estuve escuchando. —Señaló la puerta. Solo Colton era capaz de reprenderla aunque la estuviera observando con esa mirada anhelante y prometedora.

—¿Ah, sí? —preguntó él con un matiz algo áspero en la voz, y aún con la bata en la mano.

—Te he estado esperando. —Con un leve movimiento de la mano, ella señaló el camisón, si es que podía llamarse camisón a un fruncido de encaje que no tapaba nada—. Es tu cumpleaños.

—Lo es —murmuró él—. ¿Están relacionadas esas dos cosas? ¿Mi cumpleaños y que me estés «esperando»? Si este traje de sirena es parte de mi regalo, lo acepto encantado.

—Quiero hacerte el amor.

Como había imaginado, él malinterpretó sus intenciones, y cubrió la distancia que les separaba con un par de zancadas.

—Me hará muy feliz complacerte.

Cuando él llegó a su lado, ella le puso la palma de la mano sobre el pecho.

—No, Colton, quiero darte placer yo. Este es mi regalo de cumpleaños. Tú no has de hacer más que tumbarte y disfrutar. Voy a hacerte el amor yo a ti y no al revés.

—Brianna…

—Rechazar un regalo de forma descortés es de mala educación, excelencia —le interrumpió con malicia.

—Este no pienso rechazarlo —replicó él sosteniéndole la mirada—. Bien pues. Ya que por lo visto jugaremos según tus reglas, ¿qué quieres que haga?

Ella señaló la puerta.

—Entra ahí, quítate los pantalones y túmbate en la cama. Puedes dejar el batín aquí, ya que no lo necesitarás.

—No, ¿verdad? —Su voz conservaba el deje pomposo de un duque. Estaba acostumbrado a dar órdenes, no a recibirlas.

—No —respondió Brianna desafiando su mirada de pasión.

«Mientras el hombre en cuestión tenga un mínimo de inteligencia y confianza en sí mismo, le intrigará que una mujer tome la iniciativa en el dormitorio. Oh, no querrá que sea así siempre, pues el macho de nuestra especie siente la necesidad de dominar, en especial cuando se trata de relaciones sexuales. Pero creedme, un cambio de papeles de vez en cuando le parecerá excitante.»

Colton se dirigió a la puerta, miró hacia atrás con aquella expresión indescifrable, y entró en la alcoba de su esposa.

Brianna inspiró y le siguió.

Le observó mientras se desabrochaba con parsimonia los pantalones, que se deslizaron por sus esbeltas caderas y mostraron su erección. Luego se tumbó de espaldas en la cama y la miró, con una ceja castaña arqueada con un aire de desafío inequívoco, y el miembro pendiente de ella.

«Seguro que soy capaz de hacer esto», se dijo Brianna contemplando aquella excitación flagrante. Claro que ya había recorrido la mitad del camino, pues Colton había cooperado, al menos tanto como siempre supuso que lo haría.

Pero ¿cómo reaccionaría cuando le atara?

Brianna le sorprendía continuamente y eso no siempre era malo. El camisón, por ejemplo, o como quiera que se llamara esa prenda de encaje que lo único que hacía era realzar sus senos exquisitos y enfatizar la longitud de sus piernas, era un atuendo propio de una prostituta, pero ella, con la melena dorada suelta y esa piel clara y perfecta, conseguía una apariencia angelical.

Pura.

Pura y embriagadora.

Él no era Robert, que durante la cena había ingerido vino como si tuviera intereses financieros en los viñedos de Francia, pero se sentía lo bastante aturdido como para preguntarse si estaba soñando. La reciente fatiga de Brianna le había impulsado a conseguir que se acostara temprano para no poner a prueba sus fuerzas, y aquella noche se había prometido a sí mismo que no la visitaría.

En lugar de eso, ella había acudido a él.

—Cierra los ojos.

La seductora sugerencia le hizo reír, y un sonido brotó del fondo de su pecho cuando ella cruzó la habitación hacia él, moviendo las caderas con un balanceo fascinante.

—Si deseabas que cerrara los ojos, madame, no deberías haber escogido este atuendo en particular —dijo, admirando el sutil movimiento de sus senos a cada paso.

—¿Podrías seguirme la corriente? —En su voz había un matiz jadeante, y le buscó la mirada con una curiosa luminiscencia en sus ojos azul oscuro.

«Yo te regalaría el mundo.»

No lo dijo en voz alta pero el solo hecho de pensarlo ya era asombroso. Brianna había adquirido una nueva personalidad ante sus ojos. No era solo una mujer joven y preciosa que excitaba su lujuria y bendecía su lecho, sino que, además, en los últimos cinco días había visto cómo se relacionaba con su abuela, hechizaba a sus hermanos, se comportaba como una anfitriona gentil con sus invitados, reía con sus amigas y, por encima de todo, era su esposa.

No solo la duquesa de Rolthven. No, no solo eso.

Sino su esposa. Colton tenía la peculiar sensación de que si viviera en una cabaña de pesca en la costa de Gales y dependiese del mar para vivir, seguiría siendo feliz si ella estuviera a su lado.

Lo que le resultaba más desconcertante era darse cuenta de que antes ni siquiera se había planteado el concepto de felicidad. Esa era una emoción que siempre había pensado que poseía. Era un privilegiado. Tenía títulos. Riqueza. Poder. Por consiguiente… era feliz.

Pensándolo bien, no, no era así. Conocía a mucha gente de su clase cuyas vidas carecían de sentido. Malgastaban sus fortunas, bebían en exceso, intercambiaban chismorreos sin cesar y evitaban uno de los fundamentos que hacían que la vida en este planeta valiera la pena.

El amor.

Era la primera vez que pensaba en ese tema, y con su esposa tan cerca y tan desnuda, la verdad es que no podía concentrarse.

—¿Seguirte la corriente?

—Cierra los ojos —repitió ella—, y pon las manos por encima de la cabeza.

En aquel momento habría caminado sobre brasas ardientes por ella.

—No veo el sentido de tal petición, pero obedeceré.

Colton bajó los párpados y puso los brazos sobre la cabeza, apoyados en la cabecera barroca. Su miembro, duro y pegado a la superficie del estómago, palpitaba al ritmo de los latidos de su corazón.

Brianna se reunió con él en la cama. Notó cómo cedía el colchón y la ráfaga de su evocador perfume hizo que se le tensaran los músculos. Cuando ella se inclinó sobre él y su cabello de seda le acarició el torso desnudo, Colton gimió.

—No te muevas —ordenó ella.

Le costó bastante no limitarse a atraparla en sus brazos y tumbarla de espaldas para así tomar posesión de su cuerpo exquisito, pero estaba intrigado. Al cabo de un momento, notó el roce de una tela rodeándole la muñeca, y se dio cuenta sin dar crédito de que ella le había atado un brazo a la cama. Abrió los ojos de golpe.

—Brianna, ¿qué diantre estás haciendo?

—Impedir que puedas resistirte. —Se arrodilló a su lado y terminó de hacer el nudo. Sus dedos gráciles le rodearon la otra muñeca y la devolvieron a la posición anterior—. Aunque imagino que podrías soltarte si realmente lo desearas, de modo que esto es un símbolo más que otra cosa.

Una locura, eso es lo que era. Nunca había estado con una mujer que intentara atarle a la cama.

—Casi me da miedo preguntarlo, pero ¿un símbolo de qué? —masculló Colton.

—Confianza. —Brianna arqueó una ceja y con gran concentración dio dos vueltas a la tela para atarle las manos que luego enganchó al poste de la cabecera—. ¿Estás más o menos cómodo?

Tenía los hombros apoyados en las almohadas y aparte de

cierta sensación de ridículo por estar desnudo, muy excitado y atado a las maderas de una cama, estaba bien, de manera que asintió con reticencia.

—¿Serías tan amable de decirme por qué ha salido a colación el tema de la confianza?

Ella volvió a sentarse y examinó su obra con un gesto expresivo.

—Yo confío en ti. Eso no hace falta decirlo. Tú eres mucho más grande y fuerte y, si quisieras, podrías hacerme cualquier cosa y yo no podría impedirlo.

—Nunca te obligaría a hacer nada en contra de tu voluntad —protestó él, comprobando los nudos. Estaban bastante flojos y podía mover un poco los brazos, pero como no tenía ganas de forzar los nudos y que se enredaran, intentó relajarse.

—Lo sé. —Ella le miró y le dedicó una sonrisa radiante—. Yo confío en que quieres darme placer y no solo obtenerlo tú. De esto se trata. Deseo darte placer yo.

—Tú siempre me das placer.

En la mejilla de Brianna apareció un pequeño hoyuelo y aquella sonrisa genuinamente femenina se convirtió en algo más intenso.

—Sí, pero esta vez lo haré todo yo. ¿Te parece sugerente?

Se lo parecía. Cualquier hombre moriría antes que negarse a eso. Ella se sentó a su lado en la cama, lo bastante cerca como para que notara el calor de su cuerpo, con esa prenda viciosa que mostraba más de lo que ocultaba. Sus pezones rosados asomaban bajo un velo de encaje, lo mismo que el vello dorado y algodonoso entre sus muslos esbeltos, que le tentaba cada vez que ella se movía. Su melena, tan clara y deslumbrante, se derramaba sobre sus hombros desnudos casi hasta la cintura, y él anhelaba tocarla, enterrar los dedos en los mechones de satén, ver cómo se vertía sobre la cama cuando la poseía.

—¿Te lo parece? —Brianna puso los dedos en el lazo del corpiño y le miró bajo sus pestañas exuberantes—. ¿Colton?

Había olvidado la pregunta. Estaba bastante seguro de que

había olvidado respirar, tenía la mirada fija en aquella mano que iba a darle acceso al paraíso.

—Sí. —En su voz había un deje de puro anhelo—. Haz lo que quieras.

—Tenía la esperanza de que dijeras eso. —Su esposa desató el lazo y la vaporosa tela se deslizó hacia abajo, sobre sus senos, rotundas esferas níveas, y por encima de sus muslos, hasta que se movió para quitárselo del todo. Brianna, desnuda en toda su gloria, se puso de rodillas y levantó una mano para deslizarla por el torso desnudo de Colton. Bajó sobre la musculatura prieta de su vientre, hasta su miembro erecto. Cuando lo rodeó y empezó a acariciarlo con ternura, él jadeó y cerró los ojos.

Arriba y abajo, de la base a la cumbre, con un levísimo masaje en la punta. Desde la cima henchida, Colton sintió el fluido de su rendición personal acudir en ayuda de los esfuerzos de Brianna, quien con una mano diestra incrementaba el ritmo de sus movimientos eróticos. Con un espasmo de sudor, levantó las caderas, arqueó la columna y masculló entre dientes:

—Me parece que deberías parar, o esta noche va a ser muy corta.

—¿Te gusta esto? —Apretó los dedos, apenas un milímetro. Un milímetro quizá excesivo, pues él estaba a punto de estallar.

—Me gusta —le confirmó.

—Entonces, ¿por qué debería parar?

Colton carecía de una respuesta definitiva, pues ella le tenía embrujado con el movimiento de la mano.

—¿Alguna vez lo haces tú solo?

Aquella pregunta tan personal hizo que abriera los ojos. Eso no ayudó mucho. Al verla acariciándole para llegar al clímax, estuvo a punto de perder el control. Estaba al borde de la eyaculación.

—¿Qué? —gruñó.

Ella seguía, muy atenta, con su erótica tortura, y el movimiento de esa mano era el centro del mundo para Colton.

—Yo nunca me he tocado, pero sé que hay mujeres que lo hacen.

¿Cómo demonios sabía eso?

Aquello era demasiado. La imagen de Brianna, desnuda y acalorada, provocándose ella misma el orgasmo, que apareció en su mente, le condujo al borde del precipicio. Todo control se evaporó y Colton notó el torrente cálido de la eyaculación sobre el pecho, la flexión de su miembro al rebosar, y la mano de ella que siguió estimulándole hasta dejarle desfallecido y preso de sus ataduras.

Ella le soltó y en cuanto él pudo pensar con coherencia, se dio cuenta de que su encantadora esposa tenía una expresión peculiar. Brianna le puso un dedo sobre la piel y dibujó un camino entre el cálido remanso seminal.

—No sé si sabía que fuera así exactamente. Quiero decir que lo he sentido cuando estabas dentro de mí, pero esto es bastante más de lo que imaginaba.

¿Cómo diablos podía ser tan ingenua, y al mismo tiempo demostrar más sensualidad que todas las mujeres que él había conocido?

—Prefiero hacerlo dentro de ti —dijo—, y eso intento, si me concedes un par de minutos.

—Olvidas, querido —su voz era un ronroneo sordo y sensual—, que resulta que yo sé que puedes, en fin, hacerlo más de una vez en un breve período de tiempo. Veamos, deja que te limpie y luego veré qué puedo hacer para ayudarte.

Usó el camisón para limpiarle las adherencias del torso y luego se tumbó sobre el cuerpo de Colton, tendido boca arriba, y lo besó. Besos suaves y prolongados, barrió sus labios con delicados toques con la lengua, contoneándose apenas contra él, pero de una forma tan efectiva, que en un tiempo récord él sintió de nuevo la oleada de la erección. Ella prosiguió con su embrujo, moviendo su cuerpo ágil y flexible, excitante. Le rodeó el cuello con los brazos y ambos permanecieron piel contra piel, en una posición tan sexual, tan íntima, que él sintió algo más que el contundente regreso del deseo carnal, algo más conmovedor. Brianna le besó el cuello, el mentón, el lóbulo de la oreja. Su aliento era cálido y húmedo, sus senos se acurrucaban contra su torso. Sus pezones eran cumbres iridiscentes y él se moría por saborearlos, por lamerlos con ardor, hasta que ella hiciera ese ruidito especial que le encantaba.

Fiel a su promesa, Brianna le hizo el amor.

Cuando estuvo preparado, ella cabalgó sobre sus caderas, se dejó caer sobre su mástil vibrante y le acogió en aquella calidez sedosa y profunda. Por primera vez en su vida, Colton se vio fascinado por la imagen de la cara de una mujer mientras estaba en su interior, y no solo por la sensación que conjuraba el acto en sí. Brianna, montada sobre sus caderas, se movía y buscaba la sensación exquisita, con las manos apoyadas en los hombros de Colton y un leve gesto de concentración en la frente, tan excitante como el simétrico balanceo de los senos al compás de los dos cuerpos.

Con los brazos atados aún sobre la cabeza, él no podía hacer nada por ella, pero no tenía por qué preocuparse. Ella alcanzó el clímax primero, con la boca abierta. Su silueta esbelta se tensó y sus músculos internos se contrajeron mientras emitía un sonido entre un grito y un gemido.

Aquello desató a Colton y su cuerpo impotente respondió. Sus caderas se alzaron y así pudo depositar su semilla en la matriz otra vez. Cuando ella se derrumbó sobre su torso, alcanzó a decir:

—Desátame.

—Cuando pueda moverme, lo haré —balbuceó, pegada a su piel húmeda—. Quizá dentro de un siglo, o así.

Sin poder evitarlo, Colton se echó a reír.

—Me imagino a tu doncella entrando mañana por la mañana y encontrándonos así. No sabría cómo explicárselo.

—Intentaré recuperarme lo bastante como para desatarte. —Brianna levantó la cabeza y le dedicó una sonrisa burlona, devastadora—. Aunque me tienta convertirte en mi prisionero.

Él ya se sentía bastante cautivo de ella.

—Eso suena bastante agradable —dijo con la voz rasposa.

Ella se incorporó y desató el nudo de la muñeca derecha.

—Te advierto que mi regalo de cumpleaños aún no ha terminado.

Colton emitió un gemido teatral.

—Ya no tengo dieciocho años. Ten compasión.

—Esto no requerirá energía, lo prometo. —Le desató el nudo de la otra muñeca con cierto esfuerzo.

Su tono de voz y una mirada de soslayo hicieron que él se detuviera.

—¿Ah, sí? —preguntó en voz baja—. Ya puedes imaginar lo intrigado que estoy. Hasta ahora ha sido una noche de sorpresas placenteras.

—Espero de corazón que esto te complazca, excelencia.

Al oír que ella utilizaba su título, Colton supo que iba a tener problemas. Observó a su esposa con ojos inquisitivos, intentando traducir su expresión.

—Te amo.

Se quedó quieto. Paralizado. Inmóvil.

—Te amo —susurró ella de nuevo—. Quería decirlo antes, pero nunca me parecía el momento adecuado. Pensé que quizá finalmente debía decírtelo.

«Te amo.»

Al ver que él no hablaba ni se movía, Brianna continuó:

—Lo supe desde el momento en que nos vimos. Y creo que es la pura verdad. De hecho, puede que lo fuera incluso antes de que nos presentaran formalmente. Cuando miré al otro extremo de la sala y te vi, lo supe, sin más.

«Dios bendito.»

—¿Sería posible que dijeras algo? —Brianna le miró con aquellos maravillosos ojos azul oscuro, y un leve temblor en los labios.

No, no podía. Era incapaz de hablar, literalmente. En lugar de eso la atrajo contra sí, y poseyó sus labios con un beso inapelable y perturbador.

16

A veces es necesario chocar con los obstáculos que encontramos en el camino en lugar de intentar esquivarlos. Con el amor sucede lo mismo.

Del capítulo titulado
«La filosofía del romance»

—*T*engo entendido que Robert se marchó muy temprano.

Rebecca alzó la vista de pronto, sin saber cómo interpretar el comentario de Loretta Newman, si es que había que interpretarlo de algún modo. Puede que la mujer solo quisiera charlar.

—No me diga. —Rebecca cogió un trozo de tostada y le dio un mordisquito.

—Al amanecer. Hace un día horrible para viajar, ¿verdad?

La señora Newman echó un vistazo a las manchas de humedad que había en la ventana. Era una mañana melancólica y gris, pero al menos coincidía con el final y no con el principio de la reunión. Cuando Rebecca se levantó y bajó a desayunar al enorme comedor, descubrió que Robert había sido fiel a su palabra, y se había marchado a Londres horas antes, pese a la llovizna que no cesaba de manar de un cielo brumoso.

—Al menos hemos disfrutado de mucho sol durante nuestra estancia.

Fue una observación banal. Rebecca confiaba en que la bonita viuda intentara entablar conversación sin más, pero el tema que había escogido la puso en guardia. Ellas eran las dos últimas invitadas que habían acudido a la colación matutina, y se sentaron con una relativa privacidad en un extremo de la mesa. Rebecca estaba casi segura de haber dormido apenas una hora, dudando si aquel beso turbador era algo que debía celebrar, o si tan solo estaba destinado a ser un recuerdo agridulce.

Loretta se acercó la mermelada.

—Bien, sí, el clima ha sido generoso. La compañía deliciosa, también. La duquesa ha realizado una labor admirable para ser alguien tan joven y nuevo en su posición. Al fin y al cabo se ha casado con un miembro de una familia muy ilustre. Estoy segura de que usted estará de acuerdo, ya que también aspira a formar parte de ella a través del matrimonio.

Rebecca, que esperaba cualquier cosa menos ese comentario tan franco, se comió una cucharada de huevos revueltos para disimular que se había quedado sin habla. Luego se dio unos toquecitos en los labios con la servilleta y murmuró:

—Lord Damien sería un buen marido. ´

—No. —La señora Newman meneó la cabeza y sonrió con malicia—. Sería un buen marido, en opinión de sus padres. Seamos francas. A usted quien la atrae es Robert.

Así que ya había una lista de personas que se habían dado cuenta de su interés por el menor de los Northfield. Su padre. Damien. Ahora la señora Newman. ¿Cuántos más? Brianna no había dicho nada, pero la verdad es que estaba ocupada seduciendo a su duque.

—Estoy convencida de que usted lo comprenderá —repuso con tanta ecuanimidad como pudo, pese a estar ruborizada—, puesto que también le atrae.

—Veo que ahora hablamos de mujer a mujer.

—Eso parece.

Hubo una pausa mientras Loretta bebía un sorbo de té. Luego lo dejó a un lado con total parsimonia.

—No es usted tan simple como pensé en un principio, y ya

que estamos siendo tan sinceras, le deseo suerte. Es verdad que en cuanto llegamos me di cuenta de que lord Robert podía ser un delicioso… pasatiempo, pero empecé a notar que sus intereses estaban en otra parte. Si desea saber mi opinión, por la forma como actúa yo creo que existe la esperanza de que usted triunfe y le conduzca al altar. Ahora, si me disculpa, creo que mi carruaje ya está preparado para mi partida.

Rebecca, bastante estupefacta, la vio marchar.

Necesitaba hablar con Damien. Se levantó a toda prisa y salió del comedor sin terminar de desayunar.

Lord Damien, según le dijo el protocolario mayordomo, estaba con el duque en su estudio.

El corazón se le cayó a los pies. Llamar a la puerta del estudio del duque de Rolthven y pedir hablar con su hermano sin más era inconcebible. Rebecca estaba segura de que ni siquiera Brianna interrumpía a su marido cuando este se aislaba para trabajar. En cualquier caso, también era muy posible que Robert no hubiera dicho nada del beso. Puede que solo manifestara su disgusto por la heterodoxa treta de Damien para emparejarles, y nada más.

Así, ¿qué hacía ahora?

«… usted no es como…»

No, no lo era. Ella no se parecía en nada a las bellezas experimentadas que solía perseguir el notorio Robert Northfield. Pero él se sentía atraído hacia ella en cualquier caso. Lo suficiente para haberla besado de un modo que hubiera colmado las fantasías de cualquier jovencita. Rebecca recordaría hasta el momento de su muerte la caricia de esos labios cariñosos y tiernos en su boca. No había sido algo feroz ni pasional, ni algo arrebatador pensado para perturbarla, había sido *perfecto*. Y a menos de que ella fuera una tonta enamorada, y no estaba segura de no encajar en tal descripción, pensaba que para él también había sido algo distinto. Había cierta reverencia en el roce liviano de la mano de Robert en su cintura, y habría jurado que la emoción de su rostro también era genuina.

En resumen, pensaba que tal vez él estaba tan confundido

como ella, y para un experimentado libertino, eso era decir mucho.

Rebecca irguió los hombros.

—¿Podría ver a la duquesa?

El majestuoso mayordomo de los Rolthven inclinó su cabeza cana.

—Me parece que está en el vestíbulo, despidiéndose de un invitado, milady.

Allí estaba, en efecto, descubrió Rebecca minutos después con el eco del tictac del reloj resonando en su alma. Cuando lord Emerson hizo una reverencia y abandonó la estancia, ella esperó a que el lacayo cerrara la puerta tras la salida del caballero, antes de decir con la misma premura que utilizaba cuando eran niñas:

—Bri, necesito un favor.

Brianna captó la urgencia del tono.

—Claro —contestó sin más—, lo que quieras. ¿Qué es?

Eso era jugársela de verdad, pero Rebecca ya se había olvidado de la prudencia.

—¿Te importaría hacerme el favor de entrar en el estudio e interrumpir al duque y a Damien? Yo no me atrevo a llamar a la puerta y pedírselo, pero la verdad es que necesito hablar con él.

Su amiga abrió la boca, sorprendida.

—Por supuesto que lo haré si es lo que quieres. ¿Con cuál de los dos necesitas hablar?

Rebecca reprimió una risita.

—Perdona, ya sé que digo tonterías, pero mis padres están a punto de bajar y nos iremos enseguida y, bueno, necesito ver a lord Damien un momento, si es posible.

Brianna vaciló un segundo, con la intención evidente de preguntar por qué, pero demostró ser una gran amiga y se limitó a asentir.

—Hay una salita que estará desierta a estas horas. La abuela de Colton solo la utiliza para contestar la correspondencia. ¿Te parece bien?

—Perfecto. Gracias.

Decir que estaba agradecida no bastaba para describir los sentimientos de Rebecca, porque en realidad nunca en su vida había estado tan nerviosa.

Tras toda esa introspección nocturna había llegado a unas conclusiones muy alarmantes.

La más firme de todas era que ella solo deseaba casarse por amor.

Y la segunda era que si ese beso de Robert iba a ser un incidente aislado en su vida, se sentiría desamparada para siempre.

Rebecca entró detrás del sirviente a quien Brianna había ordenado que la guiara, y se vio en un espacio reducido y encantador, con una elegante mesa de escritorio bruñida, pegada a una ventana. El amarillo claro de las paredes contrastaba con la deprimente vista de los restos de lluvia en el vidrio exterior y los jardines encharcados. Se acercó hasta allí y miró afuera, preguntándose qué iba a pedir.

Cuando Damien entró pasados unos minutos, ella seguía allí, contemplando los setos y los arbustos repletos de rosas empapados.

—¿Se da cuenta de que si su madre se entera de que desea verme en privado antes de irse, empezará a planear nuestra boda? —En su pregunta había un deje de fina ironía.

Rebecca se dio la vuelta, con una sonrisa melancólica.

—De hecho estaba aquí preguntándome qué diantre quería decirle.

Él entró en la salita, con esa media sonrisa que le favorecía tanto.

—Ah, en eso radica la maravilla de tratar con un experto en espionaje. Nosotros sabemos lo que piensan las personas antes que ellas.

Rebecca arqueó las cejas.

—¿Usted es un experto en espionaje? Creí que era una especie de consejero táctico o algo así.

—Yo tengo muchas facetas. —Le señaló una butaca—. Ahora, tome asiento y hablemos de qué hacer con el tozudo de mi hermano.

Ella se sentó, de todas formas tenía las piernas entumecidas. Damien se acomodó en un sofá tapizado con mariposas. Su flagrante masculinidad contrastaba con la feminidad de la decoración, y alzó una ceja con un gesto que ella ya conocía.

—Veamos —dijo con calma—, deduzco que las cosas fueron bastante bien anoche, visto el malhumor que Robert mostró después.

—¿Podría definir bien? —Rebecca se recogió la falda—. Él no está interesado en el matrimonio. Eso lo dejó muy claro.

—Mi querida señorita Marston, detesto decirle que hay muy pocos hombres que se levanten una mañana y decidan que lo que más desean en la vida es estar atados a una mujer para siempre. Diría incluso que los hombres como Robert, que no necesita un heredero, que ya posee una fortuna y a quien la mayoría de las mujeres consideran irresistible, son particularmente inmunes. En este momento de su vida, él hace lo que le place y cree que es feliz.

Ella sabía que todo eso era verdad, y en esencia, era lo que Robert le había expresado sin rodeos.

—¿Él es feliz? —preguntó, intentando ocultar el titubeo.

—Si yo opinara eso, ¿me habría colocado en la ridícula tesitura de empujar a una joven dama a través de la ventana de una biblioteca?

Tenía razón y ante la rotundidad de la respuesta, a ella se le escapó una carcajada, en parte de desesperación y en parte de regocijo.

—Supongo que no —admitió—. Incluso la señora Newman me dijo esta mañana que creía que el interés de Robert podía ser sincero.

—¿Ella lo sabía? Creo que no me sorprende, porque cualquiera se habría dado cuenta si hubiera estado atento. Entonces, una vez establecido que sus intenciones son sinceras, debemos trazar un plan.

—¿Un plan? —Rebecca sintió un espasmo en el estómago.

—O como quiera llamarle. Si lo que pretendemos es que abandone sus recelos y vea lo que tiene delante. Odio tener a un bobo tozudo por hermano, eso deja en mal lugar el linaje familiar.

Era el cumplido más ambiguo de la historia, y aunque Rebecca había recibido de otros caballeros requiebros suficientes para toda una vida, nunca se había sentido tan conmovida.

—Gracias —musitó.

Él hizo un gesto de aparente indiferencia con la mano, pero sus ojos oscuros brillaban perspicaces.

—No me dé las gracias todavía. Aún no tengo una estrategia preparada. Tendré que pensar en ello. Derrotar a los franceses supone un desafío, pero poner de rodillas a determinado soltero puede ser una tarea mucho más ardua. Creí que aquí me aburriría mortalmente durante mis días de permiso. Por fin, se presenta algo parecido a una misión.

Rebecca no pudo evitar una mueca.

—Robert dijo que compadecía a Bonaparte si debía enfrentarse con usted.

Damien no se inmutó.

—Más le vale. Imagine el peligro que acecha a mi hermano. Yo ya saboreo la victoria.

El beso había sido un error terrible, pero un error que no cambiaría por nada.

Y ese sentimiento era una estupidez inefable. Robert espoleó al caballo. La humedad le impregnaba el capote y el cabello y llenaba el aire de un olor a vegetación fértil. El otoño, frenado por los rayos del sol y las brisas balsámicas de los últimos días, por fin anunciaba su presencia.

Cuando llegó a Londres varias horas después estaba calado hasta los huesos, de mal humor y más inquieto de lo que lo había estado desde que murió su padre. Lo único que deseaba era un baño para quitarse de encima el frío otoñal, y olvidarse por completo del episodio.

Bueno, salvo de la conmovedora actuación de Rebecca al

piano. Nadie que se considerara un músico de verdad borraría algo así de su memoria.

Y a ella tampoco podía olvidarla. Rebecca había señalado que ya no era una niña, pero tampoco era una mujer todavía. No, hasta que se entregara en matrimonio a algún afortunado bastardo que acariciaría su cuerpo delicioso, saborearía su boca dulce y experimentaría la pasión en sus brazos…

Si ese amargo malentendido con su padre no existiera, ¿consideraría la posibilidad de ser él ese hombre afortunado?

Quizá.

Darse cuenta de ello fue lo bastante aterrador como para mandarle directo al club en cuanto se puso ropa seca, perturbado por el recuerdo de sus cálidos labios entreabiertos, ingenuos e incitantes. ¿Desde cuándo las damiselas inexpertas emanaban un atractivo tan irresistible?

Llegó al club poco después de las nueve, pensando en una copa y una comida caliente. Pero enseguida tuvo claro que estaba demasiado impaciente para la charla, de modo que se marchó sin terminar de cenar, justo en medio de una conversación sobre las carreras de otoño, y dejando a varios amigos con la perplejidad reflejada en sus caras.

Explicaría su comportamiento errático en otro momento. O quizá no. Lo que tenía clarísimo es que no iba a mencionar el nombre de Rebecca Marston.

Demasiado nervioso para irse a casa y dormir las horas que tanto necesitaba después de una noche agitada, fue a parar a Curzon street. Como todavía era temprano, decidió visitar a un viejo amigo. Cuando llamó a la puerta y descubrió que sir John estaba en efecto en casa, Robert entregó una tarjeta con su nombre impreso. Le hicieron pasar a una salita privada atiborrada de todo tipo de rarezas, incluida la talla de un tótem procedente de una tribu de indios americanos, que John Traverston había traído de uno de sus viajes a las colonias. Formaba un conjunto armonioso y peculiar junto a la chimenea de mármol italiano, un tapiz antiguo en el que aparecía san Jorge y su dragón legendario, y otras piezas que uno no encontraría jamás en una típica casa londinense.

—¡Robert, muchacho! —Sir John, que aún no había cumplido los sesenta pero que tenía un rostro surcado de arrugas muy pronunciadas, producto del tiempo que había pasado al aire libre en el transcurso de sus viajes, se levantó de la maltrecha butaca donde había estado leyendo. Tenía un cabello abundante, entrecano y despeinado como de costumbre. Aún no se había cambiado para la cena, y vestía unos pantalones arrugados y una sencilla camisa blanca. Flotaba un penetrante olor a tabaco en el ambiente, y una pipa se consumía despacio en un cenicero sobre una mesita—. Qué agradable sorpresa. No te he visto desde hace meses. Ven a sentarte. ¿Una copa?

Robert seguía teniendo un ligero dolor de cabeza desde la noche anterior, y ya había cometido otras veces el error de probar el licor importado de sir John.

—Sí, pero por favor, que no sea ese brebaje repugnante, obra de unos monjes trastornados, que me diste la última vez.

John soltó una risotada.

—De hecho procede de un monasterio solitario en una zona remota de Portugal, y se considera un hallazgo. ¿Debo entender que no te impresionó mucho? Bien, en ese caso, ¿qué me dices de un aburrido vaso de un clarete vulgar?

—Eso me parece bien, gracias.

—Tienes un paladar muy corriente para ser un joven aventurero en determinados terrenos, pero en fin.

Su anfitrión se acercó a una mesa de bambú y escogió un vaso de una serie desparejada, que probablemente contenía alguna pieza única de Dios sabe dónde. Sir John, amigo de su padre de toda la vida, adoraba deambular por el mundo y volver de todas sus aventuras con una colección de tesoros peculiares, entre ellos ese brebaje endiablado.

Robert aceptó el vaso y se sentó. No estaba seguro de qué le había llevado en busca de sir John.

No, eso no era cierto. Necesitaba hablar con alguien. Alguien más viejo y mucho más sabio. Ahora Colton era el cabeza de familia, y Robert amaba y respetaba a su hermano en todos los sentidos, pero por muy duque que fuera, tres años de diferencia no le convertían en una figura paternal. John Traverston había formado parte de la vida de Robert desde que tenía uso de razón, como una especie de tío excéntrico. En ese momento representaba lo que había perdido la fatídica noche en que murió su padre. A Dios gracias, John estaba en Inglaterra en aquella época, y había proporcionado un afectuoso apoyo a una viuda conmocionada y a sus hijos jóvenes y desorientados.

Si Robert había necesitado alguna vez un consejo objetivo y sensato era ahora.

—¿Cómo fue el cumpleaños de Colton? —preguntó John, cogiendo una botella de cristal opaco de color verde y vertiendo una sustancia marrón en su vaso—. Sentí no asistir, pero con franqueza, los festejos campestres son para los jóvenes. Uno de los privilegios de hacerse viejo es que uno puede negarse a ir a determinados actos. ¿Me imaginas representando charadas después de cenar?

Era una forma perfecta de introducir el tema, pero Robert seguía dudando. Ni siquiera estaba seguro de haber ido a hablar sobre la tentadora Rebecca.

—Fue bastante agradable —dijo en un tono neutral que resultó no ser muy efectivo.

—¿Ah? —Las cejas canosas de John se arquearon. Bebió un poco de líquido del vaso con evidente fruición, y Robert reprimió una mueca. Recordó que cuando le había servido aquel mejunje asqueroso, estuvo a punto de vomitar y escupir sobre la alfombra de un modo poco elegante.

—Brianna estuvo magnífica en su primera incursión real en su papel de anfitriona. La abuela la ayudó, y creo que disfrutó muchísimo. Mantuvo una actitud severa todo el tiempo, pero los ojos le brillaban de forma evidente.

—Tu abuela siempre ha sido una matriarca perfecta en todos los sentidos. Regia y cariñosa a la vez. Recuerdo que cuando tu padre y yo éramos pequeños era capaz de aterrorizarnos con la mirada, pero cuando hacíamos travesuras era la primera en defendernos. Incluso tu abuelo escuchaba sus consejos. Fueron un matrimonio feliz, lo cual resulta estimulante en una sociedad que suele dar más importancia al linaje y la riqueza que al afecto.

«Matrimonio.»

Esa palabra parecía perseguirle. Robert asintió y contempló su vaso.

—Sí, lo sé.

—Tus padres también fueron afortunados en ese sentido. El suyo fue un enlace concertado que floreció con el tiempo, pero eso no hace falta que te lo cuente.

Robert se revolvió en la butaca.

—Lo recuerdo. Colton y su esposa parecen compartir el mismo…

No supo cómo terminar la frase. No es que entre su hermano mayor y su bellísima esposa no hubiera aún algún malentendido, pero cuando estaban juntos el vínculo era innegable.

Ahí estaba el problema. Robert no sabía si deseaba ese tipo de compromiso. Comportaba una gran dosis de responsabilidad.

—¿El mismo? —le interrumpió, amable.

Silencio. Maldición.

—Ya me contarás por qué has venido a verme en realidad cuando te apetezca. No tengo ningún compromiso importante. —John bebió un sorbo de la infame bebida y siguió allí sentado, con una expresión bondadosa en su curtido semblante.

Oh, bien, demonios, se reprochó Robert con ironía, también podía soltarlo sin más.

—Hay alguien. Una joven.

—Eso, mi querido Robbie, no me sorprende. Contigo siempre hay una mujer.

—No —espetó Robert—, como ella, no.

—Ya entiendo. Siendo así disculpa la ironía. Dime, ¿qué sucede con esa joven?

—Es soltera.

—Ya veo. —John parecía divertirse bastante—. Algunas lo son.

Esto era una tontería. ¿Por qué pensaba siquiera en ello, en Rebecca Marston, cuyo padre le tiraría de la oreja en cuanto apareciese por la puerta, y después de que su madre se hubiera desmayado?

—Muy soltera —insistió, frotándose el mentón.

—No era consciente de que hubiera grados, pero continúa. Así que por ahí hay una jovencita muy soltera. ¿Por qué te trae ella a mi salita en una noche horrible como esta?

—No sé por qué estoy aquí.

—Ya. ¿Permites que yo aventure una suposición, entonces?

Robert asintió con una carcajada sorda y John frunció el ceño.

—Yo diría que esta damita ha cautivado tu interés y tú, pese a tu empeño por ignorarlo, no puedes quitártela de la cabeza. De modo que al no existir la opción de que se trate de una conquista pasajera, en cuyo caso no estaríamos teniendo esta conversación, por primera vez en la vida te ves obligado a plantearte un compromiso, por muy aterrador que te haya parecido siempre.

Robert apretó los labios y dijo con más brusquedad de la pretendida:

—¿Aterrador? Perdona, pero me molesta que escojas esa palabra. Yo no me considero un cobarde.

—Robbie, muchacho, nuestros miedos no desaparecen cuando nos convertimos en hombres. —John examinó la punta gastada de su bota sin bruñir—. Nuestros sentimientos nos desafían durante toda la vida. Creo que la mayoría de la gente que te conoce es consciente de tu recelo ante un compromiso emocional. Eras joven cuando tu padre abandonó este mundo inesperadamente. Todas las miradas se centraron en Colton, debido a la pompa y a la responsabilidad que conlleva el título, y él sintió la necesidad de convertirse de repente en un pilar de responsabilidad, quizá en un grado innecesario para un hombre de veinte años. Damien, que a su vez se convirtió en el heredero directo del ducado, lo asumió dedicándose en cuerpo y alma a las intrigas de la guerra, en cuanto tuvo la oportunidad. Tú, por otro lado, decidiste enfocar tu vida hacia todos los placeres permitidos, ya fueran las mujeres, la bebida, o las partidas de dados.

Todos habéis seguido los caminos que escogisteis un poco demasiado bien, los tres.

La afirmación no era muy halagadora, pero era perspicaz. Robert estuvo a punto de atragantarse con el vino.

—¿Ah, sí?

—Tú viniste aquí para saber mi opinión, ¿verdad? —En los ojos de John había un destello burlón, pero benevolente al mismo tiempo—. ¿Por qué no me dices quién es esa joven que por fin ha penetrado en tu corazón, inviolable hasta la fecha?

Dios santo, Robert se resistía. Pero le daba cada vez más miedo recordar durante el resto de su vida la caricia de esa boca abierta bajo sus labios, y el evidente poder de la suave brisa de su aliento.

«… no me casé por… usted…»

Deseaba más que nada en el mundo que no le hubiera dicho eso. De no ser así, tal vez podría darle la espalda sin más.

Pero era demasiado tarde. Él lo sabía, y más aún, ella sabía que él lo sabía.

—Rebecca Marston —confesó apesadumbrado—, la hija de sir Benedict Marston.

El viejo amigo de su padre apoyó la espalda con el vaso suspendido en la mano. Al cabo de un momento dijo en tono grave:

—Me parece que comprendo tu dilema. Conozco bastante bien a sir Benedict, y sé que no es un hombre muy flexible y que tiene mala opinión de ti.

—No creas que no me he dado cuenta —comentó Robert con cierta amargura—. Lo tengo casi todo en contra. Sea cierto o no, él me considera un tramposo despreciable, ya sabes que mi reputación dista de ser inmaculada, y aunque mis finanzas son sólidas, su hija tiene una dote que le permite escoger a quien le plazca. Él no necesita mi dinero, yo no tengo más que un título de nobleza, y ni siquiera el apellido Northfield basta para mejorar la situación.

—¿Estás seguro? ¿Has hablado con sir Benedict?

—No. No tengo ganas de perder el tiempo. Créeme, nunca permitirá que me acerque a su virginal hija.

—Puede que sí y puede que no. Colton tiene una influencia considerable y sir Benedict es un hombre ambicioso.

—Dada mi reputación, no estoy seguro de que la buena cuna sirva para nada. —Robert se masajeó la sien—. Maldita sea, John, ni siquiera puedo culparle. Si ese cuento que él cree cierto lo fuera, yo no sería digno ni de rozar la mano de Rebecca. Aun así, no sé si lo soy. Nunca hasta ahora había calculado las consecuencias de tener cierta mala fama entre la gente.

—Nuestro pasado tiene la molesta costumbre de perseguirnos. Espera a tener mi edad. —John le miró con las cejas algo arqueadas—. Dime, ¿ella qué piensa?

—Rebecca no conoce toda la historia, pero es consciente de que su padre no me aprueba.

—Ah, entonces has hablado con la joven.

Un par de ojos aguamarina, un cabello sedoso como la luz de la luna a medianoche, unos labios arrebatadores, suaves, tiernos, y complacientes…

—Hemos hablado —replicó Robert, sin ganas de mencionar el beso—. Ella afirma que la temporada pasada no se casó debido… al absurdo enamoramiento que siente por mí.

Acababa de tartamudear. Robert Northfield no tartamudeaba.

—¿Es absurdo? —John alzó una ceja poblada—. Si es mutuo, quiero decir.

Robert le miró sombrío.

—Quizá sea solo deseo. Es muy bonita.

—Pero Robert, tú sabes muy bien lo que es el deseo. Si esa joven dama te atrae tanto, tal vez sea algo distinto.

—Uno no modifica toda su vida por un tal vez. —La verdad es que Robert era incapaz de seguir sentado un minuto más, de modo que se puso de pie. Se acercó al tótem y observó una de sus caras sonrientes—. ¿Y si yo no soy capaz de ser fiel? Le haría daño y…

Al verle vacilar, John terminó la frase en su lugar.

—Y eso no podrías soportarlo. Eso ya dice mucho. Al menos tus sentimientos van en la dirección adecuada. ¿Él sospecha el romance?

«Él» era sir Benedict. Robert pensó en el comentario de Loretta Newman y en la intromisión de Damien. La mirada torva que había recibido la noche que salió con ella a la terraza también era bastante clara.

—Yo diría que sí. Aunque ni siquiera sé si sospechaba que fuera un romance.

—Perdóname —intervino John con seriedad, aunque había cierta ironía en su voz—, pero creo que sí. Y yo, sin ir más lejos, llevo bastante tiempo esperando que llegara este momento.

17

El engaño puede adoptar muchas formas. Algunas veces, ocultar la verdad es una forma prudente de actuar. Pero eso también puede significar la muerte de un frágil vínculo de confianza. Si engañáis a vuestro amante, hacedlo con cuidado.

Del capítulo titulado «Lo que él debe saber»

*L*ea hizo un gesto vago.

—Si necesitamos algo más la llamaremos, señora Judson.

—Muy bien, madame. Excelencia. —La anciana hizo una reverencia con la cabeza y salió de la sala.

—Suele ir de aquí para allá dando órdenes a todo el mundo, como si la señora de la casa fuera ella y no yo. No es que me importe, porque es muy eficiente y los niños la adoran. Solo se acuerda de repente de que soy la hermana de una duquesa cuando tú vienes de visita —le explicó su hermana entre risas.

Brianna consiguió esbozar una sonrisa ausente.

—Tienes suerte de tenerla. Dime, ¿cómo están los niños?

Esa pregunta siempre provocaba una retahíla de descripciones sobre las diversas hazañas de sus sobrinas y su sobrino, pero Brianna les quería mucho a todos, así que lo normal era que le encantara y le distrajera oírlas. Pero debía admitir que esta mañana en concreto estaba distraída.

—… y estaba debajo de la cama, nada menos… Bri, ¿me estás escuchando?

—Por supuesto —dijo de forma automática. Pero al ver la mirada de claro escepticismo de Lea, añadió con un suspiro—: quizá no con la atención que debiera. Perdona.

Estaban sentadas en la salita de invitados de la residencia de su hermana. Era un espacio acogedor, con butacas tapizadas de cretona y cojines bordados, y de las paredes colgaban varias acuarelas que su hermana había pintado recientemente. Lea dejó la taza de té a un lado.

—¿Pasa algo malo? Dijiste que la reunión campestre de Rolthven fue un éxito. Y por los comentarios de los periódicos parece que todo el mundo opina lo mismo. Me habría encantado que Henry y yo hubiéramos podido asistir.

—Fue bien. Me parece que los invitados disfrutaron mucho. Incluso Colton parecía relajado. —Brianna contempló la base de la taza con aire melancólico—. Al menos esa es la impresión que tuve. Estos días, en cambio, se está comportando de un modo bastante distinto.

Era cierto. Desde que habían vuelto había estado más absorto que nunca. A posteriori resultó un error haberle revelado sus verdaderos sentimientos. Nunca debía haberle dicho que le amaba. Esas sencillas palabras lo habían cambiado todo, aunque Brianna habría jurado que en aquel momento Colton se había emocionado. La verdad es que le había dado un beso prolongado e intenso, y después le hizo el amor de una forma tierna y ardiente a la vez, pero puede que ella hubiera confundido el deseo físico con una respuesta emocional.

—Define distinto. —Lea frunció el ceño, preocupada—. Veo que esto te angustia mucho.

—Es difícil de describir. Está… distante.

—¿Más de lo normal?

Brianna reaccionó a eso con una sonrisa irónica. Sí, Colton solía presentar al mundo la imagen de un aristócrata privilegiado, nada complaciente, ni afable. Aunque ella sabía de primera mano que era muy capaz de ser ambas cosas.

—Sí. Sin duda más de lo habitual. A lo mejor solo se debe a que le obligué a pasar unos días en el campo y ahora está más ocupado que nunca, pero no ha...

Se detuvo, sin saber cómo seguir. Unas lágrimas imprevistas le inundaron los ojos y desvió la mirada hacia la ventana manchada por la lluvia.

—¿No ha...?

—Venido a mi cama —balbuceó entre sollozos reprimidos.

—Entiendo... —Lea parecía desconcertada—, y deduzco que no suele ser así.

—En absoluto. —Brianna parpadeó un par de veces, maldijo en su fuero interno esa reacción ante una sospecha a buen seguro infundada, y recobró la compostura—. ¿Tú qué harías si Henry actuara así?

—Preguntárselo directamente, por supuesto. Pero mi Henry no es Rolthven, querida. Dudo que tu duque esté muy acostumbrado a que alguien cuestione sus actos, ni tan siquiera su esposa. —Lea pasó un dedo sobre el brazo de la butaca con expresión pensativa—. Puede que esto solo signifique que estás demasiado sensible. Los hombres tienen sus propios estados de ánimo y los matrimonios pasan por fases, como sucede en la naturaleza.

—O puede —señaló Brianna exponiendo uno de sus mayores miedos—, que tenga una amante. Yo he hecho todo lo posible por evitarlo, pero...

Terminó la frase con un pequeño sollozo, y Lea la miró de frente con evidente curiosidad.

—¿Y qué has hecho?

—Eso no importa. —Brianna se levantó y depositó la taza de porcelana con sonora contundencia. Ella nunca era así, tan llorosa y emotiva sin razón. Hubiera jurado que los consejos de lady Rothburg habían surtido efecto—. Será mejor que termine mis recados.

Volver a la rutina debería haber sido justo lo que le convenía y sin embargo, mientras el carruaje subía traqueteando por la calle mojada, Colton se dio perfecta cuenta de que había perdido el control. De repente su vida ya no era ordenada.

Hacía una semana que Brianna y él habían vuelto del campo, y aunque todos, incluido él, opinaban que la fiesta de su cumpleaños había sido un rotundo éxito, desde la erótica noche de su cumpleaños, las cosas en su matrimonio habían emprendido una clara espiral descendente.

Su bella esposa le escondía algo, y cuando pensaba en ello tenía la sensación de que hacía un tiempo que duraba.

Ella no lo haría, se dijo con firmeza, mientras se arrellanaba con desgana en el asiento del vehículo en marcha. Brianna no era embustera, o al menos eso pensaba. Todo lo contrario, era cariñosa, inteligente, agradable y muy, muy hermosa.

Ese último detalle le causó cierta preocupación.

Eso era evidente para los demás hombres también. Ella llamaba la atención allí donde iba, y pese a que en su presencia, jamás había coqueteado en lo más mínimo, su joven esposa poseía cierta sensualidad inherente que era difícil ignorar.

Era detestable ser consciente de que cuando un hombre se casaba con una mujer tan atractiva como Brianna, podía estar condenado a soportar una repugnante e intensa sensación de celos. Colton no lo había considerado desde esa perspectiva hasta el presente, por la sencilla razón de que nunca se le había ocurrido que pudiera tener motivos para preocuparse.

El carruaje se detuvo en seco. Se apeó y se fijó en que el barrio no era ni sofisticado, ni ruinoso, sino que estaba repleto de negocios y viviendas respetables. El establecimiento que buscaba tenía un cartel recién pintado y además discreto. No ofrecía ninguna pista de la naturaleza del servicio que proporcionaba, y eso era exactamente lo que quería.

Entró en Hudson e hijos y el joven que estaba detrás del mostrador se puso de pie al instante y le hizo una reverencia.

—Excelencia. Mi padre le está esperando. Por aquí.

—Gracias —dijo, adusto.

Al cabo de unos minutos estaba sentado en un despachito atiborrado, frente a un hombre de cabello oscuro, mirada implacable y perilla. Colton carraspeó, preguntándose si habría algún ser humano más desgraciado que él en ese momento. Pero el señor Hudson se adelantó y dijo con una empatía sorprendente:

—Su nota era muy clara, excelencia. No es necesario que vuelva a explicarlo todo. Desea usted contratarnos para que sigamos a su esposa, ¿es correcto?

—Yo no deseo contratarles en absoluto, pero sí, en esencia es correcto.

—Puede estar seguro de nuestra competencia en asuntos de esta índole, y la confidencialidad está garantizada.

—Más vale que sea así. —Colton no solía utilizar su rango para intimidar, pero esto era importante para él—. Madame la duquesa no debe saberlo nunca. Si surgiera algo, yo lo resolvería en privado.

—Comprendo. —Hudson inclinó la cabeza—. Por favor, dese cuenta de que nosotros tenemos experiencia en este tipo de cosas.

—Yo no tengo la menor experiencia —dijo Colton, mientras miraba distraído el detallado mapa de Londres que había en la pared—, y para ser sincero, detesto contratarles.

—Muy pocas personas desean cruzar el umbral de nuestra oficina, excelencia.

—Imagino que eso es verdad. ¿Con qué frecuencia dispondré de sus informes?

—Tan a menudo como desee. Yo le sugiero una vez por semana, a menos que detectemos algo fuera de lo común. A menudo, si existe la aventura, la descubrimos de inmediato.

—De hecho, yo no he pensado ni por un segundo que mi esposa esté teniendo una aventura.

Hudson levantó las cejas como diciendo: ¿entonces por qué está usted aquí?

Al infierno con la dignidad.

—Pido a Dios por que no la tenga. Mi secretario les enviará un cheque con sus honorarios —murmuró Colton.

—Necesitaría una descripción física y algunos detalles sobre su rutina diaria. ¿A qué dedica el tiempo?

—No sé con certeza cuáles son las ocupaciones cotidianas de la duquesa. El tipo de cosas que suele hacer una dama, imagino.

Era verdad. Ya que el sustento, no solo de su familia, sino también de muchas otras personas dependía de su prosperidad, Colton se dedicaba sobre todo a su trabajo. Brianna iba a menudo de compras y a visitar a sus amigas, y también hacía obras de caridad en diversos orfanatos, para las cuales él le entregaba un dinero extra. Durante el día cada uno hacía su vida. Solo estaban un rato juntos por las tardes, y había muchas noches que él se iba al club. Era una situación muy habitual entre las parejas de su posición social.

No era de extrañar que tantos hombres y mujeres tuvieran la oportunidad de tener aventuras pasajeras.

—Entiendo. Eso nos ayudaría, pero no es imprescindible. Mi empleado averiguará enseguida las costumbres de su excelencia. —Hudson hizo un garabato en un pedazo de papel, con expresión profesional, inescrutable.

—Ni siquiera sé si tiene costumbres. —Colton defendió a su mujer aunque, técnicamente hablando, era él quien la acusaba—. No del tipo al que usted se refiere. Lo único que ocurre es que alguno de sus actos me ha sorprendido, eso es todo.

—¿Sorprendido? ¿En qué sentido?

Sí, sorprendido. Tenía que afrontar los hechos irrefutables. Metódico por naturaleza, Colton incluso se había sentado a anotar la lista de motivos por los que había empezado a inquietarse.

Todo había empezado con aquel endemoniado vestido provocativo que Brianna lució en la ópera. Eso, constató Colton, marcó el principio del cambio en su comportamiento. Había ido adquiriendo mayor seguridad a una velocidad extraordinaria, y en el dormitorio hacía cosas que él nunca hubiera imaginado que le pasaran jamás por la cabeza a una dama joven como Dios manda. Diablos, le había atado a la cama y le había dado placer con la mano, y luego se puso a horcajadas sobre él y cabalgó sobre sus caderas como si supiera exactamente qué debía hacer.

Él, desde luego, antes nunca había hecho el amor en esa postura. Ni tampoco le sugirió que le tomara el miembro en la boca. Tampoco esa descocada ropa interior parecía la apropiada en una joven ingenua hasta ese momento y con una educación tan estricta. Solo el diablo sabía la tortura que suponía para Colton estar con ella en público, sabiendo que debajo del vestido llevaba esas piececitas de ropa, tan transparentes y tentadoras.

Los primeros meses de matrimonio ella se había comportado según lo previsto. Era tímida e insegura en la cama, y al día siguiente solía mostrarse un tanto avergonzada.

Colton tenía que afrontar que algo había cambiado desde entonces. Ahora su esposa hacía el amor como una cortesana, y estaba claro que no se lo había enseñado él.

Los hombres se fijaban en ella, la deseaban. Era preciosa y poseía cierta vitalidad que no pasaba desapercibida.

¿Era esa la razón por la que se negaba a decirle que estaba embarazada? Aún no había mencionado la posibilidad siquiera.

Tal vez el hijo no era suyo.

Dios del cielo, cómo le destrozaba pensar eso. No tenía nada que ver ni con su linaje familiar, ni con su maldito dinero, ni con el endiablado título. Imaginarla en brazos de otro hombre... no podía soportarlo. ¿Acaso Brianna era capaz de declarar con tanta dulzura que le amaba y al mismo tiempo traicionarle?

No, en realidad no lo pensaba, pero, al mismo tiempo, necesitaba saberlo.

No obstante no tenía la menor intención de contarle todo eso al señor Hudson, de Investigaciones Hudson e hijos. No solo en aras de su propio orgullo, sino porque él jamás avergonzaría a Brianna a sabiendas.

—Eso es privado —se limitó a decir, con la mirada firme.

Si el señor Hudson tenía la sensación de que Colton dificultaba su propia causa, era demasiado diplomático para decirlo.

—Por supuesto. Aunque una descripción nos sería útil, ya que sin duda ustedes viven en una residencia muy grande, y habrá gente entrando y saliendo a todas horas.

Describirla era fácil, pues conocía su cuerpo al milímetro, desde la punta de su centelleante cabellera hasta los pies.

—¿Le sirve esto? —Colton le entregó un retrato en miniatura, pintado recientemente. Solo por el hecho de desprenderse del medallón ya tenía la sensación de perder algo.

Hudson cogió el retrato de Brianna y lo observó con atención.

—Mucho. Le felicito. La duquesa es encantadora. ¿Dígame, excelencia, sospecha usted de alguien en concreto? ¿Un amigo, un colega, un pariente? Es muy inusual que el culpable sea un desconocido.

Por un momento, Colton se sintió tan abatido que consideró la idea de levantarse y abandonar la investigación. Luego la desechó. Si su esposa era inocente, todo iría bien. Si no… bien, en ese caso no estaba seguro de lo que haría, salvo que quedaría destrozado. En mil pedazos.

—No. —Se levantó, puso punto final a aquella dolorosa conversación y agradeció como nunca en su vida dar por terminada una cita.

Pronto lo sabría, pensó taciturno mientras volvía a subir en el carruaje.

Solo esperaba que conocer la verdad no le mandara directo al infierno.

—¿Te niegas a decírmelo? —Brianna miró a su cuñado con evidente reproche.

Por fin lo había acorralado en el pasillo que unía los aposentos de la familia en la enorme mansión de Mayfair, y eso le había costado bastante. Ahora sabía por qué lord Wellington le tenía en tanta estima. Damien era astuto. Era como si hubiera intuido que deseaba hablarle, y la evitaba con mucha habilidad.

—Mi querida Brianna, yo jamás te negaría nada.

Damien sonreía con aquel aire enigmático tan suyo, y ella tuvo la sensación de que si no hubiera estado literalmente atrapado, e incapaz de salir de sus habitaciones sin apartarla de un empujón, se habría alejado sin más, tras ese comentario tan ambiguo.

—Damien —le dijo con una entonación muy elocuente—, yo te aprecio mucho, pero si no me dices qué está pasando en esta casa soy capaz de recurrir a la violencia. La otra noche en la cena, Robert estuvo tan parco y tan distraído que creí que se atragantaría con la comida si le instaban a entablar una conversación civilizada. Colton también actúa de un modo extraño. Aquí yo soy la única mujer de la familia, y tengo la extraña sensación de que algo pasa si todos vosotros os mantenéis apartados de mí ex profeso.

Entonces volvió a pasar. Sin previo aviso, salvo un espasmo en el estómago, Brianna tuvo una arcada tan fuerte que gimió y se tapó la boca con la mano, por temor a vomitar sobre las botas de su cuñado y mancharse ella también. Pero comprobó con cierto disgusto que él sacaba de inmediato un pañuelo y se lo ofrecía.

—Toma, usa esto y deja que vaya a buscar una palangana —le dijo.

Al cabo de pocos minutos Brianna estaba medio echada en el sofá de la salita y Damien le daba un paño empapado en agua fría para la frente. El único aspecto positivo de todo ese embarazoso incidente era que, de hecho, había digerido el desayuno. Cuando recuperó el habla, dijo en un susurro:

—Perdona. Ha sido muy repentino.

Damien, que estaba a su lado en cuclillas, sonrió.

—Según tengo entendido, no es nada fuera de lo común. No soy médico, pero cuando uno está en el ejército adquiere cierta experiencia en estos menesteres. Siempre hay mujeres cerca de donde acampan los soldados, y las consecuencias suelen ser inevitables. Felicidades.

Ella le miró muy confundida.

—¿De qué diantre estás hablando?

Él frunció el ceño. Se quedó callado un momento, y luego dijo con amabilidad:

—¿Suele ocurrirte a menudo?

Últimamente muy a menudo, por desgracia, aunque la verdad es que no solía vomitar. Solo se mareaba de vez en cuando, y las últimas semanas había empezado a privarse de las salsas fuertes y los postres pesados hasta que se le pasara el malestar.

—A veces —le contestó; se incorporó y tragó saliva—, y luego se me pasa. Por favor, no se te ocurra contárselo a Colton. Se preocuparía, y seguro que estoy bien.

—Yo creo que estás perfectamente —corroboró Damien con una sonrisa—. Pero quizá deberías reflexionar sobre ciertas cosas. Puede que Colton actúe de forma extraña porque ya haya averiguado la causa de tu malestar.

—¿La causa? —Ella intentaba eliminar la sensación de sequedad que tenía en la boca, deseando con fruición esa taza de té ligero, que siempre le sentaba tan bien.

—Bueno, eres una mujer casada.

Brianna parpadeó, sin saber cómo contestar. Claro que estaba casada.

Damien maldijo en voz baja.

—Siempre me sorprende esa tendencia de la aristocracia inglesa de no informar a nuestras mujeres jóvenes sobre cuestiones prácticas. Llevo demasiado tiempo viviendo en un lugar donde la muerte es mucho más común que el milagro de la vida, así que seré franco. Brianna, ¿puedes estar embarazada?

¿Si estaba qué?

Se le escapó una leve exhalación. Damien quería decir que…

Su cuñado se apoyó en los talones, con aire irónico.

—¿No se te había ocurrido?

Ella tardó un momento, pero luego meneó la cabeza y se lamió los labios resecos.

—Hasta ahora, no —confesó—. ¿Eso provoca náuseas?

—En algunas mujeres sí, al principio. También duermen más, creo, porque gestar a otro ser humano requiere cierta energía, claro que el síntoma definitivo es que no tengas el período.

Él lo dijo con toda naturalidad, pero aun así ella se sonrojó. Fue un rubor muy evidente a juzgar por la reacción de Damien. La cara le ardía.

Se sintió como una tonta. Eso era peor que cuando su madre le dijo que soportara la noche de bodas sin quejarse. Le mortificaba que un joven soltero como Damien supiera más que ella sobre ese tema, y más grave aún era pensar que Colton también podía haberlo deducido.

¿Por qué su marido no le había dicho nada?

—Supongo que es posible —asintió aturdida.

—Yo apostaría a que se trata de eso —dijo Damien con una mueca—. Mi hermano mayor es un tanto reservado, pero sigue siendo un hombre. ¿Podría rogarte que tuvieras un varón y me liberaras de la abominable carga de ser el heredero del ducado? En España no me resulta mucha molestia, pero esta guerra no durará siempre. Detesto pensar que me vería obligado a posponer mi regreso a Inglaterra para evitar la insistente persecución de unas cuantas jovencitas ambiciosas.

—Tú nunca faltarías a tu deber con la Corona. —Brianna se incorporó un poco, aliviada al sentir que la náusea disminuía—. En cuanto a lo del heredero, haré todo lo que pueda.

Damien se puso de pie.

—Colton estará encantado.

—Como la mayoría de los hombres, supongo. —Brianna seguía molesta. Si su marido pensaba que podía estar embarazada, seguro que lo habría mencionado. Al pensar en ello, se dio cuenta de que tenía un retraso de varias semanas. Entonces recordó que se había encontrado mal cuando estuvieron en Rolthven, y las atenciones de su esposo adquirieron un nuevo significado.

Era como si la estuviera espiando.

Su cuñado insistió en acompañarla a las estancias ducales, y cuando Damien se fue Brianna llamó a su doncella. En cuanto Molly acudió le preguntó sin darle importancia:

—¿El duque ha preguntado por mí últimamente?

La muchacha, que de pronto parecía incómoda, respondió con suavidad y deferencia:

—¿A qué se refiere, excelencia?

—Es solamente por curiosidad, no estoy disgustada, no se preocupe. ¿Le ha hecho alguna pregunta sobre mi estado de salud? —Brianna se sentó en el borde de la cama, intentando no entrelazar las manos con demasiada energía.

Molly torció el gesto y asintió con cierta vacilación.

—Cuando estábamos en Essex y un día usted se despertó más tarde, me preguntó si parecía más cansada de lo habitual, excelencia. En su estado es muy natural. Todos nosotros nos sentimos muy felices por los dos. Es una bendición.

¿Nosotros? Qué maravilla. Todos los habitantes de la casa estaban al tanto de su embarazo, menos ella. Brianna se quedó abrumada, muda, hasta que acertó a decir:

—Gracias.

—¿Desea un té ligero? Le sentará bien.

Brianna consiguió asentir.

Cuando Molly se marchó, ella siguió sentada con las manos juntas en el regazo y el cerebro dándole vueltas al compás de unos arbitrarios espasmos del estómago.

¿De verdad iba a tener al hijo de Colton? Sintió un nudo en la garganta. Era feliz. ¿Por qué iba a llorar?

Él no había acudido a ella desde que volvieron de Rolthven. ¿Era esta la razón? En los últimos días se había sentido muy sola y confusa a causa de ese comportamiento, y en parte había intentado hablar con Damien por ese motivo.

Eso tampoco había resultado un éxito. El hermano menor de Colton había esquivado con habilidad todas y cada una de sus preguntas, con una naturalidad y una sutileza de las que solo él era capaz. Al final fue ella quien acabó respondiendo a preguntas personales.

Brianna, sentada en el borde de aquella cama enorme, se sintió triste y desamparada. Continuaba sin saber qué le pasaba a Robert, y aunque el ensimismamiento de Colton podía deberse a que supusiera que ella iba a dar a luz a su hijo, tenía la sensación de que esa no era excusa suficiente para su reciente actitud distante.

Era desgarrador admitir que no tenía ni la menor idea de cómo manejar este hecho.

Irguió la espalda, desechó la melancolía con decisión, se preguntó qué haría lady Rothburg y trató de recordar el texto del libro.

Por irritante que resulte el hombre común, sus actos suelen tener un motivo justificado. Algo con lo que nosotras no siempre estaremos de acuerdo, pero que para él es válido y justifica su comportamiento. Es necesario comportarse con discreción, pues a ningún hombre le gusta que una mujer se entrometa en su vida, pero saber qué le impulsa a actuar de una determinada manera solo os reportará ventajas.

Decir que la información es poder no es un cliché, es la pura verdad.

Tenía lógica. Primero lo primero: Brianna necesitaba saber si de verdad estaba embarazada antes de enfrentarse a Colton por ese distanciamiento repentino.

18

Cuando las cosas vayan mal en asuntos de amor, tal como sucede con demasiada frecuencia, limitaos a confiar en vuestros instintos. Sabréis qué hacer.

Del capítulo titulado
«El sol no brilla siempre»

—¿*T*e importaría decirme qué diablos estamos haciendo aquí? —Al reconocer la calle a través de las ventanas del carruaje, y esa elegante mansión a pocas manzanas de su residencia familiar, Robert se volvió hacia su hermano con expresión firme.

—Puede que le diera a entender a lady Marston que esta tarde vendría de visita —dijo Damien, empeñado en seguir con aquella maniobra evidente—. Además, debo hablar con sir Benedict. He recibido órdenes nuevas. Entraremos solo un momento, así que no pongas esa cara de susto.

—Esta táctica es muy poco original —señaló Robert con sorna—. Debería haberlo previsto cuando me preguntaste si quería acompañarte a Tattersalls. A veces olvido que tú nunca haces nada a las claras. Yo esperaré aquí junto al carruaje.

—¿Con este tiempo? —Damien atisbó por la ventana—. Estarás muy incómodo, en mi opinión.

Fuera hacía frío, humedad, era tan agradable como un calabozo antiguo, y caía una cortina de lluvia persistente. Robert se cruzó de brazos irritado y miró a Damien.

—Sobreviviré. No tardes, o le diré al cochero que nos marchemos sin ti.

—¿Cómo crees que se lo tomará Rebecca, si se entera de que prefieres tiritar por la humedad antes que verla a ella?

—Lo último que quiero hacer es animarla. Olvídalo.

Su hermano le obsequió con una de sus famosas miradas asesinas.

—¿Te das cuenta de que sus emociones también deben tenerse en cuenta, y no solo tu necesidad egoísta de ser indulgente contigo mismo y de perseguir tus intereses hedonistas sin censura? Una joven hermosa e inteligente de una buena familia siente una inclinación romántica hacia ti. Si dejas pasar esta oportunidad, voy a tener que dejar de pensar que eres inteligente.

La afirmación contenía tantas ofensas que Robert no sabía cuál de sus cáusticos contenidos rebatir primero. Abrió la boca para defenderse y luego la cerró de golpe.

—Yo envié unas flores hace un rato. Firmé la tarjeta solo con el apellido Northfield. Su madre pensará que vienen de mi parte. Rebecca confiará que vienen de la tuya.

—¿Es que estás loco de atar? —le preguntó Robert con vehemencia—. No te metas en esto.

—Robert, desde que volvimos de Rolthven has estado tan tristón que apenas te conozco. Tienes un humor de perros. —Damien apoyó la espalda con expresión hermética—. No lo niegues. Todo el mundo se ha dado cuenta. Brianna me persiguió el otro día para preguntármelo. Mira, hermano, tú no deseas un cambio así en tu vida, bien, pero a mí me parece que tu vida ya ha cambiado. ¿Dónde está el encantador y mujeriego Robert Northfield que se pasa la vida coqueteando, con total indiferencia, y se acuesta con una mujer distinta cada noche?

—Yo. No. Coqueteo —Robert espetó todas esas palabras con un énfasis singular.

—Ya no, es verdad. Doy por supuesto que últimamente no

te has dedicado a ninguna de esas bellezas tan complacientes a las que solías perseguir.

—Si me acuesto con alguien o no, no es asunto tuyo —replicó Robert.

El problema era que Damien, maldito sea, había hecho una deducción astuta. No había buscado contacto alguno con ninguna mujer desde esa endemoniada celebración campestre.

No le había apetecido, y eso era una anomalía en su vida licenciosa.

—Eres mi hermano y tu felicidad me importa, me des permiso o no. —Damien se ajustó un guante y volvió la mirada hacia la casa—. Piénsalo de este modo: nos presentamos los dos juntos de visita a media tarde. La madre de Rebecca me considera un pretendiente apropiado, de modo que nuestra visita es bienvenida. Eso permite que tanto ella como sir Benedict acepten tu presencia en su salón. Considéralo un primer paso proverbial, si quieres.

—Tú ya conoces la historia —contestó Robert entre dientes—. Por Dios, hombre, si entro por esa puerta, es probable que me eche a patadas, y no quiero exponerme a una escena de ese tipo, y mucho menos a Rebecca.

—Dudo que suceda nada parecido —prosiguió Damien con la misma parsimonia—. También te sugiero que bailes al menos un vals con la señorita Marston, mañana por la noche en la fiesta de los Phillip. Limítate a tomártelo con calma y no permitas el menor cotilleo. Me parece que los Marston serán más complacientes de lo que crees, si piensan que tus intenciones son honorables. Al fin y al cabo, podían haberla obligado a casarse antes y no lo hicieron. En mi opinión eso significa que tienen en cuenta su opinión en este tema.

Robert seguía sopesando la afirmación inicial de Damien.

—¿Qué te hace pensar que sir Benedict no me echará a la calle escandalizado? —Miró con suspicacia a su hermano, preguntándose qué demonios debía haber estado tramando la semana anterior.

—Confía en mí.

—No es que no confíe…

—Robbie, el duque de Wellington se fía de mi palabra cuando están en juego las vidas de miles de soldados. ¿No crees que merezco cierta confianza de mi propio hermano?

Por lo visto no había otra respuesta posible a esa pregunta, salvo un ligero asentimiento, de modo que Robert se limitó a quedarse sentado e inclinó apenas la cabeza.

—Si —Damien levantó un dedo— tú demuestras ser un modelo de conducta decorosa a la hora de cortejar a su hija, y ella te acepta, creo que sus objeciones desaparecerán.

—Un modelo de conducta decorosa —repitió Robert, entre la ironía y la indignación. Tenía ganas de reír o de pegarle a algo—. Ah, eso suena fascinante. Aparte de que no sé muy bien cómo, tampoco estoy seguro de querer intentarlo siquiera.

—Pero tampoco estás seguro de no querer, lo cual ya es mucho. —Damien adoptó un aire de cierta petulancia y señaló la puerta—. ¿Vamos?

Robert soltó un improperio, salió del carruaje y al cabo de unos minutos estaba sentado en la sala de visitas de los Marston, escuchando a medias la charla de la anfitriona. Intentaba dar las respuestas apropiadas, pero solo estaba pendiente de Rebecca.

Él, que era capaz de olvidarse alegremente de cualquier mujer, ni siquiera podía apartar la mirada. ¿Qué diablos le estaba pasando?

Rebecca estaba deliciosa con ese vestido de seda rosa pálido, que realzaba su cabellera oscura y brillante y sus cautivadores ojos cobalto. Estaba sentada con porte gentil, pero obviamente tímido, en el borde mismo de la butaca, y cuando tras un intercambio breve, Damien se excusó para ir a hablar con su padre, abrió los ojos de par en par con discreción.

Robert constató con sarcasmo que aunque tuviera fama de ser un calavera libertino, capaz de arrastrar a una mujer a una situación comprometida, mantener una conversación educada con una matrona respetable y su inocente hija quedaba completamente al margen de sus capacidades. El único aspecto positivo era que ellas parecían tan fuera de lugar como él.

Consiguió responder a unas cuantas cuestiones con algunas banalidades, antes de plantear una él. Se dirigió a Rebecca.

—Tenía intención de preguntarle dónde aprendió esas piezas que interpretó tan bien cuando estábamos en Rolthven. Algunas las reconocí, por supuesto, pero no todas, y creo que mis favoritas eran las que no había oído nunca.

Por la razón que fuera, Rebecca enrojeció. Confundida. Y así, él pensó que por fin había introducido un tema que a ella le interesaba.

—Dígame, lord Robert —preguntó lady Marston con tono gélido, antes de que su hija pudiera contestar—, hablando de esa noche, ¿dónde aprendió a tocar el chelo de forma tan divina? No tenía ni idea de que tuviera usted tanto talento.

Las palabras eran corteses. El desdén manifiesto, no.

—Tanto mis hermanos como yo tuvimos profesores de música —dijo con deliberada vaguedad y sin apartar la vista de aquella joven tan nerviosa sentada al otro extremo de la sala.

—El chelo es uno de mis instrumentos preferidos. —Rebecca se alisó la falda con meticulosidad.

—Y el mío. También toco un poco el violín y la flauta, pero el chelo sigue siendo mi favorito —murmuró él con indiferencia.

—Su cuñada, la duquesa, es una joven encantadora, ¿no cree? Pasamos unos días deliciosos.

Otro cambio de tema evidente.

Muy bien.

—No hay duda de que Brianna es tan gentil como bella. Mi hermano es un hombre afortunado —sonrió a Rebecca—. Tengo entendido que son ustedes amigas desde niñas.

—De pequeñas eran inseparables —le informó lady Marston, interfiriendo en la respuesta de su hija—. Eran algo traviesas las dos, pero todo eso pasó. Como la mayoría de las jovencitas bien educadas, han dejado atrás toda tendencia a la incorrección. Mire lo bien que se ha casado Brianna. Su hermano es la personificación del decoro. Un auténtico caballero, no solo de nombre, sino de hecho. También lord Damien tiene una reputación impecable.

En otras circunstancias le habría divertido quedar al margen de forma tan obvia de la lista de varones respetables de su familia. Pero no se divertía en lo más mínimo.

La implicación era muy clara. Cualquier relación con él era de lo más inapropiado para una joven de buena familia. El que fuera cierto no mejoraba las cosas. Robert no tenía ni la menor idea de cómo defenderse, y lo peor de todo era que lady Marston parecía saberlo.

Al final lo dejó correr.

—Mis hermanos son dos buenas personas, aunque puede que yo no sea objetivo —confiaba parecer inocente.

—Ellos también tienen muy buena opinión de usted —comentó Rebecca después de silenciar a su madre con la mirada.

—Eso espero. —Robert le agradeció con una sonrisa que interviniera en su defensa.

—Sí, bueno, los miembros de una familia no suelen ver los fallos de sus parientes, ¿verdad? —Lady Marston le miró mordaz, y aquel comentario tan directo provocó que Rebecca hiciera un ruidito, como una especie de leve gemido de consternación.

No es que Robert se hubiera hecho muchas ilusiones respecto a aquella visita, pero no esperaba tanta brusquedad.

—Sí, pero también es verdad que suelen conocerse entre sí mejor que nadie. A menudo la opinión que tiene la gente sobre el carácter de alguien y la realidad son cosas bastante distintas —señaló Robert con tranquilidad.

—Eso es cierto —corroboró Rebecca de inmediato. Tal vez demasiado.

—Quizá en algunos casos. —Lady Marston no parecía demasiado afectada por el comentario de Robert—. Pero los rumores siempre tienen algo de cierto.

Robert dominó el impulso de mirar hacia la puerta. ¿Dónde diantre estaba Damien?

Rebecca estaba tan cerca que solo podía pensar en la suave curvatura de su boca y en qué había sentido cuando la tuvo junto a los labios, en sus manos sujetándole con delicadeza, en la fragancia de su cabello, y maldita sea, ella le miraba de una forma que indicaba que también lo recordaba.

Y era bastante evidente que eso, a su madre, no le había pasado por alto.

La falta de mundo de Rebecca era desconcertante y atrayente al mismo tiempo. Algunas de las damas con las que él solía relacionarse seguían coqueteando ante las narices de sus maridos. Demonios, él mismo había flirteado con ellas ante las narices de esos maridos. Otras eran viudas experimentadas, o mantenidas, como la notoria lady Rothburg, que había escrito un manual de instrucciones sobre ardides para recuperar al marido o alguna tontería similar. Robert no frecuentaba burdeles, ni mantenía una amante fija, pero nunca le faltaba compañía femenina cuando la deseaba.

La seducción era un arte. Él lo había estudiado, había perfeccionado la técnica, y todo eso no le favorecía en absoluto cuando estaba sentado allí, en la atmósfera rígida del salón de una dama joven e ingenua, que se merecía todas las cortesías, todas las palabras floridas y los gestos románticos de un cortejo formal.

Damien tenía razón, lo más probable era que él fuera capaz de seducir a Rebecca. Recordó su oferta de un encuentro clandestino en Rolthven, pero había dejado pasar esa oportunidad y, seguramente, nunca volvería a verla a solas. Aparte de que estaba en contra de la idea. Acceder a visitarla en la salita de sus padres era una cosa, pero comprometer a la hija de sir Benedict Marston significaba un paseo hasta la catedral, todos esos adornos y… no sabía por qué demonios le pasaban estas cosas por la cabeza.

Vio con gran alivio que su hermano regresaba por fin. Ambos se excusaron y se fueron, y en cuanto estuvieron otra vez instalados en el carruaje, dijo con sequedad:

—Odio criticar tu destreza legendaria, pero ha sido un completo desastre.

—¿Y eso? —A Damien, arrellanado en el asiento de enfrente, no pareció impresionarle tal afirmación—. ¿Estás perdiendo clase? ¿Ya no está interesada la bella Rebecca? Habría jurado que después de aquel beso tan tierno…

—¿Nos estuviste observando? —interrumpió Robert sin saber por qué le irritaba tanto.

—A propósito no, tonto antipático. Yo estaba fuera, en la oscuridad, y vosotros en una habitación iluminada. Incluso a través de las cortinas era obvio lo que estaba pasando. Por no hablar de la cara de Rebecca cuando se reunió conmigo después, y la acompañé a la casa. Ese destello soñador es inconfundible.

—Estás haciendo lo posible para que me sienta culpable por ello. —Robert cambió de postura, mostrando su incomodidad—. No lo conseguirás.

—Ya lo he conseguido. Por Dios, Robert, ¿por qué eres tan obtuso? Todas las demás se limitan a caer en tus brazos solo con mover el meñique, pero esta vez has de esforzarte para conseguir lo que quieres. No veo por qué es tan terrible. La bella damisela ya está rendida. Lo único que has de hacer es convencer a sus padres de que tus intenciones son honorables.

—¿Ah, solo eso? —preguntó Robert con ironía—. Los sutiles y velados comentarios de lady Marston sobre mi falta de carácter constituyen un cierto problema. Lo ha dejado tan claro como si hubiera dicho en voz alta que me considera un sinvergüenza, indigno de cortejar a su hija.

—¿Y? Te costará cierto esfuerzo. ¿Acaso la dulce Rebecca no lo vale?

—Para ti es muy fácil dar consejos porque no estás en mi lugar. —Robert vaciló, dividido entre el resentimiento y algo distinto. Algo que en realidad no quería analizar a fondo. Al fin dijo—: Mira, Damien, lo que ella cree desear y lo que yo soy puede que no sea lo mismo. Tienes cierta razón. El crápula Robert Northfield gusta a las mujeres. Pero mi verdadero yo no les interesa. Yo amo la música. Disfruto con las veladas tranquilas en casa. Adoro a mi abuela, y visito a los amigos de mi padre por la simple razón de que les aprecio. Es muy posible que Rebecca vea solo la cara que presento en sociedad. No sé si me enorgullezco de ese Robert Northfield, pero a las mujeres les gusta.

—¿Así que te preocupa que ella esté enamorada del libertino y no del hombre auténtico?

No estaba seguro de sus sentimientos ante tal circunstancia. Nunca antes había tenido que analizar sus emociones, ni sopesar la posibilidad de un compromiso.

—No lo sé.

—Oh, por favor, confía en ella. Es capaz de distinguir el hombre que toca el chelo como un poeta que recrea sus versos, del calavera que solo de vez en cuando muestra una chispa de sensibilidad.

Esa afirmación hacía que todo pareciera muy sencillo, cuando no lo era en absoluto. Robert arqueó una ceja con aire cínico.

—¿Una chispa?

—He dicho que de vez en cuando «muestra una chispa» —matizó Damien, inmune ante esa reacción tan brusca—. La verdad es que de nosotros tres tú eres el más sensible. Colton halla consuelo en su trabajo, yo lo obtengo en la guerra y las intrigas, y tú lo buscabas en los brazos de mujeres bellas. No pretendo ser un filósofo, pero tú, al menos, fomentabas el placer y el contacto humano. Venga, hermano, por favor, explícame por qué es imposible que caigas rendido de amor por una joven con tu misma sensibilidad, y goces solo en sus brazos. Es obvio que no te satisface ir de cama en cama.

—¿Qué te hace pensar que no estoy satisfecho? —Robert se dio cuenta de que había alzado la voz, y rectificó—: No tengo interés en cambiar de vida.

—¿Y qué hay de los hijos? Yo siempre he pensado que serías un padre magnífico. Tienes ese tipo de personalidad que a los niños les encanta. También disfrutas con el ejercicio físico, el preciso para retozar con tus hijos sobre la hierba o dar vueltas con tu hijita a cuestas. Con tu naturaleza sentimental…

—Por Dios santo, Damien, ¿quieres callar? —barboteó Robert, imaginándose de pronto una niñita risueña con tirabuzones negros y ojos del color de un mar tropical, en los brazos.

Nunca le había pasado nada parecido por la cabeza y, al pensar en ello, tuvo un ataque de pánico y emoción que le dejó paralizado.

—Me callaré si me contestas con sinceridad una pregunta.

Lo que fuera para que se callara de una vez. Cualquier cosa. Robert asintió con precipitación y desgana.

Damien se apoyó en la banqueta, con la mirada firme.

—¿Serías capaz de hacerle daño? Porque, créeme, si después de ese beso desapareces, lo harás.

Robert sintió el peso de la frustración en el pecho y espetó:

—Yo no tengo intención de hacer daño a nadie.

—Pues entonces, no lo hagas —replicó su hermano en voz baja.

El silencio era agobiante. Rebecca examinó la urna griega de la mesilla que tenía delante con decidida concentración, mientras notaba cómo se le humedecían las palmas de las manos. La mirada de su madre solo podía calificarse de férrea y suspicaz.

Al fin lady Marston rompió esa calma tensa y dijo en tono cortante:

—¿Puedo preguntar qué ha significado todo esto?

Rebecca dirigió la vista al severo rostro de su madre.

—¿A qué te refieres?

—A mí misma me cuesta creerlo, pero me parece que Robert Northfield acaba de venir a visitarte. Por lo que sé te envió unos tulipanes maravillosos, que deben haberle costado una fortuna porque, ¿dónde diantre se encuentran tulipanes en esta época del año?

De hecho, Rebecca tenía la sospecha de que en realidad era Damien quien había hecho que le enviaran las flores. Ese era exactamente el tipo de gesto que imaginaba característico del hermano Northfield enigmático. Su deducción no estaba basada en las preciosas flores en sí, sino en la críptica tarjeta firmada con el apellido familiar. Parecía el tipo de cosa que haría Damien. Robert habría puesto su nombre.

—Lo dudo mucho —consiguió decir, con sinceridad.

—Vino a verte a ti.

—Vino con lord Damien. Pasaron un momento de camino a otro sitio, ¿recuerdas?

—Rebecca, que soy tu madre.

Un hecho que ella no necesitaba en absoluto que le recordara.

—No creí que eso se hubiera puesto en duda —contestó sin pensar, ya que recurrir al sarcasmo no solía ser buena idea.

Erguida y con las manos juntas en el regazo, su madre fijó la vista en el otro extremo de la sala.

—Yo estaba aquí sentada y vi cómo te miraba. Es más, vi cómo le mirabas tú a él.

Bien, quizá poder decir la verdad, por fin, fuera lo mejor.

—Ya llevo algún tiempo mirándole de ese modo —musitó.

Su madre no solía quedarse sin palabras muy a menudo.

Rebecca prosiguió con franqueza:

—No debes preocuparte, él no se fijó en mí hasta hace poco. Era como si yo fuera invisible, la verdad. Por muchos comentarios que hayas oído sobre Robert, seguro que convendrás conmigo que siempre evita a jovencitas como yo, que llevan la temible etiqueta de casaderas. No le interesa el compromiso.

Pero su aparición esa tarde tal vez significaba que lo estaba reconsiderando. Rebecca tenía las manos húmedas y sin duda había enrojecido. Robert Northfield había ido, se había sentado en su saloncito y había sido incapaz de comportarse con su desenvoltura y naturalidad habituales. ¿Seguro que eso era un progreso?

—¿Cuándo tuvisteis ocasión de tener una conversación tan personal? —Su madre se llevó las manos al cuello con un gesto teatral—. Sabía que nunca debía haber permitido que salieras a dar un paseo con él, por breve que fuera.

Rebecca no pensaba explicárselo.

—Dime —preguntó—, ¿por qué Damien es perfectamente aceptable como marido y Robert no? Ambos son los hermanos menores de un duque, ambos disponen de considerables herencias, ambos son apuestos y bien educados, ambos…

—No son granujas mujeriegos —interrumpió su madre con la voz quebrada—. ¿No me dirás en serio que deseas que permitamos que Robert Northfield te haga la corte?

—No hace falta que pronuncies su nombre como si fuera una especie de maldición —murmuró Rebecca, reprimiendo el impulso histérico de echarse a reír ante la expresión de incredulidad de su madre—. Ya que me lo preguntas, y aunque de hecho dudo que suceda, me gustaría no solo que lo permitierais, sino que lo favorecierais.

—¿Favorecerlo? Él es…

Rebecca arqueó las cejas y esperó con educación que su madre diera con las palabras adecuadas.

—Es… bueno… promiscuo es la única forma de describirle.

—Lo ha sido, o eso dicen —admitió Rebecca con una punzada de celos—. Pero no es menos cierto que muchos supuestos caballeros de la alta sociedad lo son. Madre, yo no soy tan ingenua. Casándome con cualquier caballero de mi clase social asumo el riesgo de que tenga una amante o una aventura —recordó la determinación de Brianna en este asunto, y en el libro de lady Rohtburg—. Yo opino que toda mujer vive con esa preocupación cuando escoge un marido, por respetable que parezca. Pero por alguna razón, creo que cuando Robert se comprometa con una mujer y decida casarse, hará todo lo contrario. Algo en él que me dice que sería fiel.

—No le conoces lo suficiente como para juzgarle. —Había cierto temblor en la voz de su madre.

—¿No? Llevo un año enamorada de él. Si crees que no le he observado, aunque fuera desde lejos, que no le he sonsacado el más mínimo detalle a Brianna, que no he leído las columnas de cotilleos, y que en general no he escuchado toda conversación en la que se mencionara su nombre, te equivocas, madre.

—¡Rebecca!

—Es la verdad —repuso ella sin más.

Fue un alivio inmenso decir todo eso en voz alta. Ocultárselo a sus padres había sido una tortura, y rechazar propuestas matrimoniales había requerido dar ciertas explicaciones que no eran del todo veraces. Era mejor que todo estuviera claro.

Se hizo de nuevo un silencio, no tan denso, sino más contemplativo.

Su madre la examinó como si fuera la primera vez que la veía, y el gesto de indignación fue desapareciendo de su cara, al compás solemne del tictac del reloj de la repisa.

—Me parece que hablas en serio —dijo al fin.

Rebecca reprimió una carcajada, al detectar una sombra de horror en la expresión de su madre, que acababa de deducir las implicaciones de su propia frase.

—Sí.

—Cuando estuvimos en Rolthven, me pregunté un par de veces si querías saber la verdad, y cuando tocasteis juntos aquella noche…

—¿Sí? —interrumpió, intrigada por lo que su madre había dado a entender.

—Una no puede sentirse atraída por un hombre solo porque toque el violonchelo de maravilla —replicó con afectación—. Sabías que tú serías especialmente sensible a ese tipo de talento.

—Yo desconocía eso de Robert —le recordó Rebecca—. Y te acabo de decir que estoy enamorada de él desde hace un año.

—En efecto. —Su madre se masajeó la sien—. Y aún estoy asimilando las implicaciones de esta… esta…

—¿Catástrofe? —apuntó Rebecca con ironía.

—Yo no iba a decirlo de ese modo, pero bien, sí. Supongo que es acertado. ¿De verdad crees amar a ese joven apuesto e imprudente?

—¿Cuántas veces he de decirlo?

—Tu padre tiene algo contra él.

—Lo sé. —Rebecca observó por un momento sus manos unidas—. Pero he sido informada de que no me aclararán los detalles. Robert, por otro lado, dice que es inocente de cualquier acusación que haya contra él. Pero tampoco me contó el origen del desacuerdo.

—Por lo visto nosotras no debemos saberlo. Los hombres

tienen la molesta costumbre de excluirnos de sus disputas personales.

Rebecca no esperaba en absoluto la menor solidaridad, de modo que ese comentario suscitó un parpadeo de sorpresa.

—Él no es el marqués de Highton —apuntó su madre con aire pensativo.

—No, no lo es. Pero si Robert me hubiera propuesto matrimonio como el marqués, me habría casado con él.

—¿Lo harías? Supongo que eso es prometedor. Y aunque no sea un marqués, es el hermano pequeño de un duque. No sería un mal enlace, a juzgar por lo que he visto esta tarde.

En ese momento fue Rebecca quien se quedó muda de perplejidad.

Su madre se irguió en la butaca.

—¿Qué te creías? ¿Que no tendría en cuenta tus sentimientos? Yo te quiero. Eres mi única hija. Quiero que te cases bien, pero el matrimonio por amor es algo especial. La verdad es que creo que si no hubiera visto a lord Robert hoy aquí, todo esto me disgustaría más. Pero lo cierto es que no se comportó como el pícaro seductor que yo esperaba. Parecía más bien un hombre en una situación poco habitual.

Esa descripción era acertada.

—Y lo cierto es que es incapaz de apartar la vista de ti. —Su madre se ajustó la falda con gesto lánguido y aire reflexivo—. Sabes, si le llevas al altar será el acontecimiento social de la década, en cierto modo.

Dar una campanada social era lo último que Rebecca tenía en mente, pero si eso inclinaba a su madre a aceptar la situación, por supuesto que no iba a discutir.

—No tengo ni idea de si tal cosa es posible. Damien parece pensar que sí, pero yo no lo sé. Robert no quiere casarse.

—¿Cómo lo sabes?

—Me lo contó, ya te lo he dicho.

—¿Robert Northfield habló contigo de sus sentimientos acerca del matrimonio?

Justo antes de besarla. Rebecca decidió no mencionar ese

lapso de decoro. Bajó los ojos al suelo y observó las rosas sobre fondo beis de la alfombra.

—No quiere cambiar de vida.

—A los hombres suele pasarles. —Su madre alzó las cejas con un delicado énfasis propio de una dama—. Pero nosotras acostumbramos a saber mejor lo que quieren antes de que ellos se den cuenta. A menudo necesitan que les conduzcan por el camino correcto.

Aquello sonaba tan parecido al título de ese útil capítulo de lady Rothburg, que Rebecca giró la cara para disimular su expresión. Su madre sufriría un ataque de horror monumental si descubriera que compartía los sentimientos de una notoria cortesana.

No obstante, el consejo era el mismo.

Qué interesante.

—El verdadero obstáculo es tu padre.

Rebecca, que ya conocía ese dato, hundió los hombros.

—Lo sé.

Una sonrisa peculiar apareció en el rostro de su madre. No expresaba malicia, más bien la insinuaba.

—Hagamos un pacto, querida. Si tú eres capaz de meter en vereda al pícaro lord Robert, yo me ocuparé de tu padre. No olvides que las mujeres suelen abordar los asuntos del corazón de una forma más sutil, pero que suele funcionar a la perfección.

Una segunda cita, casi palabra por la palabra, de *Los consejos de lady Rothburg* dejó a Rebecca sin palabras. El libro, que se había publicado hacía diez años, estaba prohibido. Pero antes de que el Parlamento lo considerara demasiado osado para el público, había alcanzado una cifra récord de ventas. ¿Seguro que su madre no había comprado nunca un ejemplar?

Imposible.

19

La duplicidad siempre tiene un coste.

Del capítulo titulado
«Lo que vuestros maridos os ocultan»

*C*olton se sentía como un mentiroso.

Un tramposo.

Si se equivocaba, la estaba insultando de la peor forma posible. ¿Infiel?, ¿Brianna?

«Dios, por favor, haz que esté equivocado.»

Bebió un sorbo de vino y observó a su esposa en el otro extremo de la mesa. Estaba preciosa, como siempre. Pero había algo en ella que transmitía inquietud. Para empezar estaba más callada y parecía preocupada. No solía ser él quien iniciara la conversación, pero esa noche tuvo que esforzarse para llenar los silencios entre ambos.

¿Era acaso porque se sentía culpable?

Él era quien se sentía culpable, maldita sea, por contratar a un hombre para que siguiera todos sus pasos.

—Es muy agradable, ¿verdad? Estar los dos solos, para variar.

—Una velada tranquila en casa es una idea encantadora. —Brianna bebió un sorbo de vino. Su cabello centelleaba bajo la luz de las velas—. No solemos hacerlo lo bastante a menudo.

Lo que no hacían a menudo últimamente era el amor. Era culpa suya, porque no conseguía superar sus dudas; pero la deseaba. Rayos y centellas, la deseaba. Ese sacrificio había sido una auténtica tortura.

Esa tarde le habían entregado el primer informe. A pesar del nudo que tenía en la garganta, dijo:

—Dime, ¿qué has hecho hoy, querida?

«Por favor no me mientas. Por favor.»

—Recados sobre todo. La sombrerera y ese tipo de cosas. —Ella irguió los hombros con elegancia—. Fui a ver a Arabella de camino a casa.

—¿Ah?

Colton esperó.

—Sí.

Nada más. Él sabía lo de la visita, por supuesto. Conocía al detalle todos sus movimientos. Por ejemplo, le habían informado de que un caballero solo se había presentado en la casa de Arabella Smythe veinte minutos después de que Brianna entrara en el edificio. Sabía que las cortinas del salón delantero habían permanecido echadas. Y sabía que el caballero se quedó más de una hora, después de lo cual había salido de la casa, seguido al poco por Brianna. Hudson aún no conocía la identidad de ese misterioso desconocido, pero la estaba investigando. La descripción era un poco vaga, porque el empleado de Hudson estuvo vigilando desde el otro lado de la calle, pero el informe señalaba que el desconocido era ágil, como un joven.

Arabella era amiga de Brianna desde hacía años. ¿Era posible que facilitara una cita discreta para su esposa y su amante? Colton se cuestionaba el incidente con una angustia interior, confiando en que no se reflejara en su rostro.

Lo único que fue capaz de hacer fue ensartar otro pedazo de cordero asado, masticarlo y tragárselo. La cocción era perfecta, pero le supo a serrín. Consiguió tragarlo con un sorbo de vino.

—Entiendo —murmuró—. ¿Cómo está la condesa?

—Bien.

¿Otra respuesta escueta? Esperó que se explayara pero ella no lo hizo, y se limitó a servirse más patatas. Resultaría sospechoso que le preguntara si Arabella estaba acompañada cuando llegó. ¿Cómo podía saber él algo así si nadie se lo había contado? No dijo nada, pero el silencio fue de pesadilla.

¿Cuándo demonios iba a decirle que estaba embarazada?

Colton dejó a un lado el tenedor, incapaz de seguir fingiendo que tenía hambre.

Quizá debería preguntárselo sin más. Tal vez debería preguntarle también por qué, de repente, estaba a todas luces incómoda en su compañía.

—Deseo ir a visitar a mis padres. Creo que me marcharé mañana. —Su esposa habló en voz tan queda que apenas oyó sus palabras. Bajo la luz de las velas, sus pómulos quedaban ensombrecidos por sus largas pestañas.

—No. —La autoritaria respuesta surgió sin que Colton pudiera evitarlo.

Brianna le miró de frente, con evidente sobresalto.

—¿Cómo… cómo dices?

Colton necesitaba tenerla cerca, por si acaso estaba en lo cierto. ¿Y si su amante era alguien a quien conocía desde antes de casarse y ahora que había entregado su pureza a su marido y el engaño ya no podía detectarse, ambos podían disfrutar con libertad de una aventura tórrida? ¿Y si era un amigo de la familia o un vecino quizá, y ella deseaba hablarle del hijo a él primero?

Colton se había torturado a sí mismo con docenas de teorías. Una voz interior, práctica y despiadada, le recordó que alguien le estaba enseñando a volverle loco en la cama. Él no era su instructor, entonces ¿quién era?

Cuando se obligaba a analizar la situación bajo la fría luz de la lógica, no conseguía llegar a otra conclusión que no fuera un amante. No había duda de que Brianna sabía a la perfección lo que estaba haciendo.

Bien, ya lo había dicho, así que más le valía dejar clara su postura.

—No, no te doy permiso para ir.

—¿Per… permiso? —espetó Brianna, y la servilleta de lino se le cayó de la mano al suelo.

—Lo necesitas y no te lo doy —pronunció con claridad cada palabra.

Se estaba comportando como un tirano mezquino, pero le daba igual. La falta de sueño y la intensa incertidumbre no propiciaban la cortesía.

—Colton —musitó ella, atónita y dolida—, ¿por qué no te parece bien que visite a mis padres?

—Yo mismo te acompañaré cuando tenga tiempo.

—¿Tiempo? ¿Tú? Por Dios santo, ¿y cuándo será eso? Ellos viven en Devon, y eso está a varios días de camino. Para conseguir que fueras a Rolthven tuve que coaccionarte, y está muy cerca de Londres.

—No blasfemes en mi presencia, madame. —Ahora estaba reaccionando de forma exagerada, sin duda, pero llevaba semanas pensando de forma obsesiva en una posible infidelidad de su esposa, y eso le carcomía por dentro. Ella tenía toda la razón, pero él no estaba de humor para reconocerlo.

En las mejillas tersas de Brianna aparecieron dos manchas de rubor.

—Colton, ¿qué diantre te pasa?

—A mí no me pasa nada.

—Sí, algo te pasa. —Brianna alzó la barbilla y sus ojos azul oscuro le miraron desafiantes—. ¿O necesito permiso para llevarte la contraria?

Ella no debería haberle pinchado, no en su estado de ánimo actual. Colton se inclinó hacia delante, sosteniéndole la mirada.

—Más te vale recordar que necesitas mi permiso para casi todo lo que haces. El día que nos casamos juraste ser fiel y obedecerme. Y espero ambas cosas. Eres mi esposa y acatarás mis normas.

—¿Normas? —Ella emitió algo parecido a una carcajada histérica, pero pudo haber sido un sollozo.

Era probable que Colton no hubiera escogido la palabra adecuada, pero no estaba en su mejor momento.

La aparición de un lacayo para retirar los platos, seguido al instante de otro con los postres, puso fin a cualquier conversación posterior, lo cual debió ser lo más conveniente, por el momento. En cuanto los dos criados abandonaron la estancia, su esposa se puso en pie.

—Discúlpame, por favor.

—Siéntate. No tengo ganas de que el servicio comente que te marchaste en mitad de la cena.

Eso era verdad en cualquier caso. Los problemas con su esposa eran un asunto privado. Ya había sido bastante humillante manifestarle sus dudas a Hudson cuando lo contrató para que la siguiera.

Brianna se quedó inmóvil en la silla, con una mueca de rebeldía en sus dulces labios. Observó la textura de la mousse de chocolate del plato, como si alguien le hubiera puesto un áspid delante.

—Últimamente tengo problemas de estómago. ¿Obtendría la aprobación de su excelencia si decidiera no comer más, o debo tragármelo y cargar con las consecuencias, en caso de que no me siente bien?

Esa pregunta agria le recordó a Colton que Brianna estaba embarazada. Fuera su hijo o no, su cuerpo estaba gestando un niño y él no era un ogro, aunque estuviera comportándose como tal. Inclinó la cabeza:

—Si no te apetece el postre, me parece bien. Pero te quedarás aquí hasta que yo termine.

Él tampoco tenía el estómago para eso, pero cierta parte oculta y perversa de sí mismo insistía para que hablara con claridad.

Ella le miró como si le hubiera brotado una segunda cabeza, e hizo un ademán de impotencia con la mano.

—De verdad que no comprendo tu mal humor de esta noche. Y no me refiero solo a la cena. Es como si yo hubiera hecho algo malo, y no sé el qué.

Colton no pudo evitarlo y dijo con delicadeza:

—Tú no has hecho nada malo, ¿verdad, querida?

—¿Si he hecho algo malo? ¿Qué clase de pregunta es esta? —Brianna observó a su marido con evidente consternación.

Ese hombre de mirada fría que estaba frente a ella en la mesa, bebiendo vino de su copa con calma, pero examinándola como si hubiera cometido un crimen deleznable, era un desconocido. Es verdad que Colton no solía ser extravertido y cariñoso, pero esta noche tenía una actitud en verdad opaca.

¿Le hacía feliz la posibilidad de que estuviera embarazada? Damien le había asegurado que a su hermano mayor le entusiasmaría la noticia, y ella había dado por hecho que estaría encantado, ya que necesitaba un heredero, pero él no había dicho una palabra sobre el tema. Ni una maldita palabra. El hecho de que hubiera preguntado a su doncella sobre el asunto y no se lo hubiese mencionado a ella era inquietante. Colton quería hijos, ¿verdad?

Tal vez no, pensó con el corazón abatido. Puede que considerara su estado como algo poco delicado e inconveniente. Al fin y al cabo, pronto engordaría, se deformaría y no podría mostrarse en público sin que todo el mundo se diera cuenta de que estaba encinta. Algunos aristócratas no tenían la menor relación con sus hijos. Los dejaban en manos de niñeras e institutrices para que les educaran, relegados en zonas destinadas a los niños o en aulas de estudio, hasta que llegaba el momento en que o bien los enviaban al colegio, o las casaban con un varón que se las quitaba de encima.

Pero ella nunca había imaginado que Colton reaccionaría de ese modo. Máxime ahora que había confirmado sus sospechas y sabía que su embarazo era real. La idea de que él no compartiera su alegría la trastornaba en extremo. Y a causa del humor errático de su marido, dudaba en decírselo. Justo por la forma en la que Colton actuaba estos últimos días, le había pedido a Arabella que organizara que un médico la visitara de forma discreta en su casa, en lugar de acudir al de la familia. Si no estaba embarazada, ¿para qué causar más tensión entre ambos? Pero el doctor le había confirmado su estado y pronto tendría que decírselo a su marido.

Colton la miraba con aparente frialdad.

—Yo nunca he dicho que hayas hecho algo malo. Tú has sacado el tema.

Ella se limitó a devolverle la mirada, atónita.

Tal vez era algo infantil, pero Brianna añoraba a su madre. Puede que esta no se hubiera lucido a la hora de instruirla sobre los detalles de lo que sucedería en su noche de bodas, pero adoraba a los niños y estaría feliz al enterarse de la noticia. Brianna necesitaba eso, necesitaba hablar con alguien sobre cómo irían las cosas hasta que diera a luz, alguien que compartiera su alegría por su estado, alguien que la mimara y la aconsejara al mismo tiempo. Tanto Rebecca como Arabella eran maravillosas, pero ellas no habían tenido hijos y no podían ayudarla. Lea le había enviado un recado diciéndole que uno de sus hijos estaba enfermo, que suponía que toda la casa se contagiaría, y que ya le escribiría cuando lo hubieran superado. De modo que en este momento, no podía siquiera hablar con su hermana. Fuera como fuese, ahora mismo, hasta que se disiparan los nubarrones que acechaban su matrimonio, Devon le parecía el paraíso.

Colton acababa de negarle el permiso para ir. Es más, lo había dicho muy en serio. Brianna no creía haberle oído nunca usar ese tono tan arrogante.

No era en absoluto propio de él. Colton era generoso y solícito, y caballeroso en todo momento. Pero estaba sentado allí, apuesto y sofisticado con un elegante traje de noche, aun para una cena casera. Su densa cabellera castaña brillaba bajo el parpadeo de la luz, sus largos dedos no dejaban de juguetear con el pie de la copa, y tenía todo el aspecto de un marido dictatorial.

Estaba más confusa que nunca.

Él movía sus dedos elegantes de forma tensa y convulsiva y eso quería decir algo. Ese movimiento continuo no era habitual en su comportamiento y Brianna dijo sin pensar:

—Damien me dijo que quizá podía estar embarazada, y tiene razón.

Su marido arqueó las cejas y sus ojos parecieron aún más fríos. Glaciales, más bien.

—¿Qué? ¡Maldita sea! ¿Cómo demonios lo supo Damien?

Eso era un error total, pensó ella con un espasmo interior. Y era probable que Colton compartiera su opinión, pues acababa de maldecir en su presencia por primera vez en la historia. Brianna se tranquilizó e intentó utilizar un tono razonable.

—Lo supuso cuando hace un par de días vomité sobre sus zapatos. Por favor, no me digas que para ti es una sorpresa absoluta. Sé que le has preguntado a la doncella.

Se produjo otro de los varios centenares de silencios incómodos de la velada. Bien hecho, se dijo cáustica. Pronunciar la palabra vomitar durante la cena seguro que era una equivocación de la peor especie.

No era así como había pensado decírselo, en absoluto.

—He estado pensando que tal vez estabas embarazada —dijo. La cara de Colton parecía la de una estatua de granito—. E hice unas cuantas preguntas, sí.

—¿Por qué no me dijiste nada? —La ignorancia le dolía y la humillaba, y hubiera preferido con mucho que su marido le hubiese preguntado sobre la posibilidad de que estuviera encinta, en lugar de su cuñado.

—Esperaba que me lo dijeras tú.

Ante aquella respuesta ácida, algo se desmoronó en el fuero interno de Brianna, que luchó contra el escozor de las lágrimas.

—Esto no te hace feliz.

—No seas absurda. Por supuesto que soy feliz.

¿Lo era? Brianna sintió un inmenso alivio, pero no le creyó del todo. Colton parecía un hombre camino del patíbulo.

—Entonces, ¿cuál es el problema?

¿Era posible que dos personas mantuvieran una conversación más vaga, y más cargada de emotividad al mismo tiempo?

Ella se consideraba la parte ofendida, pero tenía la impresión de que él también.

—Colton, me ha visitado un médico. Vamos a tener un hijo. ¿No deberíamos celebrarlo en lugar de discutir? —habló en voz baja y con un temblor evidente que le habría gustado disimular.

Él cambió de cara un momento, y ella vio una sombra de vulnerabilidad que no era propia de un aristócrata altanero, ni de un lord privilegiado. No era más que un hombre, y uno confuso en ese momento, y Brianna se dio cuenta de que por mucha inseguridad que sintiera ella por estar gestando una vida nueva, tal vez el peso de esa responsabilidad desconocida afectaba a Colton del mismo modo. Él siempre parecía muy fuerte, como si no necesitara consejo, así que ella asumía que controlaba sus emociones en todo momento.

Seguía con los dedos apoyados en la copa de vino, y cuando habló lo hizo con voz cansada.

—Creo que debo pedirte disculpas. Esta noche me he comportado como un bárbaro.

La miró con sus ojos azul celeste y a Brianna se le alteraron los latidos del corazón. Tenía la impresión de que nunca, jamás, la había mirado con un aire de súplica tan conmovedor.

La verdad es que se había comportado como un bárbaro y ella seguía sin saber por qué.

Pero eso no importaba. Le amaba. Iba a dar a luz a su hijo.

—Te he extrañado tanto —dijo en voz baja—. Más de lo que imaginas. Sigo sin estar segura de por qué estamos discutiendo, pero lo que sí sé es que no puedo soportar otra noche de soledad.

—Estoy de acuerdo. —Él tenía la voz ronca. Se puso de pie, dejó a un lado la servilleta y le tendió la mano. No fue un gesto imperioso, sino una señal de paz—. Subamos.

La necesitaba con tanta desesperación que le asustaba.

Mientras subían la escalera, Colton apoyó una mano en la parte baja de la espalda de su esposa, confiando en que ella no notara la intensidad de su anhelo. Ni notara el ligero temblor de sus dedos, ni oyera la creciente cadencia de su respiración.

—Mi alcoba —dijo lacónico. Era una postura posesiva, provocada por sus emociones volátiles. Su lecho, su dormitorio y su cuerpo la reclamaban…

Su bella esposa, su hijo. Como debía ser.

Brianna se limitó a asentir, con su fascinante fragancia y la promesa de una piel suave y cálida, y un cabello sedoso y perfumado. Colton le abrió la puerta, entró tras ella, y en cuanto cerró la tomó en brazos. Contuvo un sobresaltado jadeo y poseyó su boca con labios violentos y posesivos. Había algo primitivo en la fuerza de la emoción que le dominaba, algo fuera de su control, junto a la conciencia de que si lo combatía, podía perder algo extraordinario en su vida. Si había una cosa que él hacía bien, era dominar sus emociones.

No así cuando estaba con Brianna. Ante su deliciosa esposa se sentía embrujado, cautivado, y totalmente perplejo. Justo cuando creía entenderla, descubría que volvía a estar equivocado. Esta velada era un ejemplo perfecto. Tan solo unos minutos antes, se había mostrado autoritario de un modo imperdonable, y aun así ella se pegaba a su cuerpo, temblando y devolviéndole los besos con un fervor comparable a su salvaje ansiedad. Debería estar furiosa con él. Se lo merecía.

«Y si es inocente…»

Sus manos se pelearon con el vestido, desabrocharon los botones y separaron la tela para descubrir la piel desnuda. Seguían con los labios unidos y ella metió las manos bajo su chaqueta para descansarlas sobre su torso. Cuando Brianna apoyó la palma de su mano menuda sobre su corazón, Colton, convencido de que notaba sus latidos descontrolados, le retiró con delicadeza el vestido de los hombros.

—Te he extrañado tanto… —susurró ella, junto a su boca.

Él sin duda la había extrañado, y la rigidez de su miembro le daba la razón. La reciente abstinencia autoimpuesta había sido más bien un intento de aclarar sus dudas, algo que no se creía capaz de hacer con imparcialidad si compartía el lecho con ella.

El problema era que no había obtenido más que la terrible certeza de que no podía vivir sin ella.

Colton se despojó de la camisa, se arrodilló para quitarle los zapatos y las medias, y lo resolvió en un momento. Le pasó los dedos sobre las pantorrillas, por detrás de la rodilla y los deslizó sobre sus muslos y caderas. Parecía la de siempre, pensó, preguntándose cuándo notaría crecer esa vida nueva que él reivindicaría y a quien daría su apellido. Cualquier otra cosa estaba fuera de lugar y no había duda de que, pasara lo que pasase, había muchas posibilidades de que ese hijo fuera suyo. Besó aquel vientre todavía plano, con una leve presión de los labios.

—Oh, Colton —susurró ella, acariciándole el cabello.

—Métete en la cama —le ordenó mientras se levantaba, y la visión de su cuerpo desnudo, de un rosado acogedor bajo el parpadeo de la luz, le provocó una inmediata erección. Entonces se le ocurrió añadir—: No te cubras. Quiero mirar mientras me desnudo.

Ella le complació, subió a la enorme cama y se tumbó. Con sus deliciosos pechos visiblemente tensos y los pezones rosados, erectos. Mientras se desabrochaba la corbata, Colton les dedicó un análisis deliberado y ardoroso y notó que eran más grandes. El montículo de carne era más pleno y, aunque siempre habían tenido una forma seductora, bajo la piel traslúcida aparecían con mayor prominencia unas pequeñas venas azules. La evidencia del cambio convertía el embarazo en algo más real, más inmediato.

Para recuperar cierta apariencia de calma, Colton dedicó cierto tiempo a quitarse cada pieza de ropa con meticulosidad, obligando a su mente a olvidarse de todo, salvo del destello del deseo en los ojos de su esposa y del entusiasta abrazo con el que le acogió en el gran lecho.

Pero debía silenciar esos complicados y molestos pensamientos y concentrarse en las sensaciones carnales. Ella estaba allí con él, complaciente, cálida y tan endiabladamente bella…

—Bésame —dijo Brianna con una exhalación—. Hazme el amor.

Eso le detuvo cuando ya inclinaba la cabeza para tomar su boca y ajustaba las caderas entre sus muslos separados.

Colton se sobresaltó al darse cuenta de que si hacía eso, estaría haciendo el amor. Ya no se trataba de deseo, ni de relaciones conyugales, ni de ninguna de esas otras razones primigenias que unían a hombres y mujeres desde tiempos inmemoriales.

«La amo.»

Si no fuera así, tal vez le irritaría la posibilidad de una traición, puede que sintiera cierta afrenta a su orgullo, incluso que deseara castigarla, pero nada de todo eso tenía demasiada importancia. La venganza era en lo último en lo que pensaba, al diablo con su orgullo, y en cuanto a la ira, tampoco era esa la palabra que definía lo que sentía.

Tenía miedo. De perderla. Oh, no en un sentido literal. Él podía retenerla pasara lo que pasase, era su esposa, él era un duque y poseía poder e influencia, pero necesitaba más.

La necesitaba toda.

Estaba húmeda, con el cuerpo preparado para culminar su unión. Colton colocó el miembro, tanteó el recibimiento y notó esa resbaladiza disposición, la entrega voluntaria y las manos de Brianna agarradas a sus nalgas, urgiéndole a poseerla sin palabras.

La noche de su cumpleaños, ella le había hecho el amor con cautivadora dulzura. Con besos delicados, con movimientos sutiles, con caricias sugestivas. Colton decidió hacer lo mismo y entró en ella con lentitud exquisita. Besándole las sienes, el perfil de la barbilla, el arco tentador del cuello. Cuando fueron uno, se impulsó hacia delante y consiguió que Brianna emitiera un gritito de placer y levantara la pelvis para que él pudiese presionar en el punto justo.

Y ella respondió con un estremecimiento.

Colton mantuvo ese ritmo erótico altruista, medido, cuyo objetivo era darle placer a Brianna. Una leve pátina de sudor brotó en su frente cuando se echó hacia atrás, hasta que su esposa se arqueó con frenesí debajo de él y su grito de rendición resonó por todo el dormitorio. Luego él, intenso, preso del éxtasis, estalló dejando a ambos repletos y exhaustos.

Más tarde, tumbado en la oscuridad, Colton acunó a su esposa en los brazos. Brianna, junto a él, dormía cómoda y relajada. Su cuerpo desnudo era todo curvas femeninas y su respiración, un hálito tenue pegado a su cuello.

Él la amaba, y no solo con su cuerpo.

Por Dios que la amaba.

Colton había previsto que el matrimonio fuera todo menos esto.

Le maravillaba que si Brianna le había traicionado, le respondiera con tanto ardor, que sus cuerpos armonizaran con tal perfección. ¿Cómo podía mirarle con unos ojos tan inocentes, si era una Jezabel en realidad? ¿Cómo podía agarrarse a él y besarle con manifiesto abandono si anhelaba a otro?

No creía estar enamorado hasta el punto de dejarse engañar por una fachada, pero nunca había estado en una situación así. Lo cierto es que durante la cena, ella se había mostrado atónita ante su comportamiento, no culpable. Dolida, no cautelosa.

Si no hubieran discutido, ¿le habría dicho que estaba embarazada? Esa era la pregunta que seguía latente en algún lugar de su mente. Para resolver sus diferencias, ella le había llevado a la cama encantada. El hambre físico que sentía por Brianna era una debilidad… ¿lo habría explotado ella para distraer su atención?

Dios, cómo odiaba esa lucha interior.

Brianna se movió y luego volvió a sumergirse en un sueño plácido. Colton jugueteó con un rizo dorado, disfrutando del tacto de seda entre los dedos.

Pese a que estaba derrotado de cansancio, tuvo la impresión de que, sin embargo, volvería a costarle dormir. Al menos había tenido el placer de tenerla en sus brazos, pensó atrayéndola más hacia sí. Era algo muy simple, pero ahora que había reconocido la profundidad de sus sentimientos, era algo importante.

Tan solo confiaba en que enamorarse de su esposa no fuera la peor equivocación de su vida.

20

No subestiméis a los hombres cuando se trate de intrigas sociales. Declaran que a las mujeres les interesa de un modo excesivo la vida de los demás, pero también a ellos les interesa, y pueden ser muy observadores y muy capaces de entrometerse. Confiad en mí en ese tema.

Del capítulo titulado «Rumores, chismes e insinuaciones, y cómo pueden favoreceros»

*R*obert no había seguido el consejo de Damien de bailar con Rebecca. Tocarla, aunque fuera de un modo aceptado en sociedad, era una idea peligrosa.

De manera que en lugar de eso, había perdido del todo la sensatez y había bailado con su madre.

—Adoro esta melodía nueva, ¿usted no, milord? —Lady Marston le sonreía con amabilidad, como si no fuera consciente de que ver al notorio Robert Northfield bailando con una mujer casada de mediana edad había provocado las habladurías de más de uno. No es que Robert no se lo hubiera pedido a alguna viuda venerable en alguna ocasión, si la cortesía lo exigía, pero la mayoría eran parientes más o menos lejanas, o la anfitriona de la fiesta. Lady Marston no era nada de eso.

Le había costado un esfuerzo considerable, pues tuvo que sortear a una hilera de matronas que solían apostarse juntas formando una masa compacta, para poder hablar y cotillear, mientras seguían con un ojo puesto en sus hijas, sobrinas o pupilas. Cuando Robert se acercó, más de una interrumpió su charla, y cuando se inclinó ante la mano de lady Marston y le pidió un baile, todas se quedaron literalmente boquiabiertas.

La perplejidad del momento era evidente. Y sin embargo allí estaba él.

—Es agradable, supongo, pero no tan admirable como la música que escuchamos en Rolthven —admitió mientras la hacía girar con elegancia.

—Sí —fue una respuesta imparcial—. Ha mencionado usted varias veces que disfrutó con la interpretación de Rebecca.

—Ella tiene tanto talento como belleza, lo cual es una auténtica alabanza.

Lady Marston le miró con la boca torcida.

—Conozco el interés que mi hija siente por usted, y estoy segura de que usted, que tiene tanta experiencia y tanto mundo, también es consciente de ello.

Robert intentaba no analizar los motivos por los que estaba bailando con lady Marston, pero suponía que tanteaba el resultado de su visita del otro día. Aún no estaba seguro de si la diabólica intromisión de Damien había sido útil o la peor ocurrencia del mundo, pero no había hecho más que pensar en ello. Su actual estado de inquietud le impedía dormir y no conseguía concentrarse ni en las tareas más mundanas.

¿Y si podía cortejarla?

—Yo me siento tan halagado como perdido —reconoció de mala gana—, y estoy seguro de que usted, milady, tiene el suficiente mundo para comprender por qué.

—Con mi hija, no dispone usted de sus posibilidades habituales —añadió ella con sequedad—, y eso es tanto una observación como una advertencia, milord.

—¿Es que tengo posibilidades? —preguntó él sin rodeos—. Eso me he estado preguntando.

—Dependerá de lo decidido que esté, imagino. Cuando vino

el otro día y me di cuenta de que no se trataba de la visita casual que su hermano pretendía, admito que me sorprendió.

Y el escaso nivel de entusiasmo fue notable, aunque él era demasiado educado para mencionarlo.

En aquel momento se paró la música. Robert no tenía otra alternativa más que soltarle la mano y hacer una reverencia. Ella, por su parte, le obsequió con una delicada inclinación de cabeza y le miró a los ojos.

—Yo creo que lo que pase a partir de ahora depende de usted. Sopese su grado de interés y si es lo bastante sincero yo, en aras de la felicidad de mi hija, le ayudaré con Benedict.

Se dio la vuelta y se alejó, dejándole con lo que probablemente era una expresión de perplejidad enorme. Robert, consciente de que estaba rodeado de miradas ávidas, recuperó la compostura y salió de la pista.

«Sopese su grado de interés.»

Se fue a una de las salas de juego y se sentó a una de las mesas, pero era obvio que estaba distraído, y cuando ganó la última mano, el caballero que estaba a su lado le dio un pequeño codazo para que recogiera sus ganancias. Maldita sea, pensó mientras se levantaba de la mesa y se despedía, más valía que afrontara su incapacidad para concentrarse en otra cosa. Le costaba creerlo, pero había llegado a imaginar cómo sería recorrer el pasillo de su casa, oyendo al fondo el sonido de un piano que alguien tocaba con arte.

El resultado de toda esa melancólica introspección parecía ineludible.

Puede que no quisiera cortejar a nadie, tal vez no deseaba casarse, pero no podía quitarse a Rebecca Marston de la cabeza, sencillamente. La deseaba, deseaba saborear de nuevo sus labios, deseaba sentirla en sus brazos, cálida y acogedora; pero no era eso lo único que deseaba.

Balbuceó una excusa y se marchó sin más a un lugar que no le recordara a esa mujer que le tenía tan ofuscado.

Quince minutos después Robert se apeó de su carruaje, constató la deslumbrante iluminación de la casa que tenía delante, y sonrió a otro de los visitantes.

—Palmer. ¿Cómo está?

Lord Palmer, claramente algo bebido, se acercaba por la acera con paso vacilante.

—La mar de bien, Northfield. Gracias. ¿Una fiesta impresionante, eh? Tengo entendido que Betty ha enviado a algunas de sus mejores chicas.

Robert intentó un gesto poco comprometedor. Por desgracia, ahora que ya estaba allí, lo cierto es que no estaba interesado en un grupo de mujeres de vida alegre.

—Suena divertido.

Necesitaba desesperadamente alguna diversión.

—Bien, no hay nada como las apuestas y las mujeres para entretener a un hombre, ¿verdad? —Palmer le dio un codazo torpe en las costillas mientras subían los escalones—. Sé que usted estará de acuerdo.

Quizá solía estar de acuerdo. La única razón por la que había elegido abandonar el baile y asistir a esta fiesta en particular, era porque este era el único sitio donde creía imposible encontrarse con Rebecca. Si se iba a casa y se pasaba el resto de la noche a solas con sus pensamientos, se volvería loco. Una velada de alocada disipación parecía ser justo lo que necesitaba. Ya había asistido muchas veces a fiestas de solteros como esta, y siempre implicaban champán a raudales, mujeres complacientes y mimosas contratadas a tal efecto, y pasatiempos subidos de tono.

—Sí —murmuró y cruzó antes que lord Palmer el umbral de la puerta, que un lacayo con librea mantenía abierta.

Pasó la hora siguiente sumido en un tedio atroz, fingiendo que lo pasaba bien, cuando no era cierto en absoluto.

Era un problema del demonio. No quería ir a casa y sentarse a darle vueltas al asunto. No podía acudir a los lugares donde solía divertirse, y aún menos ver a Rebecca. Tampoco quería estar allí, eso era evidente.

La voz de alguien borracho gritó que habían llegado las chicas, y un murmullo de expectación invadió la sala.

Robert decidió que en su actual estado de inquietud, lo mejor sería que se marchara ahora. La verdad es que no estaba de humor para contemplar a mujeres medio desnudas, colgadas de un grupo de idiotas bebidos. ¿Cómo pudo haber creído en el pasado que divertirse era eso? Le pidió el capote a un lacayo, y reprimió las ganas de dar golpecitos con los pies mientras esperaba.

Tal como estaba previsto, las puertas se abrieron y una masa de jóvenes risueñas entró en la casa. Betty Benson llevaba el burdel más refinado de Londres, y sus empleadas siempre iban limpias, estaban sanas y solían ser preciosas, o agraciadas al menos. Este grupo no era una excepción. Había rubias, morenas y al menos dos pelirrojas impresionantes. Cruzaron el umbral y de inmediato les ofrecieron champán. El bullicio de la fiesta subió de nivel, mientras los hombres empezaban a elegir pareja para la velada. Mientras esperaba el abrigo, Robert observó el proceso con una mirada de recelo. Todos los varones presentes eran solteros, salvo alguna excepción; las chicas recibirían buen trato y buena paga, y en cualquier caso, ¿desde cuándo había adoptado él la moral de un obispo, diablos?

De repente, mientras cogía la prenda que le entregó un criado, se quedó paralizado, sin creer lo que veían sus ojos. El atuendo de la última chica que cruzó la entrada no era provocativo en absoluto. Llevaba una capa azul oscuro que cubría con recato su vestido y la cabellera morena recogida con distinción, de tal modo que Robert sintió el deseo de quitarle los alfileres del pelo para sentir esa cascada cálida entre sus dedos.

¿Qué demonios estaba haciendo Rebecca allí?

¿Y por qué había llegado con una bandada de prostitutas?

Se quedó inmóvil, aterrado. ¿A qué demonios estaba jugando?

En cuanto pudo volver a mover los músculos, cogió el abrigo, atravesó a toda prisa el vestíbulo y la sujetó del brazo con más fuerza de la pretendida.

—Ya me lo explicará más tarde. De momento voy a sacarla de aquí. Le juro que si se resiste, me la cargo al hombro y me la llevo como si fuera un saco de patatas.

Rebecca reprimió un gemido. La mano de Robert le sujetó el brazo tan fuerte que casi le hizo daño y más que conducirla por los escalones de la puerta principal, la arrastró de nuevo al frío de la noche.

Su expresión al verla llegar era algo que no olvidaría en la vida.

Estaba horrorizado. Su atractivo rostro tenía impresa una mueca de perplejidad y consternación inconfundible, y no muy halagadora, teniendo en cuenta los problemas que ella había tenido que sortear para llegar hasta allí.

¿Por qué?

¿Por qué había llegado sola? Bueno, no sola exactamente. Un carruaje se había detenido justo antes de que el coche que había alquilado llegara frente a la mansión espectacularmente iluminada, y se habían apeado unas cuantas jovencitas. Rebecca, que se había estado preguntando cómo entraría sin invitación, las había seguido hasta el interior sin problemas.

—Milord… —empezó a decir.

Él la interrumpió sin miramientos.

—No tengo ni idea de por qué está usted aquí, pero no diga ni una palabra hasta que estemos lejos y a salvo, y póngase la capucha, por Dios.

Rebecca había asumido desde el principio que corría el riesgo de que la censuraran y de disgustar a sus padres, cuando se escabulló del baile y fue en su busca. De no haber sentido una necesidad desesperada de hablar con él, no lo hubiera hecho.

Robert prácticamente la empujó al interior del carruaje, subió de un salto, dio un golpe seco en el techo, y se alejaron traqueteando. Cuando la miró de frente en aquel reducido espacio, sus cejas se habían convertido en una línea tensa.

—¿Le importaría limitarse a decirme qué estaba haciendo en

la reunión de Houseman? Sé muy bien que no estaba invitada. ¿No estaba a salvo con sus padres en el Tallers? —masculló entre dientes.

Rebecca abrió la boca para replicar, pero él la interrumpió.

—La estuve observando durante toda la velada. —Sus ojos azules brillaban—. Creo que ha bailado con todos los caballeros presentes.

—Usted no me lo pidió —dijo ella en voz baja.

—Claro que no.

«Claro que no.» Esas tres palabras le dolieron y Rebecca levantó la barbilla.

Pero había bailado con su madre. Seguro que eso significaba algo. Ese simple acto le había dado el valor de seguirle.

Robert continuó, anticipándose a cualquier cosa que ella hubiera podido decir, aunque no estaba segura de cómo responderle.

—Respecto a su aparición de hace unos minutos, y por si acaso no se dio cuenta, las demás damas presentes proceden de un ambiente un tanto distinto al suyo. Recemos por que nadie la haya visto.

Eso era verdad, Rebecca no había reconocido a ninguna, pero llevaban vestidos suntuosos y…

Oh. No.

Cayó en la cuenta.

—Sí. —Él interpretó con acierto la expresión de horror y el gemido involuntario.

—Eso es justo a lo que me refiero. Ellas se ganan la vida de una determinada manera y por eso las contrataron, en fin, no es necesario que diga nada más. Rebecca, ¿por qué estaba usted allí?

Ella juntó los dedos sobre el regazo con tanta fuerza que se hizo daño.

—Oí a unos caballeros hablando de esta fiesta. Mencionaron su nombre como uno de los invitados y dijeron que era probable que se dirigiera allí cuando se marchó tan de repente. No me di cuenta de que… —titubeó.

Robert mantenía la mandíbula rígida, como una estatua de mármol.

—Tengo mucho interés en hablar con usted —añadió Rebecca. Era una excusa pobre, y así se lo pareció incluso a ella.

—¿Tanto como para arriesgarse a manchar su reputación sin remedio? —le preguntó en tono ácido. Meneó la cabeza, se dio la vuelta, y durante un momento fijó la vista en un costado del vehículo—. Esto —dijo con moderado énfasis— es un desastre.

Rebecca tenía mucho miedo de que tuviera razón, pero irguió la columna.

—Yo solo sabía que había una fiesta a la que mis padres no tenían intención de ir, y pensé que si conseguía colarme, tal vez tendría por fin la oportunidad de hablar con usted. No tenía ni idea…

—¿Ellos dónde creen que está? —intervino Robert, rayando la descortesía.

Rebecca, que empezaba a tener una idea clara de lo que podía haberle costado su imprudente ocurrencia, sintió un ligero vahído.

—Fingí que iba a otro baile con Arabella y su marido.

—En otras palabras, engañó a sus padres.

Bueno sí, pensó ella entonces. Aunque en su momento se había escudado creyendo que era una mentira necesaria.

Robert dijo una palabra que Rebecca no había oído nunca por lo bajo, aunque no lo suficiente para evitar que ella se preguntara qué significaba, pero le pareció que no era el momento de preguntarlo.

—No creo que nadie viera que me escabullí y paré un coche —replicó a la defensiva—. Arabella lo sabe, por supuesto, pero nadie más.

Él volvió a mirarla a la cara.

—¿Y si la vio alguien más?

A ella no se le ocurrió nada que decir.

—Me echarán la culpa a mí. —Robert se pasó la mano por la cara—. Sus padres me culparán a mí. Y Dios sabe que el mundo entero les creerá.

—¿Cómo iba a saber yo que esto era una... una...? —No era capaz de encontrar la palabra adecuada para describir la fiesta a la que había estado a punto de asistir.

Robert se hundió un poco más en el asiento con una mueca de ironía.

—¿Una reunión de varones depravados y condescendientes? ¿No se preguntó por qué ni usted ni sus padres estaban invitados, querida? Sus nombres aparecen en las listas de las anfitrionas más distinguidas de Londres. Por otro lado, cuando un proscrito como Gerald Houseman da una fiesta, no es más que una excusa para que los hombres nos reunamos y nos comportemos con mucha menos educación de lo que acostumbramos cuando hay damas presentes.

—¿Por eso estaba usted ahí? ¿Para poder comportarse sin educación?

—Creo que esa fue la idea original —se detuvo y luego añadió con sequedad—: pero estaba a punto de irme, tal como comprobó usted.

—¿Y por qué?

La mano que Robert apoyaba en la rodilla se tensó de forma convulsa.

—Al final descubrí que no estaba de humor.

—Damien me dijo que ahora pasa usted mucho tiempo en casa.

—¿Hay algún problema en eso? En contra de la creencia general de que me paso casi todas las noches deambulando por Londres, lo cierto es que suelo quedarme en casa muy a menudo. En cualquier caso mis actividades no importan, ya que no es mi reputación la que está en peligro, sino la suya. Tendremos que planear una forma discreta para que vuelva a casa sana y salva.

Considerando todos los problemas en los que se había metido, y el posible desastre que la amenazaba, Rebecca no estaba dispuesta a permitir que Robert se limitara a acompañarla de vuelta, sin decir al menos aquello por lo que había arriesgado tanto.

—Puesto que el mal ya está hecho y que a estas alturas invertir un poco más de tiempo es irrelevante, ¿podría usted pedirle a su cochero que dé un pequeño rodeo para que podamos hablar de esto?

Él apretó un músculo de la mandíbula.

—Mi experiencia me dice que conversar demasiado con una mujer nunca es buena idea. Y aunque odio preguntárselo, ¿podría definir «esto»?

Ella vaciló. Sabía que las siguientes palabras podían modificar su futuro. Inspiró con fuerza.

—Nosotros.

Robert masculló de nuevo una palabra desconocida, y su cuerpo grácil se irguió sobre en el asiento opuesto.

—Rebecca…

—¿No podemos negociar?

—¿Negociar? —La miró de frente con los ojos entornados—. ¿Cómo?

Ella se tragó el nudo de nervios que tenía en la garganta, y aún con el corazón desbocado, prosiguió confiando aparentar serenidad:

—Por favor, comprenda que yo soy totalmente distinta a usted.

Por primera vez desde que la había descubierto entrando en aquel vestíbulo, apareció un destello del encanto habitual y desenfadado de Robert.

—Por desgracia lo he notado, señorita Marston.

Ante ese comentario frívolo, ella se echó a reír con una mezcla de tensión y alivio reparador.

—Me refiero a que entiendo que no siente deseos de renunciar a su libertad. Bien. Como alguien que no tiene libertad para pronunciarse, creo comprender por qué valora usted ese activo. Tal vez podemos conseguir que las cosas resulten satisfactorias para ambos. Hacer un trato, si quiere. Lo único que pido es que me dé una oportunidad.

Él no se movió.

¿De verdad iba a hacer eso? ¿Decir algo tan escandaloso basándose en un libro escrito por una perdida? ¿Arriesgar su felicidad por el consejo de una prostituta?

Sí, lo haría. Porque aunque Damien estuviera haciendo todo lo posible para ayudarla, no tardaría en volver a España y además, este era un problema de mujeres y necesitaba un toque femenino.

Incluso su propia madre lo había dicho: «Nosotras sabemos lo que quieren mejor que ellos mismos».

Rebecca había leído ese libro malicioso de principio a fin, y decir que contenía revelaciones instructivas era quedarse corta. Oh, sí, le había escandalizado bastante la franqueza de las descripciones, pero también la había fascinado, y esa reacción le había hecho pensar que tal vez ella era justo la mujer apropiada para Robert Northfield.

Lo que de verdad deseaba era hacer todas esas cosas prohibidas con él.

Así que continuó. Le pareció imposible. Le pareció increíble, pero lo hizo.

—¿Se casará conmigo?

Él abrió la boca con evidente asombro. La expresión de perplejidad de su cara le habría parecido cómica, pero Rebecca sentía unos nervios terribles y tenía la impresión de que este era el momento más importante de su vida.

—Si nos casamos —continuó, notando que le temblaba la voz—, y no le satisfago de todas las formas posibles, considérese libre para vivir la vida que vivía antes. Si empieza a sentirse incómodo porque no soy capaz de retenerle, por mi parte no pondré la menor objeción a su falta de interés. —Se quedó callada y le obsequió con una estudiada sonrisa antes de añadir en un susurro—: No obstante, para no abandonar el espíritu deportivo que preside todo este asunto, debo advertirle que tengo la expresa intención de colmar todas sus necesidades.

Robert tenía la impresión de que su cara reflejaba su incredulidad. Desde los diecisiete años, nadie le había hecho una proposición con tanta franqueza. Elsa era una actriz doce años mayor que él, y sus intenciones eran estrictamente lascivas. Un bochornoso verano fue a buscarle después de una representación a la que Robert había asistido, acompañado de su familia, nada menos, y le susurró al oído todo lo que deseaba hacer con él. Ella adoraba a los jóvenes apuestos, según le explicó con su voz ronca característica y una sonrisa indulgente de manifiesta sensualidad.

En aquella época, él sentía mucha curiosidad sexual y se sintió halagado. Por supuesto, se las arregló para encontrar los aposentos de la dama. Aquella primera aventura había marcado el principio de su notoriedad, y a lo largo de los años le habían ofrecido favores sexuales de formas muy distintas, muchas mujeres distintas.

Esto era algo completamente diferente.

Quizá estaba alucinando. Tal vez una jovencita muy inocente se había limitado a decirle, en términos muy claros, que deseaba atraer su interés sexual y que de algún modo, aun considerando su inexperiencia, tenía la esperanza de conservarlo.

Si se casaba con ella.

Robert cerró la boca y se esforzó en pensar algo remotamente inteligente para usarlo como respuesta.

No se le ocurrió nada.

Dios del cielo, nunca había estado tan intrigado. Lo más probable era que ella ni siquiera fuese consciente de lo que prometía, pero la idea de ser su maestro era de lo más tentadora.

Robert tenía la certeza de que no sería capaz de apartar la vista de ella, ni bajo pena de muerte. ¿De verdad Rebecca le había propuesto matrimonio?

Sus luminosos ojos de un tono azul verdoso le observaban desde el otro extremo del reducido espacio, mientras circulaban por la calle. Se había sobresaltado tanto al verla cruzar el umbral de la fiesta, que no le había dado ninguna indicación al cochero, de manera que aunque Rebecca no lo supiera, esa petición de disponer de más tiempo que le había hecho estaba garantizada. George esperaría a que le indicaran que les llevara a una dirección determinada. Sin duda había visto a una dama joven subir al carruaje con él.

Esa era otra cuestión. Con capa o sin ella, alguien podía reconocerla. Robert le había dicho la pura verdad antes. Si se corría la voz de que la habían visto en un acto como la fiesta de Houseman, habría un escándalo enorme.

Tal vez tendría que casarse con ella.

«Tal vez deseo casarme con ella.»

¿Lo deseaba? Tal como Damien hubiera señalado, sin duda, Robert no estaba seguro de no querer casarse con ella, y tenía la aterradora certeza de que no quería casarse con ninguna otra.

—Su padre no lo aprobará —soltó de repente.

«Si no le satisfago de todas las formas posibles…»

—Puede que sí. A mi madre le gusta usted. No es que esté a favor de nuestro matrimonio de forma expresa, pero tampoco se opone. Creo que la intriga de la situación le atrae. —Rebecca arqueó una ceja—. La verdad es que bailar con ella fue una maniobra genial.

—Yo no intentaba ser genial —musitó él—, solo…

Ella esperó, por lo visto le interesaba su respuesta.

Él no tenía ni idea de lo que quería decir. ¿Por qué había bailado con lady Marston? Al fin se decidió a replicar:

—Rebecca, no tiene usted por qué ser tan altruista. Es bella, es una heredera, tiene talento. Ambos sabemos que todos los solteros de Londres están a sus pies.

—Bien, pues eso debe de incluirle a usted. Mis padres insisten en que escoja marido pronto. Yo le escojo a usted. ¿Puedo asumir que acepta mi oferta?

—No es tan sencillo, ni mucho menos.

—Dígame por qué. Usted es soltero, ¿verdad? —Su sonrisa era cándida y tentadora—. A menos que tenga una esposa secreta que nadie conoce.

Maldita fuera, sabía que estaba ganando. No, peor aún, sabía que había ganado.

Había llegado el momento de que él recuperara el control de la situación.

Al menos Robert tuvo la satisfacción de provocarle un gemido de sorpresa cuando de pronto cubrió la escasa distancia que les separaba, le enlazó la cintura, la colocó sobre su regazo y le rozó la sien con los labios.

—¿Por qué me hace esto?

—Yo me he hecho muchas veces esa misma pregunta, pensando en el efecto que provoca usted en mí. —Su carcajada tenía un matiz vacilante—. Me temo que no hay una explicación fácil.

Los labios de Robert viajaron a lo largo de la curva satinada de su mejilla, como aquella primera vez en el jardín. Le mordisqueó la comisura de la boca recreando el momento en que la abrazó contra el seto, cuando ella huía de lord Watts.

—De acuerdo, acepto sus términos si usted acepta los míos. Ella le echó los brazos al cuello.

—Dudo que vaya a objetar nada de lo que diga.

Robert sonreía con deliberada malicia.

—Si yo no la satisfago de todos los modos posibles, considérese libre de buscar consuelo en otra parte, pero se lo advierto, tengo la intención de conservar su interés.

Ella se le pegó al cuerpo, temblando.

Entonces él la besó. No con la moderación de aquella primera vez, sino con un beso de amante, apasionado, intenso y prolongado. Fue una promesa y un juramento mudos. Robert tomó, pero también dio, y dejó que ella notara su anhelo, pero también su contención.

De hecho, cuando por fin él alzó la cara y levantó un milímetro la boca, no tenía ni idea de en qué lugar de Londres estaban, pero tras tomar aquella monumental decisión, descubrió en su interior un lugar maravilloso cuya existencia nunca había sospechado siquiera.

—Debemos casarnos pronto —le susurró junto a los labios.

—¿Para salvar mi reputación por si alguien me vio esta noche? —La risa de Rebecca entre sus brazos fue como una leve exhalación, dulce, exuberante, cálida.

—Porque yo no puedo esperar mucho. Quizá se haya dado

cuenta. —Se movió para que ella notara su erección en la curva de la cadera.

—Oh.

Él rió ante la incertidumbre implícita en esa exclamación, feliz de haber recuperado la iniciativa.

—Tengo cierta reputación, ya sabe.

Entonces ella cambió las tornas. Deslizó la mano por el hombro de Robert, bajó por encima de su chaqueta, la posó en la parte superior del muslo y entonces le acarició. Por encima de los pantalones, pero él retuvo el aliento con un sonoro jadeo, mientras ella presionaba la palma contra la superficie de su miembro rígido.

—¿Por qué esperar? —dijo de un modo que solo podía describirse como un murmullo seductor—. Estamos prometidos y acabamos de acordar una boda rápida.

Él se quedó estupefacto. Por la sugerencia, pero también por la osadía con la que le presionaba con la mano. Era un acto bastante aventurado en una doncella inocente.

—Jesús, no diga eso. —Robert se movió, pero ella se reclinó sobre él, de modo que sintió el peso exquisito de sus senos y le atravesó una punzada de deseo—. No necesito que me tiente, créame.

—Su casa está cerca de aquí. —Rebecca bajó las pestañas—. Lléveme allí. Mis padres no me esperan hasta dentro de unas horas.

«Lléveme…»

No debía. Hacía solo un momento que había aceptado unirse a las filas de los hombres casados respetables que honran a sus esposas con las promesas debidas.

—Rebecca… no. Puedo esperar.

—¿Y si yo no puedo? —Parecía sin aliento—. No olvide que llevo un año soñando con esto. Desde la primera vez que le vi. Le deseo. —Le tiró de la corbata con su mano grácil y la desató—. Di a entender que tal vez me quedaría con Arabella. Lo he hecho otras veces. Tenemos toda la noche. Mis padres no se asustarán si no vuelvo a casa.

Rebecca no tenía ni idea de qué estaba diciendo, de qué estaba ofreciendo. Robert le sujetó la muñeca.

—Sigue siendo muy posible que su padre se niegue, y si me comporto de modo deshonroso…

—¿Tiene usted intención de contárselo? Yo no.

Soltó la mano y volvió a besarle, inexperta pero curiosa. Barrió su boca con una caricia indecisa de la lengua, y le arrancó un gemido. Mantuvo las manos siempre ocupadas; le quitó la corbata y se dedicó a los cierres de la parte superior de la camisa. Coló una mano tímida y fría, y apoyó la palma sobre su torso desnudo y ardiente.

Desconcertado, excitado e indeciso, Robert interrumpió el beso apasionado, intentando ser fiel a su honor.

—He de llevarla a casa de sus padres.

—No se preocupe por mi padre. Me casaré con usted de todos modos, con o sin su permiso. Seguramente se negará a pagar su parte del acuerdo matrimonial…

—Me importa un comino su dinero —interrumpió Robert al instante—. Ni siquiera que nos dé su bendición. La quiero a usted.

Lo prudente era volver a acomodar a Rebecca en el asiento de enfrente, y la colocó de nuevo a esa pequeña distancia, pero no solucionó nada. Estaba un poco despeinada y tan deliciosa, con su boca rosada y las mejillas ruborizadas. Sus ojos de aguamarina centelleaban.

—Por favor.

Su decisión flaqueó ante aquella simple palabra. El atractivo de Rebecca era tan poderoso que Robert tuvo que convertir las manos en puños para no volver a tocarla. Maldijo para sí y golpeó con rudeza el techo para avisar al cochero.

21

La sociedad ha establecido una serie de normas para regir el comportamiento de los caballeros y las damas. Pero en el dormitorio, solamente somos hombres y mujeres. Yo os recomiendo que, en lugar de las normas, sigáis vuestros instintos.

Del capítulo titulado
«¿Es escandaloso? Y si lo es, ¿debe preocuparos?»

*L*ady R era un auténtico genio. Rebecca notó que los dedos de su prometido le enlazaban la cintura para apearla del vehículo, y sintió un nudo en el estómago ante la provocativa ansiedad que había en sus ojos. Él la guió por los escalones que conducían a su residencia, sin decir palabra.

Su prometido.

Robert Northfield, nada menos.

—Tengo poco personal de servicio. —Él mismo abrió la puerta—. Y en cualquier caso, son discretos.

Y tenían que serlo, pensó Rebecca con involuntaria ironía, para servir a un conquistador con una mala fama de tal calibre. Comprobó sorprendida que la idea ya no le afectaba, porque mientras viviera recordaría ese instante en el interior del carruaje, en que él se acercó y la tomó en sus brazos.

En aquel momento parecía indefenso.

—Estarán acostumbrados a que traiga mujeres aquí. —Cogió la mano que él le tendía.

Robert meneó la cabeza y la miró de frente con sus ojos azules.

—Ninguna como usted. Nunca.

Rebecca suponía que eso era verdad. No vírgenes complacientes y desvergonzadas que le habían casi desnudado en el interior de su coche, después de proponerle matrimonio con todo descaro, por no hablar de la escandalosa promesa de toda una vida de plenitud sexual. Rebecca se habría sentido muy avergonzada por sus propios actos, si no fuera porque habían funcionado a la perfección. ¿Cuál habría sido su reacción si hubiera expuesto su propuesta en términos de amor romántico, diciéndole cómo deseaba tener a su hijo en brazos y que había soñado tan a menudo con verle sonreír sentada frente a él en la mesa del desayuno, con experimentar el ardor de la pasión en su lecho? No estaba segura.

«Para los hombres el amor significa vulnerabilidad. Cuando un hombre se siente atraído emocionalmente por una mujer, ella ejerce una enorme influencia en su vida. Debéis entender que eso asusta a la mayoría, lo admitan o no. Por supuesto, el grado varía de un hombre a otro. Ellos adoran la pasión, pero pasan de puntillas y con mucho cuidado alrededor del amor. Es un regalo maravilloso que un hombre os dé ambas cosas.»

Su dormitorio estaba en el segundo piso y ella tuvo la visión fugaz de un lecho inmenso con cabezales de seda oscura, un armario en un rincón, y un par de botas junto a una butaca de madera tallada, antes de que él la sujetara por los hombros y la mirara a los ojos.

—¿Está segura? No ha tenido tiempo de prepararse, ni de hablar con su madre o lo que sea que hagan las novias. Rebecca, faltaría a la verdad si dijera que no deseo llevarla a la cama, pero también es cierto que no deseo perjudicarla.

Uno de los criados había dejado una lámpara encendida esperándole, y la luz creaba un reflejo dorado en su cabello castaño. Ella alargó la mano y le acarició el mentón. Sus dedos, a la vez curiosos y delicados, notaron apenas la barba que se insinuaba bajo un nítido afeitado.

—Estoy preparada y no necesito hablar con mi madre.

Él arqueó las cejas, pero deslizó las manos sobre los hombros de Rebecca, con una caricia leve, experta.

—¿Ah, sí? Me intriga saber de qué modo.

—Enséñeme —susurró Rebecca en un tono evasivo, mientras le apartaba la chaqueta de los hombros, para poder terminar de desabrocharle la camisa—. Quiero que me enseñe todas las perversas maravillas que pueden suceder entre un hombre y una mujer. Quiero verle, sentirle.

Cuando le sacó la camisa de los pantalones, Robert la ayudó y se la quitó. Tenía el torso prieto, la musculatura bien definida, y unos hombros anchos, impresionantes.

—No creo que tengamos tiempo de lecciones sobre todas esas travesuras hasta dentro de una hora, más o menos —murmuró él. Solo llevaba botas y pantalones, y había un visible bulto en la parte delantera de estos últimos—. Pero haré todo lo que pueda. Ahora, si no le importa, preferiría no ser el único que va desnudo. Dé una vuelta, querida, y déjeme ver si mis fantasías le hacen justicia.

No es que a Robert no le hubieran seducido nunca, pero lo cierto es que nunca le había seducido una ingenua inocente. Primero, Rebecca le había propuesto matrimonio… y él había aceptado… y ahora de un modo un tanto tosco pero de lo más excitante, había conseguido quitarse casi toda la ropa con un entusiasmo que no se parecía en nada a la imagen que él tenía de las vírgenes asustadas.

Por lo visto tendría que modificar sus ideas, al menos en lo referido a su futura esposa.

Esposa.

Eso era algo que tendría que digerir más tarde. Ahora mismo la pulsación que sentía entre las piernas impedía cualquier pensamiento racional.

Le desató el vestido con la facilidad de la práctica, lo retiró de sus hombros tersos, dejó caer al suelo la tela de color limón y la muselina se derrumbó con un leve murmullo sobre la seda suave y cálida. Bajo la recatada camisola de encaje, sus senos rotundos destacaban de un modo que Robert sintió una descarga de sangre a través de las venas mientras retiraba los alfileres que confinaban el cabello de Rebecca con dedos impacientes y los dejaba a un lado sin fijarse.

Cayó una cascada de seda oscura que cubrió el grácil perfil de la columna vertebral de Rebecca. Robert se inclinó hacia delante e inhaló su delicada fragancia. Le cubrió los senos con las manos, permaneció inmóvil detrás de ella y la atrajo de espaldas hacia sí.

—Por lo que he visto hasta ahora —musitó con una voz sugestiva, teñida de anhelo erótico, mientras admiraba la curva superior de sus pechos—, es usted más de lo que imaginaba. Pero he de verlo todo.

—Yo no estaría aquí si no lo deseara todo. —Rebecca se recostó con placer contra su pecho y refugió las nalgas entre sus caderas, con provocativa dulzura—. Confío en usted.

Robert, que jugueteaba con aquella acogedora melena entre los dedos, se detuvo en seco, y se preguntó si alguien le había dicho eso alguna vez. «Confío en usted.» Debía ser cierto. Rebecca había puesto su futuro en sus manos. Se sintió humilde y en aquel momento crucial, la idea del matrimonio se convirtió en algo distinto. Alejado de la egoísta reticencia que tenía antes a que coartara su libertad y a que su vida cambiara de modo irrevocable.

—Puede confiar en mí —le aseguró a su futura esposa con una voz que expresaba una sinceridad inesperada—. Todo lo que desee entregarme está a salvo.

—Eso lo he sabido desde el principio, de un modo u otro.

Debía estar diciendo la verdad, o no estaría allí, en sus brazos, medio desnuda. Si entregaba su virginidad, no habría vuelta atrás.

No habría vuelta atrás para ninguno de los dos.

Robert la rodeó con sus brazos y le desató despacio el lazo del corpiño. Se abrió la tela, se intensificó la sombra que había entre sus senos, y la prenda se deslizó hacia abajo, dejando expuesta su carne pálida y opulenta, tensa y firme, y el elegante coral de sus pezones. Él dirigió la vista hacia abajo, al delicado retazo de vello púbico en medio de sus muslos esbeltos, esos rizos oscuros que llamaban a sus dedos.

Y a su boca, aunque tal vez era mejor no ser tan travieso la primera vez, al margen de lo que ella dijera. Sería gentil, se prometió a sí mismo. Su miembro protestaba contra el confinamiento de sus pantalones con tanta fiereza que, para no acelerar las cosas, Robert tuvo que apretar los dientes y echar mano de toda su galantería…

—Deprisa —dijo Rebecca echando la cabeza hacia atrás para apoyarla en su hombro—, tóqueme. Haga algo. Estoy… no sé.

Esa petición hizo que la temperatura de la sangre, previamente alterada, le aumentara, y Robert se preguntó por un segundo si el entusiasmo de Rebecca era resultado de la innegable química que había entre ellos, o de una sensualidad innata. Decidió que si la suerte le sonreía, serían ambas cosas, y la levantó en brazos.

—No se preocupe, la tocaré. —Su voz no tenía nada del tono despreocupado que acostumbraba a usar en la cama. Él solía provocar, seducir, jugar con la coquetería y el deseo. Esto era distinto—. Voy a tocarla con tal pasión que no lo olvidará nunca, jamás olvidará esta noche.

La tumbó en la cama. Admiró con los ojos cada detalle de aquellas piernas largas, la curva sensual de esas caderas femeninas, la plenitud de esos senos cautivadores. Ese cabello denso y brillante derramado por todas partes, y el contraste del negro contra las sábanas blancas, que evocaba las obras maestras de pintores clásicos, cuando la belleza femenina era objeto de reverencia y estudio.

Y esos ojos, con unas pestañas tan largas y un color tan inusual, reminiscencia del mar bajo el sol del verano. Robert lo contempló todo mientras se sentaba para quitarse las botas, y luego se levantó para desabrocharse los pantalones. Rebecca observó su erección sin ambages y abrió sus maleables labios… ¿sorprendida? ¿Admirada? ¿Temerosa?

—Es enorme —dijo con la mirada absorta.

Robert reaccionó con una discreta carcajada y se reunió con ella en la cama. Le acarició la cadera desnuda y dijo:

—Pero querida, la verdad es que no puede compararme con nadie, ¿no cree?

—No, pero…

La besó intentando sofocar ese primer destello de recelo virginal. Se acercó lo bastante como para rozarle la cadera con el miembro erecto, pero no más, justo para que se habituara a su excitación y a sus intenciones. Trazó con reverencia la refinada silueta de la columna vertebral, exploró la depresión de la cintura y el arco de la caja torácica, hasta acoger uno de los senos perfectos con una mano, que aceptó aquel peso cálido y rebosante. Ante aquella caricia íntima, ella se estremeció.

—Perfecta —dijo Robert. Sus labios le recorrieron la mejilla hasta la oreja y susurró—: Es usted perfecta. Diseñada para mí. ¿Cuántos hombres habrán soñado con estar así, con usted?

Esa conjetura era tan impropia de él, que al oír la pregunta que acababa de hacer, Robert se quedó atónito. Comprendió con sorpresa que estaba celoso de esas fantasías desconocidas; como durante la velada, cuando la había visto bailar con pretendientes potenciales con desasosiego y melancolía.

—Lo siento, pero ahora no puedo pensar en nadie más. Estamos nosotros dos solos en el mundo. —Rebecca volvió la cabeza y le besó el hombro, mientras él acariciaba un seno exquisito.

Tenía razón. Los hombres que la habían deseado en el pasado habían desaparecido. Ellos habían perdido y él había ganado.

—No. No hay nadie más que tú y yo —dijo él en voz baja.

Con aquella frase breve, tan cargada de sentido, todas las amantes de su pasado disoluto también se desvanecieron para siempre.

—Estoy preparada —musitó ella—, cuando tú lo estés.

Él estaba más que preparado, y aquella ingenua declaración le hizo sonreír. Dudaba que Rebecca estuviera lista todavía, y pese a la complaciente aquiescencia y a la receptividad que había mostrado hasta entonces, tenía el propósito de hacer que aquel momento no fuera el desenlace, sino el principio.

—Lo estarás —murmuró, e inclinó la cabeza con una mueca pecaminosa—, pronto.

Cuando él tomó entre sus labios un pezón tenso y firme, y ella suspiró estremecida, se sintió recompensado.

—Robert —gimió. Su nombre fue una mera exhalación, cargada de significado.

Él se dedicó a la seducción, al exquisito placer que pretendía darle, a la magia de ese momento único para ambos. Salvo en el plano físico, solía mostrarse distante con sus conquistas, pero la mujer que estaba en sus brazos no pertenecía a esa categoría.

Robert se movió y ella le respondió con ardor. Él buscó la cumbre erecta de sus senos, mientras sus dedos descubrían la húmeda firmeza entre sus piernas. Cada vez que chupaba, cada vez que la acariciaba, Rebecca se revolvía inquieta, y su cuerpo flexible era la encarnación de la tentación. Para Robert, sentir el roce de su piel era algo abrumador que aniquilaba su supuesta mundología.

Saboreó con cuidado y provocó sus senos exuberantes, y entretanto movió la mano despacio, en círculo, sobre los pliegues separados de aquella hendidura empapada. Ella se agarró a sus hombros y gimió, con mucha menos timidez de la que él esperaba, y separó las piernas para permitirle el acceso. Una delicada fragancia emanó de su piel, y esa esencia más primaria de fémina en celo inflamó los sentidos de Robert, que ya estaba ardiendo.

—Dime si te gusta —suplicó, ejerciendo la presión justa con profunda satisfacción, al notar la humedad y la yema henchida bajo los dedos.

Rebecca se arqueó, sus pezones excitados le acariciaron el torso.

—Siento... oh... yo...

Era la respuesta incoherente precisa que él buscaba, y supo que ella estaba cerca del clímax, tanto porque se intensificó el color de su encantador rostro, como por el frenesí con el que le agarraba. Robert se lamió el labio inferior, deslizándose con una sensualidad deliberada.

—Espera, creo que estás llegando al momento decisivo, querida.

Cuando llegó, un grito de sorpresa y placer surgió de la garganta de Rebecca, cuyo grácil cuerpo se estremeció con visibles temblores. Robert contempló cómo bajaba los párpados, sin saber si él también alcanzaría el cenit en aquel momento, solo por la felicidad de ser quien le había proporcionado la primera muestra del éxtasis del orgasmo.

Y no había hecho más que empezar.

Ella quería un tutor perverso. Iban a ser una pareja ideal, pues como instructor él ciertamente poseía esa cualidad. Robert se deslizó entre las piernas que Rebecca mantenía separadas y se colocó de modo que apenas rozaba la pequeña abertura con el miembro. Sonreía relajado, pese a que su cuerpo estaba tenso como la cuerda de un violín, esperando que ella se recuperara lo bastante para abrir los ojos. Apoyado en los codos sobre su cuerpo tembloroso, la vio levantar los párpados.

—Ahora estás preparada —dijo sucinto.

—Ha sido... —Rebecca se calló y entonces dijo entre risas entrecortadas—: No he terminado una frase desde que nos desnudamos, ¿verdad?

—Buena señal. —Robert se movió para tantear la capacidad del sendero que ella le ofrecía y empezó a penetrar en su cuerpo con una presión leve—. La forma más placentera del mundo de dejar sin palabras a una mujer.

Ella se dio cuenta de lo que estaba haciendo, y abrió enormemente los ojos.

—Así. —Robert se inclinó hacia abajo, le levantó la pierna, se la dobló a la altura de la rodilla y le puso el pie sobre la cama—. Cuanto más abierta estés, más fácil será.

Con halagadora prestancia, Rebecca se movió para hacer lo mismo con la otra pierna, separó los muslos del todo para que él entrara, y le sostuvo la mirada con conmovedora emoción y una sonrisa agradable que no expresaba el menor temor.

«Confío en usted.»

Robert nunca había estado tan atento, tan medido, tan consumido por la lujuria. Tanto que creyó que ardería mientras poseía aquel cuerpo. Cuando rompió la barrera de la virginidad y vio el pestañeo de dolor, le besó la frente, la punta de la nariz y luego bebió de sus labios con sorbos suaves y cariñosos para tranquilizarla y calmarla.

—Mejorará —murmuró—. Lo juro. Mejorará, mucho.

—No soy una flor delicada —respondió ella con sorprendente ironía, aligerando la presión sobre sus hombros—. Y el hecho de que te ame no significa que no desee que hagas honor a tu reputación, lord Robert. Enséñame la razón de tu virtuosismo legendario.

«Te amo.»

—Lo dices con tanta naturalidad... —murmuró Robert como respuesta. Su miembro anhelante le urgía a moverse, pero la emoción le mantenía inmóvil y gruñó—: Rebecca, yo...

Tal vez fue la intuición femenina, pero ella supo exactamente lo que debía decir.

—Enséñame —suplicó en voz baja.

Y cuando él lo hizo, cuando se movió en su interior con lentas embestidas hasta que ella empezó a jadear, luego a gemir y finalmente a gritar, su propio placer se agudizó a causa del desinhibido disfrute de Rebecca, hasta que la primera ráfaga de tensión rodeó su miembro invasor, y todo su cuerpo explotó en un rapto de pasión en el que se precipitó hasta perderse.

En los brazos de Rebecca, en su cuerpo seductor, en su alma.

22

Los malentendidos son inevitables. Cuando menos lo esperéis, saldrán a la luz y os confundirán a ambos. La forma como os enfrentéis a la aparición de cada uno de ellos os dará la medida de vuestro afecto mutuo.

Del capítulo titulado «El arte de la discusión»

Ahí estaba él otra vez. Parecía increíble, pero la estaban siguiendo.

En efecto, la silueta merodeaba por el umbral de la tienda de tabaco, al otro lado de la calle. Brianna, muy irritada y molesta, entornó los ojos y se preguntó si debía informar a las autoridades. Al fin y al cabo, su marido era un hombre rico, y debía estar alerta por si alguien quería secuestrarla.

Era el tercer día consecutivo que le veía, y cada vez estaba más convencida de que ese extraño hombrecito con una gorra de cuadros marrón la estaba siguiendo. La primera vez que le vio fue cuando olvidó el monedero en el carruaje; volvió a salir corriendo y con las prisas, a punto estuvo de tropezar con él. En aquel momento no le dio importancia, pero al día siguiente había vuelto a verle.

Y allí estaba de nuevo al otro día, aunque iba vestido de otra forma. Cuando Brianna le localizó por tercera vez, su curiosidad se convirtió en alarma.

Volvió a entrar en la tienda y le preguntó a la esposa del sombrerero, una mujer corpulenta que trabajaba en la parte delantera del establecimiento, si había una salida por atrás que pudiera utilizar. La tendera se mostró sorprendida, pero le mostró la puerta trasera y aceptó unas monedas a cambio de enviar a un dependiente a la calle, al cabo de una hora más o menos, para decirle al cochero de la duquesa que regresara a casa con el vehículo. En la expresión de la mujer, Brianna leyó que los caprichos de los nobles y los poderosos debían aceptarse con resignación, y salió a hurtadillas al callejón que había detrás de la tienda, libre gracias a su estratagema.

No estaba segura de que la treta fuera necesaria, pero estaba embarazada y la vida del hijo que llevaba en sus entrañas, más y más real a medida que pasaba el tiempo, era lo más importante del mundo. Lo prudente era ser cuidadosa.

Hacía un día muy agradable, quizá un poco frío, y en lo alto del cielo azul celeste había apenas una leve pátina de nubes. Cuando ya se había adentrado bastante en el callejón, sorteando montones de imprecisos desperdicios, Brianna se coló por la puerta trasera de una tienda de tabaco, pidió disculpas al sobresaltado propietario y salió de nuevo a la calle.

Arabella vivía cerca, junto a St. James y ya que hacía buen tiempo, era agradable dar un paseo hasta el domicilio de los Bonham. Al llegar se enteró con alivio de que lady Bonham estaba en casa. Al cabo de unos minutos la condujeron a una salita privada en el primer piso, y su amiga se puso de pie para recibirla.

—Bri, qué contenta estoy de que hayas venido.

Brianna forzó una sonrisa.

—Siento aparecer de repente, pero me pareció conveniente.

—¿Conveniente? —Arabella le señaló una butaca y frunció el ceño—. Qué palabra tan curiosa.

Brianna se sentó. Aunque ya se había acostumbrado a los mareos, de vez en cuando tenía náuseas.

—¿Podrías pedir que me trajeran una taza de té ligero?

—Por supuesto. —Arabella llamó con el tirador—. ¿Es el

niño? Por Dios, de pronto te has puesto pálida. ¿Necesitas tumbarte?

—Un poco de té me sentará bien —le aseguró Brianna. Cuando llegó la infusión se la bebió con ganas, luego esperó que las náuseas remitieran y dijo con una sonrisa algo llorosa—: Es que estoy un poco disgustada. Menos mal que estás en casa.

Durante el paseo había tenido una sospecha muy desagradable, y necesitaba hablar con alguien.

Arabella parecía preocupada.

—¿Cuál es el problema? Esto no es propio de ti en absoluto.

—Ni siquiera sé por dónde empezar. Ni si debo empezar.

Aquello provocó que su amiga pestañeara.

—Por favor, elige un modo. Estás dando rodeos.

—No es lo que pretendo, pero por lo visto así es mi vida últimamente. —Brianna dio otro sorbo y se sintió lo bastante tonificada como para dejar la taza a un lado—. Le he dicho a Colton que vamos a tener un hijo.

Arabella hizo un gesto de aprobación.

—Imagino la dicha de tu marido.

—Era de esperar que se mostrara dichoso.

La condesa de Bonham frunció el ceño.

—¿Qué significa eso? ¿Es feliz, verdad?

—Eso dice. —Brianna se volvió a mirar una de las ventanas con parteluz y reprimió el llanto—. Él dice que sí. Pero yo no estoy segura. Me trata de un modo distinto. Y ahora esto.

—¿Qué quieres decir con «esto»? —preguntó Arabella, al cabo de un momento.

—Me están siguiendo. Al menos eso creo. Un hombrecito espantoso con una gorra marrón. Le he visto de vez en cuando, y aunque es verdad que las coincidencias ocurren en la vida, no creo que esto lo sea.

—No lo entiendo.

Brianna meneó la cabeza.

—Yo tampoco lo entiendo, pero sí te digo que no me sorprendería que Colton tuviera algo que ver, considerando lo malhumorado que está estos días. Me ha hecho unas preguntas muy extrañas, y se comporta como si estuviera encantado con el niño, y al mismo tiempo no lo estuviese. Ah, no lo estoy describiendo bien, pero baste con decir que no sé qué hacer con todo esto. ¿Por qué me haría seguir mi marido?

Arabella abrió la boca para contestar, pero se quedó así un momento y la cerró de golpe. Luego se ruborizó, desvió la mirada e irguió los hombros.

Brianna observó dicho proceso con interés. Seguía con el estómago revuelto, provocado por su torbellino interior.

—¿Qué? —preguntó con la franqueza y la familiaridad de una vieja amiga—. Si sabes algo, dímelo, por favor.

—Yo no sé nada, y supongo que no me sorprende que no se te haya ocurrido a ti, porque tampoco se me ocurrió a mí, pero tal vez podemos aventurar una conjetura. —Arabella se dio la vuelta, con expresión decidida—. Rebecca me prestó el libro cuando lo terminó, ¿sabes?

Brianna asintió. No era necesario aclarar a qué se refería con «el libro». *Los consejos de lady Rothburg.*

El libro.

—Sigo sin creer que las tres lo hayamos leído. Nuestras madres se morirían del susto. Pero… yo… ay, querida, no hay una forma delicada de decirlo, yo…

—Bella, te adoro, pero por favor dilo de una vez antes de que grite.

—Hice eso del capítulo diez.

«Capítulo diez.» Brianna hizo memoria, recordó a qué se refería su amiga y apenas fue capaz de reprimir un gemido. Ella no se había atrevido con el capítulo diez, de modo que comprendió perfectamente el sonrojo.

—Ya entiendo.

Arabella intervino de inmediato:

—No fue tan desagradable como parecía y…

—Si no me dices de una vez por qué crees que esto tiene que ver con mi situación, me volveré loca. —Brianna notó que le chirriaban los dientes. El malestar que sentía en el estómago no la ayudaba precisamente.

—Andrew exigió saber de dónde había sacado la idea. Le gustó y no le gustó a la vez, no sé si me entiendes. —Arabella apoyó la espalda con gesto decidido, pese al rubor de sus mejillas.

—No, me temo que no.

—No te preocupes, tu nombre no salió a relucir en ningún momento, pero al final tuve que confesar que había leído el libro, porque mi marido no se habría olvidado del asunto. Se tranquilizó tanto que ni siquiera se enfadó.

—¿Se tranquilizó? —Brianna no entendía la lógica—. ¿Por qué?

—Su primera reacción fue creer que quizá otro hombre me había sugerido la idea.

Brianna se quedó sin palabras.

Arabella volvió a mirarla, comprensiva.

—Creo que mi expresión se parecía a la tuya en este momento. No conseguía entender que hubiera llegado a esa conclusión. Quiero decir que, ¿cómo podía Andrew pensar eso? Su respuesta fue que no podía imaginar ni por un momento que yo hubiera soñado siquiera con hacer algo tan escandaloso por mí misma. El problema es que tenía razón. No lo hubiera hecho. Yo ni siquiera sabía que las mujeres hacían cosas así. De no ser por el libro, no se me habría ocurrido. Puede que si te siguen y Colton es el responsable, haya llegado a la misma conclusión que Andrew.

Dios del cielo. Colton no podía creer que ella tenía una aventura, ¿o sí? Brianna permaneció inmóvil en su butaca, dando vueltas a la cabeza, recordando las últimas semanas.

Cuando puso en práctica los consejos del capítulo dos, él le había preguntado de dónde había sacado esa ocurrencia, pero ella esquivó la pregunta. Al contrario que Andrew, Colton no era dado a insistir, y había dejado correr el asunto.

Después… oh, por todos los santos, ella le había atado a la cama el día de su cumpleaños y ahora que lo pensaba, fue a partir de entonces cuando todo cambió.

«Tú no has hecho nada malo, querida. ¿Verdad?»

En aquel momento, a Brianna le había sorprendido la vulnerabilidad que había en su mirada, ¿había una acusación, también?

Cuando se apartó de la mejilla un rizo de pelo suelto, la mano le tembló como una hoja a merced del viento. La dejó caer sobre el regazo y dijo con una voz irreconocible:

—Ahora que lo pienso, puede que tengas razón. Ay, Bella, ¿es que los hombres están completamente locos?

—Yo suelo pensar que sí —respondió con franqueza su amiga—. ¿Qué vas a hacer ahora?

—Supongo que el asesinato sigue siendo un crimen en Inglaterra —masculló.

—Por desgracia, sí —contestó Arabella con cierta ironía—. Por bobo que sea el augusto duque, darle su merecido supondría un castigo muy duro.

—Sigue pareciéndome tentador.

—Me lo imagino. Yo me ofendí tanto como tú ahora. Bueno, quizá algo menos. Andrew no llegó al extremo de hacer que me siguieran.

Su marido había hecho que la siguieran. Era algo inconcebible.

Brianna se irguió en la butaca y miró a su amiga.

—Yo creo que Colton está a punto de descubrir que, a diferencia de él, a mí no me desagrada discutir asuntos que puedan ser incómodos. Si aún tienes el libro, te agradecería que me lo devolvieras, por favor.

—Está escondido en mi cuarto. Voy a buscarlo.

Arabella se levantó con elegancia y salió de la salita. Al cabo de unos minutos volvió con el volumen encuadernado en piel. Se lo entregó con un destello en sus ojos oscuros.

—¿Qué vas a hacer?

Brianna se levantó, más indignada que en toda su vida.

—Enseñarle a mi exasperante esposo una lección sobre las ventajas de la honestidad.

La puerta del estudio se abrió de golpe y con tanta fuerza que golpeó en el panel de la pared de enfrente. Sin llamar, sin pedir permiso para entrar. Desprevenido ante tal intromisión, Colton levantó la vista, sobresaltado. Su secretario, que parecía un espantapájaros desgarbado, saltó tan de repente que derribó la silla. Colton, que se puso de pie con educación y algo más despacio, captó el arrebato de ira en las mejillas de su esposa en cuanto entró en la habitación con una expresión que auguraba un desastre inminente.

—Buenas tardes, querida —dijo con tanta delicadeza como pudo.

—Aquí tienes. —Ella avanzó directa al escritorio y dejó caer un libro sobre el montón de correspondencia que él había estado revisando.

«¿Qué demonios pasa ahora?»

Brianna llevaba un vestido en tonos melocotón. Era un atuendo discreto y distinguido, aunque se ajustaba a sus cautivadoras curvas de forma sugerente. En sus preciosos ojos azules había un fulgor de indignación evidente. Al darse cuenta de que fuera cual fuese el problema no le favorecía demasiado, Colton carraspeó y dijo con brusquedad:

—Mills, ya puede marcharse. Y por favor, cierre la puerta al salir.

El joven obedeció con una premura casi cómica, y Colton en cuanto oyó que cerraba la puerta, dijo en un tono frío:

—Es bastante evidente que estás enfadada conmigo por algo, pero ya sabes que me desagradan las manifestaciones emocionales delante del servicio, Brianna.

—A ti siempre te desagradan las manifestaciones emocionales, excelencia —le hizo saber su bella esposa con sarcasmo—, pero creo que podré reformarte. Supongo que ese fue mi error, porque lo único que recibí por mis considerables esfuerzos fue tu desconfianza.

Desconfianza. A Colton se le hizo la luz y maldijo en silencio a Hudson e hijos por no cumplir con su parte del trato de ser invisibles.

Ese era el mencionado desastre.

—¿Reformarme? —La miró a los ojos y vio con asombro el brillo de las lágrimas.

Brianna apoyó la mano encima del escritorio y se inclinó un poco hacia delante, con evidente furia.

—¿Contrataste a alguien para que me siguiera, Colton? ¿Pensaste en serio que yo podía estar teniendo una aventura con otro hombre?

Él sintió una oleada de alivio, pues ella estaba sinceramente ofendida. La idea de que Brianna estuviera adquiriendo sabiduría sexual a pasos agigantados en el lecho de otro le estaba volviendo loco de celos cada día que pasaba. Ahora le tocaba a él sonrojarse un poco, y notó de repente que le apretaba la corbata.

—Quizá deberíamos sentarnos y hablar de esto con calma.

—No. —Aquella boca tan acogedora se había convertido en una línea recta. Brianna movió la cabeza con tozudez—. Yo no estoy calmada ni mucho menos, y me niego a fingir lo contrario. Yo no soy como tú, y estoy a favor de que los demás sepan que tengo sentimientos.

Dolido ante el tono crítico que había implícito en su voz, Colton dijo con aire formal:

—Lamento desilusionarte, Brianna, pero yo siempre he sido reservado. Lo sabías antes de aceptar mi propuesta de matrimonio.

—Tú, señor, eres más que reservado, eres estirado.

—¿Estirado? —Colton arqueó una ceja despacio. La acusación tenía un tono tan mordaz, que fue como si le hubiera abofeteado—. Ya veo.

Y se lo merecía, lo cual era aún peor. En parte casi deseaba que ella se hubiera dado la satisfacción de darle un bofetón.

—Sí, pero estabas mejorando. Gracias a esto. —Brianna señaló el libro que había entre los papeles desperdigados.

¿De qué diantre estaba hablando?

Por primera vez, Colton miró hacia abajo y leyó el título, grabado en letras escarlata sobre la cubierta de piel.

—Dios bendito —masculló—. ¿De dónde diablos has sacado esto?

—¿Acaso importa de dónde lo saqué? Lo que importa es que ha sido muy instructivo

Él consiguió reprimirse, y no le señaló a su maravillosa esposa que ninguna dama de buena cuna debía leer el libro de una perdida, que durante una época se ganó la vida vendiendo sus favores sexuales, y luego tuvo el descaro de publicar detalles sobre sus hazañas. En lugar de eso, acogió la afirmación de Brianna con incómoda perspicacia.

—¿Por qué pensaste que necesitabas estar tan informada? —consiguió mantener el tono conciliador con enorme control.

—Porque no tenía la intención de acabar como la esposa de lord Braden, y encontrarme contigo en la ópera del brazo de tu amante.

—Brianna, yo no tengo una amante —dijo con un matiz de alivio y exasperación.

—Eso es bueno saberlo. —El labio inferior le temblaba un poco y emitió un sonoro suspiro—. Pero ¿qué pasara en el futuro? Tú me has comentado a menudo la falta de fidelidad en los matrimonios aristocráticos, y yo no soy sorda y he oído las habladurías. No quiero que jamás vayas en busca de otra mujer porque yo te parezca aburrida.

Tenía un aire de sinceridad adorable. Colton reprimió el impulso repentino de tomarla entre sus brazos y demostrarle de la forma más física posible que no corría peligro de que él deseara a ninguna otra. No obstante, tenía la impresión de que sus atenciones no serían recibidas con entusiasmo desenfrenado en ese momento. Primero tenía que reparar el daño.

Carraspeó.

—Valoro ese sentimiento sobre la fidelidad, porque yo mismo me he estado volviendo loco, preguntándome dónde demonios habías aprendido esas técnicas tan osadas. Perdóname por haber albergado dudas, pero era lógico pensar que alguien te estaba enseñando, y no era yo.

Ella bajó los párpados y entornó los ojos.

—No, tú no. Claro que no. Durante los primeros meses tú ni siquiera me quitabas el camisón cuando hacíamos el amor, Colton.

Eso era verdad, y un hecho que a él le torturaba en cierta medida, sobre todo viniendo de una mujer joven, que se había propuesto mejorar sus relaciones sexuales.

Maldición, era su esposa. Él había intentado solo ser educado y no herir su sensibilidad.

—Estaba intentando ser un caballero. —Se puso a la defensiva, porque ese sacrificio lo había hecho por ella. Aunque lo que hizo y lo que había querido hacer eran dos cosas totalmente distintas.

—Lady Rothburg dice que en la cama no hay damas ni caballeros.

—¿Eso dice? —Colton desplazó la cadera y la apoyó en la superficie que tenía al lado, cruzó los brazos y miró de frente a su díscola esposa recordando los episodios de placer inconmensurable que había disfrutado en los últimos tiempos, cuando ella seguía los consejos del infame libro—. Deduzco que si intentaste que las cosas cambiaran fue porque quien te parecía aburrido era yo.

Silencio. Sin negativas. Eso sí que era halagador.

El rubor subió por el cuello estilizado de Brianna y tiñó sus mejillas. Se quedó de pie al otro lado de la mesa.

—Aburrido no, porque disfruté siempre que me acariciaste. Pero faltaba algo. Lo que sucedía entre nosotros en la cama era placentero, pero no excitante.

Colton se sintió como un idiota. Ella tenía toda la razón.

—¿Entiendo que deseabas pasión?

—Solo contigo, Colton, porque te amo. Pero, sí, supongo que me parece más excitante cuando pierdes algo de ese control formidable y demuestras lo mucho que me deseas. —Le miraba con total sinceridad y él no pudo evitar sentirse humillado.

Avergonzado de sí mismo en muchos sentidos, y al mismo tiempo humillado. Pero ¿cómo iba a saber que ella tenía una copia de ese libro escandaloso?

—Brianna…

—Por el momento —anunció ella como si lo dijera muy en serio—, no pienso dirigirte la palabra.

Entonces se dio la vuelta y salió con el mismo ímpetu con el que había entrado. Pero antes de eso, él vio el rastro húmedo de una lágrima que le bajaba por la mejilla, y que ella apartó con furia con la mano en un gesto revelador.

Si había algo peor que ser un asno, era ser un asno insensible, pensó taciturno.

Tenía que desagraviarla, y lo cierto es que no tenía ni idea de cómo hacerlo. Y aunque estaba sinceramente enfadado consigo mismo por hacer daño a su esposa con sus sospechas, una parte de sí saltaba de alegría.

Brianna era suya en exclusiva. El niño que gestaba en su útero era un símbolo de su amor mutuo, y pese a que había cometido un grave error, nunca en toda su vida había sentido tanta euforia al saberse equivocado.

Intrigado, cogió el infame libro y examinó las letras doradas de la cubierta. Tal vez se merecía al menos una ojeada, puesto que Brianna lo había utilizado para seducirle, y lo había hecho con tanta eficacia. Quizá lady Rothburg también podía enseñarle algo a él.

23

La vida está llena de sorpresas, y el amor es el misterio más desconcertante de todas ellas.

Del capítulo titulado «Conservad lo que tenéis»

*E*ra el único modo posible de actuar. Robert ya había saltado al abismo aceptando la proposición de Rebecca y haciéndole el amor de una forma salvaje y muy satisfactoria, de manera que lo mínimo que su hermano podía hacer era acompañarle, y proporcionarle cierta respetabilidad y apoyo cuando abordara a su padre. Ella había manifestado que se casaría con él en cualquier caso, y ahora era imprescindible que lo hiciera, pero era mejor para todo el mundo que sir Benedict aprobara el enlace.

—Si no te importa —dijo por segunda vez, ya que Colton no le había contestado—. Si tengo alguna posibilidad de convencer a sir Benedict para que me permita casarme con su hija, es a través de ti.

Colton, reclinado en la butaca de su escritorio atiborrado de correspondencia, seguía callado.

—¿Te importaría decir algo, maldita sea? —masculló Robert.

—Me parece que me he quedado mudo hasta la eternidad —contestó su hermano, mirándole sin dar crédito—. ¿De verdad me estás pidiendo que te acompañe a pedir la mano de una joven?

—Sí —confirmó Robert, y aunque le costó cierto esfuerzo, añadió—, por favor.

—Deseas casarte.

—No, claro que no. —Robert no pudo evitar un tono mordaz y se levantó otra vez. Tenía ganas de pasearse—. No seas estúpido.

Colton arqueó una ceja.

—Intento no serlo, pero mi esposa te dirá que no siempre lo consigo.

Robert no pudo evitarlo y se echó a reír. Hacía mucho tiempo que no veía muestras de sentido del humor en su hermano.

—Si no lo deseas, ¿por qué estás pensando en casarte con la señorita Marston?

—Lo único que quería decir es que no me he sentado a pensar que quería casarme. De hecho me he estado resistiendo como un jabato, pero ha ganado ella, y para mi sorpresa la derrota no ha sido tan dolorosa como imaginaba.

La derrota, si usaba el término para definir esas horas de ternura en sus brazos, había sido un triunfo.

—No te pediría este favor si no fuera importante, Colton —añadió Robert en voz baja.

—El matrimonio suele ser importante, si se me permite ser simplista sobre algo que no es simple en absoluto. —Colton juntó la punta de los dedos de ambas manos—. Por supuesto que iré contigo. ¿Acaso lo dudabas?

—Queremos una licencia especial.

Colton levantó las cejas.

—¿La necesitáis?

Ese era el problema. La gente pensaría que había seducido a Rebecca si se casaban enseguida. El hecho de que la seducción hubiera sucedido al revés era irrelevante. Eso solo era asunto de ellos dos, pero Robert odiaba la idea de que su esposa fuera protagonista de cotilleos maliciosos.

Y puede que estuviera embarazada de su hijo.

—¿He dicho yo que la necesitáramos? —replicó con impaciencia—. La queremos. Tanto ella como yo.

Habían pasado varios días desde la aparición de Rebecca en la fiesta, acompañada de un grupo de mujeres de mala vida, y no había habido ningún comentario, lo cual era un alivio. Pero aun sin el posible escándalo, no quería tardar en convertirla en su esposa.

Era curioso, pero una vez hubo aceptado la idea, la incorporó a su vida. Quería a Rebecca en su lecho, en su hogar, pero sobre todo, en su vida.

—Obtengamos primero el permiso de sir Benedict antes de hablar de una licencia especial, ¿te parece? —dijo Colton con ironía—. Yo, que te quiero, me imaginé lo peor. No es necesario que levantemos sus sospechas en un principio.

¿Colton, el estirado y abstraído Colton, acababa de decir que le quería, sin inmutarse? Robert, paralizado de asombro, miró a su hermano al otro lado de la mesa. Al cabo de un momento, consiguió decir con el mismo aplomo:

—De acuerdo.

—Iremos esta tarde. Le diré a Mills que mande a alguien para asegurarse de que nos esté esperando. Mientras tanto, vuelve a sentarte. Necesito tu consejo.

Robert se sentó. De hecho, lo necesitaba.

Su hermano mayor no pareció notar su cara de estupefacción. Miró los montones de papeles que había en su mesa y luego levantó la vista.

—No quiero sermones, ¿está claro?

—Casi nadie los quiere —acertó a decir—. Aún no he conocido a nadie que pida uno por favor. Pero ¿por qué demonios iba yo a sermonearte?

—Yo, en concreto, no quiero ninguno.

Estaba muy claro. Robert reprimió la risa.

—Comprendido.

—Brianna está furiosa conmigo.

Ah, o sea que esto era sobre la encantadora esposa de su hermano. No le sorprendió en lo más mínimo. Ella era el centro de su vida, lo admitiera o no. Robert arqueó una ceja.

—Ya que recurres a mi consejo, ¿se me permite preguntar por qué?

—Contraté a un hombre para que la siguiera y Brianna se enteró no sé cómo.

Robert casi nunca había visto a Colton tan incómodo. Tardó un minuto en asimilar la información. Estaba desconcertado.

—¿Por qué?

—Porque ese bastardo inepto metió la pata, es evidente.

—No, me refiero a por qué contrataste a alguien para seguir a Brianna.

—Porque pensaba… me preguntaba si tal vez… oh, Dios. —Colton se mesó los cabellos y dijo con pesar—: Me preocupaba que me fuera infiel. Resulta que me equivoqué, pero ella no está dispuesta a perdonarme. Llevamos dos días sin hablarnos apenas.

—¿Infiel? —Robert puso los ojos en blanco, sin saber cómo reaccionar—. ¿Brianna? ¿Por qué diantre pensaste tal cosa?

—Es obvio que disponía de ciertas pruebas convincentes, de lo contrario no hubiera llegado tan lejos —replicó Colton entre dientes—. Ha resultado ser un malentendido de proporciones gigantescas, pero yo sigo diciendo que no es raro que llegara a dichas conclusiones. Al margen de esto, necesito encontrar el modo de reconciliarme con ella. Solicité una audiencia para poder disculparme formalmente, pero ella se negó. Para serte franco, me sorprende que no me haya abandonado y se haya marchado sin mi permiso a Devon, con sus padres.

A Robert no le pasó por alto el deje de tristeza que tenía el tono de Colton. Aunque estaba perplejo de que su hermano, que solía sopesarlo todo de un modo concienzudo, cercano a la obsesión, hubiera cometido un error tan grave. Estaba claro que no era tan agudo cuando se trataba de sentimientos íntimos.

A Brianna nunca le hubiera pasado por la cabeza ser infiel. Robert estaba tan convencido de eso como de que el sol saldría al día siguiente. Ella amaba a su hermano con pasión, casi con tanta pasión como él la amaba a ella, constató.

—No se ha marchado —se aventuró a suponer—, porque aunque le has hecho daño y has ofendido su integridad, y lo que es peor, has demostrado que desconocías la profundidad de sus sentimientos, te ama lo bastante como para quedarse. Apostaría que por mucho que tú desees esforzarte para arreglar las cosas entre vosotros, ella lo desea aún más. Esa es tu baza.

En la cara de Colton brilló una chispa de alivio.

—¿Tú crees?

—Lo cual no significa que no tengas que arrastrarte, Colt. Y en mi opinión, ser un duque insigne no sirve para aprender a arrastrarse.

Su hermano gruñó por lo bajo. Era difícil decir si asentía o hacía todo lo contrario.

—Creo que estoy dispuesto a hacer lo que sea necesario. No deseo que ella sea infeliz a mi lado, pero por encima de todo no deseo que sea infeliz. No tengo ni idea de cómo solucionar esta situación.

—A mí se me ocurren unas cuantas. —Robert notó que empezaba a sonreír. Tenía práctica en apaciguar a mujeres soliviantadas, y la verdad es que lo hacía bastante bien.

—Excelente —dijo Colton—. Tú ayúdame, y yo haré todo lo posible para asegurarme de que sir Benedict no te retuerza el cuello en cuanto le comuniques que deseas casarte con su hija lo más pronto posible.

Estaban arriba, en el estudio de su padre.

Robert, su padre y el duque de Rolthven.

Rebecca, sentada en la sala de música, jugueteaba con las teclas del pianoforte. Al menos había dejado de andar de acá para allá. Eso la había dejado exhausta y habría jurado que había desgastado una parte de la alfombra.

No podía creer que estuviera sucediendo al fin. Era como un sueño. Robert Northfield había ido a pedir formalmente su mano. Robert.

Él, un notorio calavera, un pícaro escandaloso, un libertino de primer orden. Cuando la otra noche —cuando había salido a hurtadillas del baile y había estado a punto de provocar una catástrofe, con su inoportuna aparición en un acto donde por lo visto, las jóvenes decentes no eran bienvenidas—, le había sugerido que estaba dispuesta a considerar la posibilidad de hacer un alto en su residencia antes de que la acompañara a casa, él se había negado, insistiendo en que podía esperar.

Algo impropio de un libertino. Ella le amaba todavía más por eso. Y más aún por dejarse convencer de lo contrario.

Era justo lo que le había dicho a su madre. Robert tenía el brillo superficial de un seductor fascinante de actitud despreocupada, pero ella había experimentado las cualidades del hombre que había debajo. Había sido tierno, ardiente, y aunque cuando estuvo en sus brazos ella le había pedido que fuera osado, en lugar de eso Robert le había dado ternura y un placer exquisito. Rebecca sabía que iba a ser un marido perfecto.

Ahora, y siempre que su padre opinara lo mismo, podía acabar siendo la mujer más feliz de Inglaterra.

Pero eso distaba de ser un hecho. Rebecca había rechazado mucho mejores partidos, caballeros con fortunas más cuantiosas, y mejor posicionados en la élite de la sociedad como el marqués de Highton. Ninguno de ellos tenía una reputación tan dudosa como la de Robert.

Incapaz de soportarlo más y ansiosa por tranquilizar su ánimo, Rebecca cogió la primera partitura que encontró y empezó a tocar. Era una pieza inacabada en la que había estado trabajando semanas antes de tropezar con el hombre de sus sueños, cuando intentaba escapar de lord Watts. Desde aquel momento decisivo no había hecho ningún progreso.

Sus manos se pararon en seco cuando la puerta se abrió.

No se dio cuenta de que estaba conteniendo la respiración hasta que Robert apoyó un codo en el instrumento.

—Muy bonito. ¿Tuyo? —murmuró.

Ella captó la sombra de una sonrisa en el trazo perfecto de sus labios, y le invadió la euforia.

—¿Mío? ¿Te importaría explicarte?

Se refería a algo mucho más importante que el cuarteto inacabado.

Él asintió despacio. El tono dorado de su cabello castaño y sus intensos ojos azules le daban un atractivo increíble.

—Tuyo.

¿Había aceptado realmente su padre?

—Lo sospeché desde el principio. —Robert sonrió como solo él podía hacerlo, levantando la comisura de la boca de una forma fascinante—. Me preguntaba si la música que interpretaste en Rolthven la habías compuesto tú.

—Componer música es una actividad impropia de una dama. —En el interior de su pecho, su corazón había iniciado un contundente *staccato*.

—Me gusta cuando haces cosas impropias de una dama. —La voz de Robert tenía un matiz seductor—. De hecho, recuerdo que la otra noche creo que me prometiste que tu comportamiento sería impropio en general. Espero que cumplas ese juramento, igual que todos los que nos hagamos mutuamente.

Rebecca se acordó del libro y de sus desvergonzados consejos y se ruborizó.

—Ya que sigues aquí, deduzco que mi padre... —musitó.

—¿Accedió? —preguntó él con ironía al ver que ella se quedaba sin palabras—. Debo admitir que al principio, no. Pero entre tu madre, que mantuvo su palabra e intercedió, sir John, que era amigo de mi padre y también lo es del tuyo, y otra serie de factores atenuantes como el comportamiento de Bennie durante todos estos años, sir Benedict ha decidido de mala gana que, después de todo, tal vez yo no soy tan canalla.

Después de que hicieran el amor, Robert le había contado por fin por qué su padre tenía tan mala opinión de él. Rebecca se había puesto a su favor, furiosa ante la debilidad de su primo por acusar a alguien que lo único que hizo fue intentar ayudarle.

—Me alegra que sepa la verdad.

—Colton también ha hecho una intervención increíble en el momento justo. —Robert sonreía—. Fue él quien señaló las ventajas de una boda rápida, en caso de que se me ocurriera tentarte a cometer una imprudencia. No lo dijo así, pero lo que mi hermano mayor quería decir era que, dada mi reputación y a menos de que tu padre te encerrara bajo llave, ¿cómo podía estar seguro de que no se produjera un escándalo en el futuro? En lugar de prevenir cualquier catástrofe, ¿por qué no una boda?

—Tú no me has tentado a hacer nada —protestó Rebecca—. Le conté la verdad a mi madre. Fue todo lo contrario. Fui yo quien te lo pidió.

Robert se limitó a arquear una ceja.

—No me importa que tu padre sepa si sus preocupaciones tienen base alguna. El sutil método de persuasión de Colton funcionó. —Sonrió—. Nadie como mi respetable hermano sabe lo que infunde terror en los corazones de las demás personas respetables.

Rodeó el piano y se sentó junto a ella en la banqueta. Presionó la tecla del *do* central con su largo dedo. La nota resonó en la sala. Rebecca era muy consciente del roce de aquel muslo prieto contra el suyo. Él se dio la vuelta. Estaba tan cerca que ella distinguió el asombroso azul de sus ojos con intensa claridad.

—¿Estás segura —preguntó él en voz baja— de que lo que quieres es esto?

Rebecca se dio cuenta de que podría mirar en el interior de aquellos ojos magnéticos para siempre, y no vaciló.

—Sí.

Él hizo una mueca.

—Yo no tengo práctica. Bien, no tengo práctica como marido, algo que quizá deberías tener en cuenta.

—Lo normal es no tenerla cuando uno se casa por primera vez —repuso ella.

Él olía de maravilla. Ella empezaba a conocer ese aroma varonil, tentador y picante. Quién iba a decir que un miembro de la especie masculina, a quien le gustaban los caballos y las habitaciones cargadas de humo del tabaco, pudiera oler tan bien.

Y como si entre ellos hubiera una sincronización mística, Robert se inclinó apenas hacia delante y dijo:

—Me gusta tu perfume. Aquella primera noche en el jardín, creo que fue eso lo que luego no pude olvidar de ti. Eso, y el extraordinario color de tus ojos.

Él iba a besarla. Ella deseaba con desesperación que la besara. Y que después la tumbara sobre la banqueta y la tomara otra vez, como la había tomado la otra noche.

—Intentaré llevar siempre este perfume en particular.

—Y tu cabello. —Robert bajó la cabeza, solo un poco—. Analicé el color mentalmente. Nunca había hecho algo así. Eso solo debería haberme alertado. Cuando un hombre hecho y derecho se sienta a filosofar sobre el color del cabello de una mujer es que sufre algún tipo de trastorno.

—Esto no es una enfermedad.

Él le acarició la barbilla.

—¿Seguro?

Rebecca no podía competir con él, pero la verdad es que no pretendía resistirse en ningún sentido, así que no importaba. Se pasó la lengua por los labios.

—¿De qué color es?

—¿El qué? —Robert parecía concentrado en su boca.

—Mi pelo.

Robert le acarició los labios con un beso. Por lo visto no le importaba que la puerta de la sala de música estuviera abierta.

—Ah, aún no estoy seguro. Tal vez tendré que estudiarlo durante los próximos cincuenta años, más o menos.

—Eso me parece delicioso —susurró ella—. ¿Esto está ocurriendo de verdad?

Él se echó a reír. Fue un sonido cálido y quedo.

—Eso mismo me he estado preguntando yo.

24

La auténtica prueba del amor de un hombre es su capacidad
para pedir perdón cuando se ha equivocado. Si lo hace, sabréis si es sincero por la mirada que haya en sus ojos. No
puedo describirla, pero lo sabréis, creedme. El amor tiene
un brillo propio.

Del capítulo titulado «Me quiere o no me quiere»

*B*rianna se detuvo en la puerta de su alcoba. Había alguien
dentro, cosa que ya esperaba, pero lo que no se había imaginado era que el ocupante fuera su marido. Había un camisón extendido sobre su cama, y Colton estaba sentado en una de las
butacas junto a la chimenea, con la mirada fija en ella, que permaneció de pie en el umbral. Sostenía una copa de coñac en la
mano y parecía relajado, pero al ver la rigidez de sus hombros,
ella comprendió que esa despreocupación era fingida.

—¿Vas a entrar? —le preguntó al ver que se quedaba allí
quieta.

—No lo sé —admitió Brianna. Se preguntaba cuánto tiempo
iba a seguir mostrándose ofendida. Era imperdonable que hubiera sospechado de ella. Absolutamente.

Pero le preocupaba pensar que ya le hubiera perdonado. Le
extrañaba. Cuando la afrenta se convirtió en tristeza, quizá había comprendido un poco sus dudas, hasta cierto punto. Eso no

le excusaba, pero Brianna suponía que su propia inexperiencia también había sido parte del problema. Ella solo había querido complacer a su marido, algo que en aquel momento le había parecido sencillo.

Pero ahora, con ese distanciamiento que había entre ambos, no era sencillo en absoluto.

—Es tu dormitorio. Alguna vez tendrás que visitarlo —dijo él en tono afable—. ¿No ibas a cambiarte para salir? Para hacerlo tendrás que entrar.

Esa había sido su intención al aceptar la invitación. Pues aunque su vida personal fuera un desastre, si toda la alta sociedad se enteraba empeoraría aún más las cosas.

—¿Dónde está mi doncella?

—Le he dicho que podía retirarse por esta noche.

Ante tal presunción a ella se le escapó un leve gemido.

—Supongo que puedo peinarme yo misma.

—O no peinarte.

—Colton…

—Cuando murió mi padre, me sentí perdido. —Sus palabras invadieron poco a poco la habitación—. No pretendo que esa tragedia suponga mi absolución, pero soy tu marido, y como tal solicito una oportunidad para explicar mis recientes actos. ¿Serías capaz de concederme eso?

Él nunca hablaba de su padre. Y la palabra «solicito» implicaba una humildad muy elocuente. Brianna entró en el cuarto, cerró la puerta y se sentó en el tocador frente a él, sin decir palabra.

Necesitaba eso que iba a suceder en aquel momento. Ambos lo necesitaban.

—Solo tenía veinte años —continuó con una débil sonrisa—. La edad que tú tienes ahora, así que tal vez puedas imaginártelo. A veces tengo la sensación de ser mucho más viejo. De repente todas esas personas dependían de mí. Mi padre era fuerte. Vigoroso. No había motivo para pensar que empezaría a toser un día y al poco se habría ido, literalmente. Yo seguí sin creérmelo hasta que mi madre se volvió hacia mí llorando, y me preguntó qué íbamos a hacer. Todos me estaban mirando, a mí, para que les guiara. Entonces fue cuando me di cuenta de que en realidad no lo sabía.

Brianna vio cómo su marido se esforzaba por revelar sus sentimientos y lo supo, supo que si Colton deseaba disculparse, esa era la mejor forma de todas. Tal vez si se hubiese deshecho en tópicos y hubiera intentado explicar sus actos, ella habría pensado que era una excusa para que ambos se olvidaran del incidente.

Pero esto, no. Esto le costaba.

Él desvió la mirada y ella habría jurado que detectó un ligero brillo en sus ojos.

—No sabía qué hacer. Siempre fui consciente de que probablemente sería duque algún día, pero ni mi padre ni yo imaginamos nunca que ocurriría de ese modo. Ah, sí, me habían formado, educado y aconsejado, pero nadie me dijo nunca que la maldita transición sería tan dolorosa. Ser un heredero es un concepto abstracto. Heredar es algo muy distinto.

—Querido —dijo ella con la voz tomada y sin el menor rastro de ira, ante la crudeza que vio en su expresión.

—No, déjame terminar. Te lo mereces. —Él tensó los músculos del cuello y tragó saliva—. Me parece que aquel día me sentí traicionado hasta cierto punto. Por él. Por morirse. Es una ridiculez, ¿verdad? Aunque era joven yo ya era un hombre. Pero simplemente no esperaba que sucediera tan pronto. Él debería estar vivo ahora. Tuve que dejar a un lado la tristeza, porque la verdad es que no había tiempo para eso. De manera que me sumergí en el papel de duque lo mejor que supe, y creo que tal vez olvidé algunas otras cosas importantes de la vida. Por suerte para mí, tú estás haciendo todo lo posible para recordármelas.

Brianna estaba paralizada. El Colton que ella conocía no hacía esto. No abría su alma.

—Así que, ¿podría pedir cierta indulgencia por tu parte ante mi estupidez? Yo suelo buscar la lógica en todo. Tus actos, por muy cautivadores y placenteros que me resultaran, me confundieron. —Su marido la miró desde la butaca con su estilizado cuerpo en tensión—. Lo cierto es que ni yo mismo soy capaz de perdonarme por haber pensado lo peor, aparte de que contigo siento una vulnerabilidad que no había experimentado desde hace mucho tiempo. Nueve años, de hecho. Súmalo a que esperamos un hijo y que tenía la sensación de que me estabas ocultando algo. Tuve esa misma sensación de estar abrumado. De modo que hice todo lo que pude para controlar la situación de la única forma que sabía. Soy un idiota, pero al menos soy un idiota que ama a su esposa hasta el punto de perder el juicio.

Antes Brianna se había quedado inmóvil, pero ahora no podía moverse aunque quisiera.

—Debe ser así —continuó él con evidente esfuerzo—, de lo contrario no habría actuado de una forma tan irracional.

Brianna adoró todavía más a Colton por esa lógica tan suya, que surgía incluso cuando lo que estaba intentando era que su disculpa fuera de lo más efectiva.

Entonces la derrotó con la afirmación más convincente de todas.

—No me di cuenta de que eso me había pasado a mí. A nosotros.

Brianna, sentada con aplomo en la banqueta frente al tocador, juntó las manos con calma y miró a su marido.

—¿No sabías que me amabas?

Él era alto, guapo, poderoso, rico… todo lo que un hombre podía ambicionar. Sin embargo parecía perdido. Entonces se frotó la barbilla y dijo con la voz ronca:

—No me di cuenta. Y sí, Brianna. Dios, sí. Te amo.

Todo fue más fácil.

Decirle esas palabras a Brianna no había sido el problema en realidad. Fue no admitir ante sí mismo que la amaba lo que se había interpuesto entre ellos. Ambos se querían. Esa era una revelación aún mayor.

Antes, ni siquiera había tenido la intención de decirle a Robert, de hermano a hermano, lo que sentía por él. Le salió sin más. En esta ocasión, Colton tenía la intención de decirle a Brianna que la quería, pero no había previsto que su voz tuviera ese matiz ronco, ni la intensidad del momento.

Y ese niño que crecía dentro de ella... Colton no era capaz de expresar ante sí mismo hasta qué punto le conmovía el hecho de que fueran a tener un hijo.

Vio lágrimas en los ojos de su esposa y de nuevo era culpa suya. Pero al menos esta vez no era porque le hubiera hecho daño. La sonrisa trémula de sus labios le llenó de alivio. Brianna se puso de pie y cruzó la habitación. Y, aunque él también debía levantarse por cortesía, se limitó a quedarse sentado y esperar, incapaz de moverse del sitio al ver la expresión de aquel rostro encantador.

Ella le quitó la copa de coñac de los dedos y la depositó en la repisa de la chimenea. Luego se sentó en su regazo y le acarició apenas la mejilla con la mano.

—Somos muy afortunados, ¿verdad?

Colton la miró a los ojos, mudo de emoción.

—Yo ya te había perdonado, sabes. No soy capaz de estar mucho tiempo enfadada contigo, por fastidiosamente torpe que seas a veces.

Su acogedora boca estaba a muy poca distancia, tentándole.

—No pienso discutir ni tu acusación, ni tu generosidad —dijo con emoción.

—Supongo que yo no soy inocente del todo. —Ella le dibujó con los dedos el perfil de la barbilla, fue más allá y le acarició los labios—. Mi intención era buena, pero a lo mejor no debí comprar el libro de lady Rothburg. Fue impropio.

—Mucho —confirmó él, aunque añadió—, pero esa mujer me parece muy brillante. No puedo decir que esté de acuerdo con todas las observaciones que hace sobre los hombres, pero en general creo que tiene bastante razón. Es muy perspicaz.

La mano de su esposa se detuvo en seco, y sus ojos se abrieron de par en par.

—¿Lo leíste?

—En efecto. Palabra por palabra. Al fin y al cabo, tú lo dejaste en mi escritorio.

—Es muy poco convencional hacer algo así, Colton. —Brianna bajó los párpados un milímetro con ironía.

Él recordó con una punzada de dolor contenido el comentario mordaz que ella había hecho cuando se encaró con él en el estudio.

—En el futuro me las arreglaré para ser más abierto de mente.

Brianna se inclinó hacia delante y le lamió el labio inferior. Fue tan solo un roce, delicado y lento, con la punta de la lengua, pero provocó un espasmo que recorrió el cuerpo de Colton.

—Dime, ¿cuál de sus consejos te gustó más? Como mujer siento curiosidad —murmuró ella.

—Definitivamente eres una mujer —masculló sujetándole las caderas y acomodándola en la posición adecuada en su regazo. Su creciente erección tensaba la parte delantera de sus pantalones—. ¿Qué me has preguntado?

—Qué —le besó— te gustó —volvió a besarle— más.

—Tú. No importa lo que hagamos, lo mejor de todo eres tú, Brianna.

—¿Estás diciendo que puedo volver a atarte en la cama algún día, si me apetece? —sonreía, juguetona y provocativa.

Colton emitió un leve gemido cuando ella movió las delicadas nalgas contra su ingle dolorida. Recordaba muy bien ese episodio placentero, con todo lujo de detalles.

—Yo siempre estoy a tu servicio, madame.

—Eso suena prometedor. Entonces, ¿puedo quedarme el libro?

—Lo consagraré en una urna de cristal. —Le sacó los alfileres del cabello y le frotó los labios contra el lóbulo de la oreja.

Una carcajada arrebolada le acarició la mejilla.

—Estoy segura de que lady Rothburg se sentiría halagada, pero no hace falta que llegues a ese extremo. No obstante, hay un favor que me gustaría pedirte.

Él había movido la boca hacia el costado del grácil cuello de su esposa, y asintió con un sonido incoherente.

—A partir de ahora me gustaría que compartiéramos cama.

—Estamos a punto de hacerlo, créeme —juró Colton, excitado de modo evidente.

—No, bueno, sí, pero no me refiero a eso. No quiero solo acostarme contigo, sino a tu lado. En mi dormitorio o en el tuyo, no importa. Pero cuando hacemos el amor y tú te vas, me siento…

Colton la tenía entre sus brazos y notó que se había puesto tensa. Se echó atrás lo bastante como para poder verle la cara. Si algo había aprendido de los últimos días, era que uno de sus mayores puntos débiles era dedicarse a la tarea de intentar entender lo que sentían los demás.

Esto era importante para su esposa y ella era todo su mundo, así que le importaba a él.

—Sigue, por favor —le dijo en voz baja.

—Apartada de ti. No solo de un modo físico. —A Brianna le temblaban los labios, muy poquito, pero lo suficiente—. Puede que te parezca ridículo porque tú siempre eres muy práctico. Pero yo deseo oír tu respiración al despertarme, notar tu calidez a mi lado, compartir algo más que la pasión.

Él comprendía lo que significaba sentirse apartado. Estar distanciado de los demás por su rango, por su responsabilidad, pero sobre todo por los muros interiores que había construido para protegerse a sí mismo de las ataduras emocionales y el compromiso.

Trazó con el índice la curva de una de las cejas perfectas de Brianna y sonrió.

—Estaré encantado de que duermas a mi lado todas las noches. Ves, ya está hecho. ¿Qué más puedo darte? Pídelo y lo obtendrás.

Ella meneó la cabeza.

—No se me ocurre qué más puede desear una mujer aparte de estar con el hombre al que ama y gestar a su hijo.

Era una mujer casada con uno de los hombres más ricos de Inglaterra, y tenía la sociedad a sus pies como duquesa. Su belleza era increíble y disponía de una vida de privilegios, pero solo deseaba el más simple de los regalos. Una de las cosas que él amaba de Brianna, y que captó desde el principio, era que nunca había pensado en su existencia ni en su matrimonio de forma calculadora. Si él hubiera sido un pastor de ovejas, ella le habría amado en igual medida.

Podía pedirle lo que quisiera y sabía que él tenía medios para proporcionárselo.

Pero lo que deseaba era dormir a su lado.

¿Cómo había encontrado Colton ese tesoro?

Probablemente no la merecía, pero podía esforzarse. Se puso de pie con ella en brazos.

—¿Nos quedamos en casa esta noche? Podemos cenar en nuestras habitaciones y disfrutar de la compañía mutua.

Brianna sonrió, lánguida y seductora.

—Suena maravilloso. ¿Recuerdas que lady Rothburg tiene todo un capítulo sobre que algunas mujeres son más apasionadas cuando están embarazadas? Creo que tiene razón.

Dios santo, eso esperaba. Colton ya había visto antes esa luz intensa en los ojos de su esposa, y solo con abrazarla ya tenía el cuerpo más que preparado y listo.

—Esa mujer es una erudita de primer orden —dijo entre dientes mientras llevaba a su mujer al dormitorio. Abrió la puerta con el hombro y fue hacia el lecho enorme—. Una experta brillante, y generosa por compartir su sabiduría con el mundo. Un dechado de virtudes.

A su esposa le sobrevino la risa.

—¿Acabas de llamar dechado de virtudes a una cortesana, a una mujer promiscua? ¿Tú, el duque de Rolthven, que jamás cometería una falta de etiqueta?

Colton la depositó sobre la cama y se inclinó sobre ella, mirándola a los ojos.

—Lo he hecho, en efecto.

Entonces empezó a desnudarla, intercalando besos cálidos y prolongados, y susurrando palabras maliciosas.

Y la respuesta desinhibida de ella demostró que tenía razón.

Lady Rothburg era una mujer de una sabiduría excepcional.

Epílogo

$\mathcal{D}$amien Northfield estaba cómodamente apoyado en el respaldo de la butaca, con las piernas cruzadas a la altura del tobillo, y una botella de whisky justo al alcance de la mano. Su partida hacia España se había retrasado por diversos problemas burocráticos, lo cual era frustrante, aunque había otros asuntos que habían terminado de forma satisfactoria.

Su hermano menor se había casado. Y se había casado bien. Rebecca incluso estaba pendiente de una especie de estreno de sus composiciones musicales en un recital público inminente. Robert nunca había sido de los que respetan las convenciones al dedillo, y exhibir el talento extraordinario de su esposa era una audacia típica de él.

Colton también estaba más contento y más abierto que nunca, en opinión de Damien. La futura paternidad le sentaba bien a su hermano mayor, y lo cierto es que Brianna estaba radiante de felicidad aunque se sintiera algo pesada. Se diría que estaba más bella que nunca, lo cual era decir mucho.

Damien dedicó una perezosa sonrisa a sus hermanos, sin molestarse en ocultar la carga de ironía.

—¿De modo que ambas lo leyeron?

—Y solo Dios sabe a quién más es capaz de prestarle el libro mi osada esposa. —Colton levantó una ceja—. Yo ya he dejado de intentar controlar siquiera lo que hace.

—Lo que quieres decir —intervino Robert con evidente malicia— es que se lo permites todo.

—Quizá. —Colton parecía indiferente, y a la vez relajado.

Relajado.

Colton.

Eso era una gran cosa.

—A mí el libro me parece bastante admirable —dijo Robert y bebió un sorbo del vaso—. Damien, cuando te cases, tal vez deberías pedirle a Brianna que se lo preste a tu esposa. Te prometo que si se lo das a tu amada, no te arrepentirás. Digamos que lady Rothburg no tiene ningún problema en comentar al detalle ciertas cosas que un caballero no trataría con su esposa.

Si la mueca pecaminosa de su hermano significaba algo, eso debía ser verdad.

—Mañana regreso a España —señaló Damien—. Así que dudo que me esperen romances de ningún tipo en un futuro, pero lo tendré presente.

—Nunca se sabe —comentó Colton—. Si alguien me hubiera dicho que me esperaban a mí, yo habría protestado con vehemencia.

Qué gran verdad. ¿Quién hubiera predicho que su estricto hermano mayor se casaría con una encantadora aunque impulsiva joven, y que conseguiría convertirse en un hombre distinto al recto e irreprochable duque de Rolthven?

En el mismo sentido, ¿quién podía imaginar que Robbie se casaría con una jovencita respetable, y que le convencería de tocar el chelo en público, nada menos?

Sus secretos eran mucho más volátiles y privados.

Damien cogió el vaso y lo alzó.

—¿Brindamos por ella, pues? Por la sabia, aunque perversa, lady Rothburg.

Epílogo de
«*Los consejos de lady Rothburg*»

Para terminar, mis queridísimas lectoras, me gustaría decir que espero que mis consejos os hayan resultado valiosos, aunque solo sea en cierta medida. La fórmula perfecta para el amor romántico no existe, como es lógico. Pero si tuviera que limitarme a escribir un único consejo en lugar de un libro entero, creo que recordaría, tanto a hombres como a mujeres, que el éxito sexual y emocional de una pareja exige esfuerzo por ambas partes. Lo que sucede en la cama, o, si leéis el capítulo ocho, en otros lugares insólitos y perversos, es importante. Sí, porque eso es lo que nos atrae del otro en un principio. Pero por muy placentero que sea, la parte más importante de cualquier romance es el vínculo que creéis en vuestra vida en común.

Encontrar a la pareja ideal es esencial y conservarla es una tarea jubilosa.

Con cariño,

Lady Rothburg, escrito durante el retiro posterior
a su matrimonio, un 19 de abril de 1802

Agradecimientos

¿Cómo podría expresar el agradecimiento que se merecen Becky Vinter y Barbara Poelle? No puedo, así que permitid que me limite a saludar con mi proverbial sombrero a esas damas tan encantadoras e inteligentes.

También me gustaría dar las gracias a DL por su apoyo, y por todos esos momentos dedicados a la lluvia de ideas. No hay nada como un buen amigo con maravillosas sugerencias maliciosas.

También quiero dar las gracias a Jennifer. Ya sabes por qué.